DEN OSYNLIGE MANNEN FRÅN SALEM

Christoffer Carlsson

DEN OSYNLIGE MANNEN FRÅN SALEM

Pocketförlaget

Av Christoffer Carlsson

Fallet Vincent Franke 2010

Den enögda kaninen 2011

www.pocketforlaget.se
info@pocketforlaget.se

ISBN 978-91-7579-005-3

Originalutgåvan utgiven av Piratförlaget

Omslag Eric Thunfors

Tryckt hos ScandBook AB i Falun, 2014

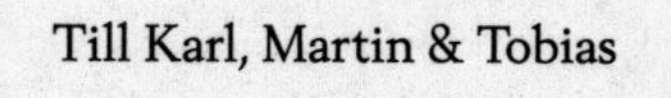

Till Karl, Martin & Tobias

Strange highs and strange lows,

Strangelove,

That's how my love goes

DEPECHE MODE

Jag stryker utanför din dörr, precis så som jag gjorde förr. Men det är inte din dörr, nej, du är inte här. Har inte varit här på länge. Jag vet det, för jag följer dig. Det är bara jag här. Och jag är egentligen inte här heller. Du känner inte mig. Ingen känner mig, inte längre. Det är ingen som vet vem jag är.

Du känner att något är fel, att något håller på att hända. Du minns tiden som följer i den här texten, men väljer att tränga bort den. Eller hur? Jag vet det, för jag är precis som du. De få gånger det förflutna gör sig påmint i din vardag känner du igen det. Du känner igen det men du är osäker på vad som var sant och inte, eftersom tid gör allting grumligt.

Jag skriver det här för att berätta för dig att allt du tror är sant, och inte alls som du tror. Jag gör det här för att berätta allt.

I

SVERIGE MÅSTE DÖ. Orden står skrivna över tunnelväggen i svarta, tjocka versaler och från en affär i närheten hörs musik, någon som sjunger *don't make me bring you back to the start* och utanför tunneln skiner solen varm och vit men härinne är det svalt, stilla. En kvinna med hörsnäckor och hästsvans passerar, joggande. Jag följer henne med blicken tills hon försvinner.

Någonstans ifrån kommer ett barn springande med en ballong i handen. Ballongen fladdrar ryckigt och hetsigt i snöret efter honom, tills den träffar något vasst i tunneltaket och smäller till. Pojken ser skrämd ut och börjar gråta, kanske av det hårda ljudet men förmodligen inte. Han ser sig om efter någon men det finns ingen där.

Jag är i Salem, på besök för första gången på länge. Det är i slutet av sommaren. Jag reser mig från bänken i tunneln och går förbi barnet, ut ur dunklet och in i det starka solskenet.

II

När jag vaknar är det mörkt och det är så jag vet att något har hänt. I ögonvrån blänker det till. På andra sidan gatan slås husväggen av ett starkt och blått och blinkande ljus. Jag reser mig ur sängen och går fram till kokvrån, dricker ett glas vatten och lägger en kapsel Sobril på tungan. Jag har drömt om Viktor och Sam.

Med det tomma glaset i handen går jag fram till balkongen och öppnar dörren. Vinden är varm men fuktig, får mig att rysa och jag ser på världen som väntar därnere. En ambulans och två polisbilar står parkerade i en halvcirkel utanför entrén. Någon drar ett blåvitt avspärrningsband mellan två lyktstolpar. Jag hör dova röster, sprakandet från en polisradio, och ser det stumma blinkandet från polisbilarnas blåljus. Och bortom dem: bruset av en miljon människor, ljudet av en stor stad i tillfällig vila.

Jag går tillbaka in och klär på mig ett par jeans, knäpper en skjorta och drar handen genom håret. I trapphuset: en fläkt som snurrar någonstans bakom väggen, det diskreta frasandet av kläder, en mumlande låg röst. Någon sätter igång den gamla hissen och den börjar röra sig med ett mekaniskt knakande, får hisschaktet att vibrera.

”Kan ingen stänga av den där jävla hissen?” väser någon.

Hissen döljer ljudet av mina steg när jag tar mig nerför spiraltrappan som ringlar sig kring schaktet. Jag stannar vid andra våningen och lyssnar. Under mig, på första våningen, har något hänt. Det är inte första gången det gör det.

För några år sedan köpte en ideell förening den stora lägenheten med hjälp av en donation från någon som hade mer pengar än han behövde. Föreningen gjorde om lägenheten till ett härbärge för de utslagna och avvikande och döpte det till Chapmansgården. De har besök minst en gång i veckan, oftast av trötta byråkrater från socialtjänsten men inte sällan av poliser. Härbärget drivs av en före detta socialarbetare, Matilda eller Martina, jag minns inte namnet. Hon är gammal men mer respektingivande än de flesta poliser.

När jag lutar mig över trappräcket ser jag den tunga trädörren till härbärget stå öppen. Ljuset är tänt därinne. Den irriterade mansrösten blir lugnad av en mjukare, en kvinna. Hissen passerar mig på sin väg nedåt och jag följer den, går ner till första våningen dold bakom hissens kropp. De två poliserna som står där stelnar till när de får syn på mig. De är unga, mycket yngre än jag. Hissen stannar på bottenplan och det blir med ens väldigt tyst.

”Försiktig med var du går”, säger kvinnan.

”Sätt upp bandet”, säger han och håller ut den blåvita rullen med avspärrningsband, vilket får henne att stirra på honom.

”Sätt upp det själv så tar jag hand om honom.”

Hon har tagit av sig sin keps och håller den i handen, har håret uppsatt i en stram hästsvans som får hennes ansikte att se utsträckt ut. Mannen har fyrkantig käke och snälla ögon, men jag tror att de båda är ganska skärrade för de ser hela tiden på sina armbandsur. På uniformernas axlar sitter ensamma kronor i guld, inga streck. Assistenter.

Han går mot trappan med rullen i handen. Jag försöker le.

"Det är så att det har hänt en sak här", säger hon. "Jag skulle vilja att du stannade i huset."

"Jag ska inte gå ut."

"Vad gör du härnere, då?"

Jag ser på trapphusets fönster, som är stort och visar huset på andra sidan gatan. Det sköljs fortfarande med blått ljus.

"Jag vaknade."

"Du vaknade av blåljusen?"

Jag nickar, osäker på vad hon tänker. Hon ser förvånad ut. Jag känner en frän lukt och först nu noterar jag hur blek hon är, att ögonen är rödsprängda. Hon har nyligen kräkts.

Hon lägger huvudet lätt, nästan omärkligt, på sned och rynkar ögonbrynen.

"Har vi träffats förut?"

"Det tror jag inte."

"Är du säker?"

"Jag är polis", försöker jag, "men inte ... nej, jag tror inte att vi har träffats."

Hon ser på mig länge, innan hon tar upp anteckningsblocket ur bröstfickan och bläddrar fram till något, klickar med pennan, gör en anteckning. Bakom min rygg prasslar hennes kollega fumligt med avspärrningsbandet på ett sätt som gör mig irriterad. Jag betraktar dörren bakom kvinnan. Den visar inga tecken på att ha blivit uppbruten.

"Jag hade ingen uppgift om att det bor en polis här. Vad heter du?"

”Leo”, säger jag. ”Leo Junker. Vad är det som har hänt?”

”Vilken avdelning är du på, Leo?” fortsätter hon, med en ton som avslöjar att hon är långt ifrån övertygad om att jag talar sanning.

”IU.”

”IU?”

”Internutred...”

”Jag vet vad det står för. Får jag se din legitimation?”

”Den ligger i min jacka, uppe i lägenheten”, säger jag och hennes blick rör sig över min axel, som om hon sökte ögonkontakt med sin kollega. ”Vet ni vem hon är?” försöker jag. ”Kroppen.”

”Jag ...”, börjar hon. ”Du vet alltså vad som har hänt?”

Jag är ingen bra observatör, men det är sällan män besöker härbärget. De har andra platser att gå till. Kvinnorna har däremot inte så många härbärgen att välja mellan, eftersom de flesta hem av det här slaget nekar antingen dem som missbrukar, eller dem som prostituerar sig. Kvinnorna tillåts göra något av det, men inte både och. Problemet är att de flesta gör just både och. Chapmansgården är ett undantag och det gör att många kvinnor kommer hit. Gården har bara en regel för att bli insläppt: du får inte bära vapen. Det är en sympatisk hållning.

Så förmodligen är det en kvinna och att döma av uppståndelsen är hon inte längre vid liv.

”Får jag ...?” säger jag och tar ett steg mot henne.

”Vi väntar på tekniker”, hör jag hennes kollegas röst bakom mig.

”Är Martina därinne?”

”Vem?” säger kvinnan, förvirrad, och ser på sitt block.

”Hon som driver gården”, säger jag. ”Vi är vänner.”

Hon ser skeptisk ut.

”Du menar Matilda?”

”Ja. Precis.”

Jag kliver ur mina skor, lyfter upp dem och går förbi henne, in på härbärget.

”Hallå”, säger hon vasst och tar mig hårt i armen. ”Du stannar här.”

”Jag vill bara se hur det är med min vän”, säger jag.

”Du vet ju inte ens vad hon heter.”

”Jag vet hur man rör sig på en brottsplats. Jag vill bara se att Matilda är okej.”

”Det har ingen betydelse. Du kommer inte in här.”

”Två minuter.”

Polisen stirrar på mig länge innan hon släpper taget om min arm och ser på sitt armbandsur igen. Någon bankar på porten därnere, hårt och intensivt. Hon söker efter sin kollega, som rört sig uppför trappan och inte längre syns till.

”Vänta här”, säger hon och jag nickar och ler, försöker se uppriktig ut.

På Chapmansgården känns världen spöklikt stilla. Taket hänger lågt ovanför mitt huvud, golvet är av ful och sårig parkett. Härbärget består av en stor hall, ett fikarum med kök, en toalett och dusch, ett kontor, och vad jag antar är sovsalen, längst in i lokalen. Lukten påminner om den man finner i en gammal mans garderob. Innanför dörren står en stor korg på golvet och intill den, en handskriven lapp. VARMA KLÄDER. Under en luvtröja sticker ett par handskar fram och jag drar ut dem.

En bit in till höger från den stora hallen finns ett prydligt och diskat kök med ett kvadratiskt bord i trä och ett par pinnstolar. Vid köksbordet sitter Matilda, den gamla fågeln till kvinna med spetsig profil och burrigt silverlockigt hår, mitt emot en man i polisuniform. Hon verkar svara på frågor med låg och samlad röst. De tittar upp när jag går förbi dem, och jag nickar åt Matilda.

”Är du från våldsroteln?” frågar han.

”Visst.”

Han sneglar på handskarna i min hand och jag sänker blicken till golvet, där tydliga skoavtryck går att urskilja. Det är ingen känga, snarare en sportsko av något slag. Jag sätter min egen sko intill avtrycket, inser att jag har lika stora fötter som den som just varit här.

”Var är de andra kvinnorna?”

”Det var bara hon här”, säger Matilda.

”Känner du igen henne?”

”Hon har varit här flera gånger i sommar. Jag tror att hon heter Rebecka.”

”Med ck?”

”Jag vet inte, men jag tror att det är med cc.”

”Och hennes efternamn?”

Hon skakar på huvudet.

”Jag vet som sagt inte ens hur hon stavar sitt förnamn.”

Jag fortsätter genom hallen och in i sovsalen. Väggarna är bleka, klädda med tavlor. Ett fönster står på glänt, tillåter augustinatten att tränga in och gör salen onaturligt kall. Den består av åtta sängar som står längs rummets långsidor. Täckena saknar enhetlighet, några är blommiga som väggarna i en sjuttiotalslägenhet, andra är enfärgade i starka nyanser av blått, grönt eller orange, åter andra har fula och intetsägande mönster. Varje säng är märkt med en siffra, slarvigt ditskriven i träet. I säng sju, näst längst in i salen, ligger en kropp på sidan med ryggen mot mig, iklädd bleka jeans och en stickad tröja. Ett ovårdat, mörkt hår skymtar. Jag lägger mina skor på en av sängarna och tar på mig handskarna.

Folk skjuter, sticker, slår, sparkar, styckar, dränker, fräter, kväver och kör över varandra och resultatet pendlar mellan att vara diskret och effektivt likt ett kirurgiskt ingrepp, och kladdigt som en medeltida avrättning. Den här gången har livet upphört plötsligt och prydligt, nästan omärkligt.

Hade det inte varit för den lilla rödbruna blomman som klär hennes tinning, skulle hon kunna sova. Hon är ung, mellan tjugo och tjugofem, skulle kunna vara fem år äldre än så men ett hårt liv gör avtryck i en människas ansikte. Jag lutar mig över henne för att få en bättre bild av ingångshålet. Lite större än huvudet på ett häftstift är det, och de små utslagen av blod och svart damm från vapnet har stänkt mot hennes panna. Någon har stått bakom hennes rygg med en pistol av fin kaliber.

Jag studerar hennes fickor. De ser tomma ut. Hennes kläder verkar orörda, under den stickade tröjan skymtar en bit av ett linne men ingenting tyder på att hennes kropp blivit undersökt, att någon har letat efter något. Jag lägger försiktigt händerna mot kroppen och känner över hennes sida, axlar och rygg i hopp om att finna något som inte borde vara där. När jag rullar upp den stickade tröjans ärm ser jag resultatet av ett injektionsmissbruk i armvecket, men det ser prydligare ut än det brukar göra, som om hon gjort en sport av att försöka skjuta i sig så precist som möjligt.

Bakom mig hör jag Matildas steg. Hon stannar i dörröppningen, som om hon var rädd för att komma in.

”Fönstret”, säger jag. ”Är det alltid öppet?”

”Nej. Vi brukar ha det stängt. Det var stängt när jag kom.”

”Sålde hon?”

”Jag tror det. Hon kom hit för någon timme sedan och sa att hon behövde någonstans att sova. De flesta kvinnorna kommer inte förrän om ett tag.”

”Hade hon någonting med sig? Kläder, väska?”

”Ingenting utom det hon har på sig.”

”Är det hennes egna kläder?”

”Jag tror det.” Hon snörvlar till. ”De kommer inte från oss, i alla fall.”

”Hade hon skor?”

”Intill sängen.”

Svarta Converse med vita snören som är alldeles för tjocka för skon. Hon har köpt dem efteråt och bytt ut originalsnörena. De är ojämna och spruckna. Hon har förvarat kapslar i dem. Jag håller upp en av skorna och studerar sulan, intetsägande och mörkgrå, innan jag försiktigt ställer tillbaka den. Jag tar fram min mobiltelefon och riktar den mot hennes ansikte, tar en bild och i en blinkning gör telefonens lilla kamerablixt hennes hud smärtsamt vit.

”Hur verkade hon när hon kom ikväll?”

”Hög och trött, som alla andra som kommer hit. Hon sa att hon hade haft en dålig kväll och bara ville sova.”

”Var var du när det hände?” frågar jag.

”Jag stod och diskade, med ryggen mot dörren, så jag varken såg eller hörde något. Jag gör alltid det vid den här tiden, det är enda gången det hinns med.”

”Hur upptäckte du att hon var död?”

”Jag gick in för att se om hon hade somnat. När jag gick fram för att stänga fönstret såg jag att hon ...”

Hon fullföljer inte meningen.

Jag går i en vid båge runt kroppen, fram till fönstret. Det sitter en bit upp, kräver ett ordentligt hopp ner till Chapmansgatans trottoar. Jag ser på kroppen igen och i ljuset från gatlyktan därute glimmar något till i hennes ena hand, som en tunn kedja.

”Hon har något i handen”, säger jag till Matilda, som ser frågande ut.

Utifrån hallen hörs en röst jag känner igen. Jag betraktar kvinnan en sista gång, innan jag tar mina skor och går efter Matilda ut ur sovsalen och möter Gabriel Birck. Det är längesedan jag såg honom men han ser likadan ut, med solbränt ansikte och en mörk, kortklippt frisyr. Birck har den sortens hår som får en att vilja byta schampo och han är klädd i en diskret, svart kostym, som om han just blivit utdragen från en fest.

”Leo”, säger han, förvånad. ”Vad fan gör du här?”

”Jag ... vaknade.”

”Är inte du avstängd?”

”Tjänstledig.”

”Brickan, Leo”, säger han och snörper ihop munnen till ett blekt streck. ”Om du inte har din bricka måste du gå härifrån.”

”Den ligger i min plånbok, som ligger i min lägenhet.”

”Hämta den.”

”Jag skulle just gå”, säger jag och håller upp mina skor.

Birck betraktar mig med stum, grå blick och jag lägger tillbaka handskarna och går mot dörren och ut i trapphuset igen, förbi kvinnan som ser förvånad ut när jag passerar henne.

”Hur fan kom han in här?” är det sista jag hör inifrån härbärget.

Istället för att gå tillbaka till min lägenhet går jag nerför trappan och runt hissen på bottenplan, ut på den tomma, mörka innergården. Inte förrän då, när jag känner den kalla marken mot fotsulorna, märker jag att jag fortfarande har skorna i handen. Jag tar på mig dem och tänder en cigarett. Ovanför mig bildar det höga husets väggar en ram runt himlen och jag står där en liten stund, pendlar mellan att röka och gnaga på min tumnagel. Jag går över innergården och låser upp en dörr som tar mig in i huset igen, men i en annan del av det. Trapphuset här är mindre och äldre, varmare. Jag går mot porten och ut på Pontonjärgatan.

Vi är i en tid då man känner sig otrygg bland främlingar. Någonstans i närheten pulserar ljudet av tung klubbmusik. Pontonjärsparken ligger framför mig, stum och full av skuggor, och på avstånd skriker ett par bilbromsar till, sedan en motor som varvar ner. I T-korsningen står en man och en kvinna och grälar och det sista jag ser innan jag börjar gå är hur någon av dem höjer handen mot den andra. Jag tänker på hur de gör varandra illa, tänker på den döda kvinnan i säng nummer sju, på det lilla föremålet som skymtade i hennes hand, på orden jag sett på tunnelväggen tidigare idag, att någon anser att Sverige måste dö, och jag tänker att vem som än har skrivit det så kanske han eller hon har rätt.

Jag viker ut på Chapmansgatan igen och tänder en ny cigarett, behöver göra något med händerna. De stumma blåljusen flackar över väggen och försvinner, om och om igen. Fler uniformerade poliser rör sig kring huset nu, är i färd med att spärra av delar av gatan, omdirigerar trafiken och de som kommer gående längs trottoarerna. De viftar, häftigt och irriterat.

Starka, vita sökarljus från stora strålkastare lyser upp asfalten. Ur en bil lastas ett stort tält ut, i beredskap inför ett eventuellt regn.

Chapmansgårdens öppna fönster står och slår lätt i vinden. Därinne ser jag huvuden svepa förbi, Gabriel Birck, en kriminaltekniker och Matilda. Nedanför fönstret väntar trottoaren och jag skulle vilja studera den närmare, men allt tumult framför huset döljer den för mig.

Jag ser på min mobiltelefon istället. Ett nytt dygn började för en halvtimme sedan. I närheten hör jag det surrande ljudet från en bar med öppna fönster, musiken som spelas, någon som sjunger *every time I see your face I get all choked up inside* och jag släcker cigaretten, vänder ryggen mot Chapmansgatan.

En liten remsa av blek asfalt kopplar ihop två av de större gatorna på Kungsholmen. Jag vet inte vad den heter, men den är så kort att man kan sparka en boll från ena änden av gatan till den andra. I ett av husen som ligger intryckt utmed den finns en vinröd dörr. Det står bara ett ord – BAR – på den, skrivet i blekt gul färg. Jag öppnar den och ser ett blont, rufsigt huvud som vilar mot bardisken. När dörren slår igen efter mig höjs huvudet långsamt och det vågiga håret faller ner i en mittbena, och Anna tittar upp med halvslutna ögonlock.

”Äntligen”, mumlar hon och drar handen genom håret. ”En gäst.”

”Är du full?”

”Uttråkad.”

”Lite reklam på dörren skulle få hit mer folk.”

”Peter vill inte ha reklam. Han vill bara bli av med stället.”

BAR ägs av en ointresserad entreprenör i trettioårsåldern,

vars far köpte lokalen i början av åttiotalet, gjorde en bar av den och ägde stället tills han dog. Då testamenterades BAR till Peter, som enligt faderns önskan inte fick sälja det förrän efter fem år. Det var fyra och ett halvt år sedan, så om inte jorden skulle gå under har Anna sex månader kvar bakom disken.

BAR är den sortens plats man bara hittar om man letar efter den. Allting härinne är i trä: bardisken, golvet, taket, de tomma borden och stolarna som står sporadiskt utspridda. Belysningen är gulaktig och varm, får Annas hud att verka brunare än vad den är. Hon gör ett försiktigt hundöra i den tjocka boken och slår ihop den, tar ut en flaska absint ur ett skåp, ställer fram ett glas och häller upp vad jag antar är tänkt att vara två centiliter men är betydligt mer. Det är olagligt att sälja, men mycket som barer gör tenderar att vara olagligt.

”Det är tyst här”, säger jag.

”Vill du att jag ska slå på musiken? Jag stängde av den, den störde mig.”

Jag vet inte vad jag vill. Istället sätter jag mig på en av barstolarna och dricker ur glaset. Absint är den enda sprit jag klarar av. Jag dricker sällan, men när jag väl gör det är det vad jag föredrar. Jag hittade hit i början av sommaren, efter att ha varit på väg hem, hög, och stannat upp för att tända en cigarett. Jag behövde luta mig mot väggen för att stå tillräckligt stilla. Allting drog åt vänster hela tiden, gjorde det omöjligt att fixera blicken, och när jag till slut gjorde det – på den vinröda, tunga dörren på andra sidan gatan – såg jag ordet BAR. Jag var ganska säker på att det var en hallucination, men stapplade ändå över gatan och började banka hårt på dörren. Anna öppnade efter en liten stund, med ett basebollträ i handen.

Jag vet inte hur gammal hon är. Hon skulle kunna vara

tjugo. Hennes föräldrar äger någon sorts herrgård i Uppland, strax norr om Norrtälje. För femton år sedan startade Annas far ett internetföretag i rätt tid, och sålde det alldeles innan bubblan sprack. Pengarna investerade han i nya företag, som han lät växa. Det är genom den sortens manövrer människor blir rika numera. Hon pendlar mellan att ha ett kraftigt bekräftelsebehov och att känna ett starkt förakt för honom. Hon studerar till psykolog och arbetar extra som bartender på BAR, men jag ser henne aldrig läsa kurslitteratur, det enda hon läser är tjocka böcker med diffusa omslag. Det är allt jag vet om henne. Det är nästan tillräckligt för att passera som vänskap.

Jag ser mig själv i spegeln som hänger bakom bardisken. Kläderna jag bär ser lånade ut. Jag har gått ner i vikt. Jag är blek för årstiden, tecknet på att en människa velat hålla sig undan. Anna lägger armbågarna mot bardisken och vilar huvudet i händerna, betraktar mig med svalt blå blick.

”Du ser dyster ut”, säger hon.

”Du har bra blick.”

”Jag har skitdålig blick. Det är dig det lyser om.”

Jag dricker av absinten.

”En kvinna blev skjuten i mitt hus”, säger jag och ställer ner glaset. ”Det är något med det som ... stör mig.”

Anna höjer på ögonbrynen.

”I ditt hus?”

”I ett härbärge på första våningen. Hon dog.”

”Men någon hade dödat henne, alltså?”

”Om det är några som tenderar att dö i den här staden så är det knarkare och horor.” Jag ser på glaset framför mig. ”Men det är ofta överdos eller självmord. De få som blir dödade av andra är nästan alltid män. Det här var en kvinna. Det är ovanligt." Jag kliar mig på kinden, och hör det raspande ljudet. Jag borde raka mig. "Det såg ... enkelt ut. Diskret och rent. Det är ännu mer ovanligt, och det är det som stör mig mest."

På innergården i mitt hus brukar några barn, jag tror att de är syskon, tävla och springa över gården, från den ena sidan till den andra. Högljutt och skrattande, så att ljudet ekar mellan väggarna. Jag vet inte varför jag kommer att tänka på det nu men det är något med den bilden, hur de ser ut och hur de låter, som är betydelsefullt för mig, en bild av något som gått förlorat.

"Det är inte din avdelning", säger Anna. "Att utreda dödligt våld. Eller?"

Jag skakar på huvudet.

"Vad är din avdelning, då?"

"Har jag inte sagt det?"

Hon skrattar. Annas mun är symmetrisk.

"Du säger inte så mycket när du är här. Men", tillägger hon, "det är okej. Det passar mig."

"Jag arbetar med internutredningar."

Jag dricker ur glaset, inser att jag vill röka igen.

"Du utreder andra poliser?"

"Ja."

"Jag trodde bara sextioåriga herrar fick den äran. Vad är du, trettio?"

"Trettiotre."

Hon betraktar bardisken, mörk och ren, rynkar ögonbrynen och tar fram en trasa, börjar göra den ännu renare.

"Det är ovanligt", säger jag. "Att trettiotreåringar är på IU. Men det händer."

"Du måste vara en duktig polis", säger hon och lägger tillbaka trasan, lutar sig mot bardisken.

Anna bär en svart skjorta med uppkavlade ärmar och knapparna uppknäppta över bröstkorgen. Ett svart smycke hänger i en tunn kedja runt halsen. Jag ser från smycket till glaset, och belysningen blinkar till. Det finns inga fönster här.

”Inte direkt. Jag har vissa brister.”

”Det har vi alla”, säger hon. ”Är du verkligen trettiotre?”

”Ja.”

”Jag trodde du var yngre.”

”Du ljuger.”

Hon ler.

”Ja. Ta det som en komplimang.”

Jag ser mig i spegeln igen och ett kort ögonblick upplever jag hur min avbild löses upp, blir transparent. Jag har varit civil för länge. Jag är egentligen inte här.

”Varför blev du polis?”

”Varför blev du bartender?”

Hon verkar fundera över svaret. Jag tänker på den lilla kedjan jag skymtade i den döda kvinnans hand, undrar vad det var för något. En amulett hon behövde för att kunna sova? Kanske, men antagligen inte. Den såg placerad ut. Jag tar fram min mobiltelefon, klickar upp bilden på kvinnans ansikte och stirrar på den, som om hennes ögon när som helst skulle öppnas.

”Jag antar att alla måste sysselsätta sig med någonting medan de försöker komma fram till vad de egentligen vill göra”, säger hon till slut.

”Exakt.” Jag dricker ur mitt glas, ser på mobiltelefonens bild, visar den för Anna. ”Du känner inte igen henne?”

Anna betraktar bilden.

”Nej. Jag känner inte igen henne.”

”Hon heter kanske Rebecca.”

”Med ck eller cc?”

”Hurså?”

”Jag bara undrar.”

”Oklart, men just nu tror jag på cc.”

Hon skakar på huvudet.

”Jag känner inte igen henne.”

”Det var värt ett försök.”

Jag lämnar Anna när hon ställer upp den första stolen på bordet. Enligt det tickande gamla vägguret är klockan några minuter i tre, men med tanke på hur allt annat känns inne på BAR är det ingenting som tyder på att det skulle stämma.

”Du får ringa mig, vet du”, säger hon när jag står med handen på dörren och jag vänder mig om.

”Jag har inte ditt nummer.”

”Du listar nog ut det.” Hon ställer upp en andra stol och ljudet av trä mot trä blir klonkande och hårt. ”Annars ses vi säkert snart igen.”

Belysningen blinkar till på nytt och jag trycker ner handtaget, lämnar BAR. Mitt huvud gungar lätt och behagligt.

Stockholmsnatten är rå på ett sätt den inte var förut. Om vägguret bakom Anna stämde kommer det vara mörkt i flera timmar till och i ögonvrån flimrar något, en skugga som gör att jag stelnar till och vänder mig om. Någon följer efter mig, jag är säker på det, men när jag söker med blicken över gatan är det ingen där, bara ett trafikljus som slår om från rött till grönt, en bil som svänger ut ett par korsningar bort och susandet från en stor stad som växer med mörkret och sväljer de ensamma.

När jag återvänder till Chapmansgatan står det fler bilar utmed avspärrningsbanden: ännu en polisbil, bilar från TT, SVT och Aftonbladet, och en silverfärgad blänkande van med tonade rutor och texten AUDACIA AB skrivet i svart över silverlacken. Gatan är avspärrad och kring banden står människor som blir till svarta siluetter i motljuset från polisbilens påslagna strålkastare. Enstaka fotoblixtar sticker till. Någon sätter upp ett skynke i höjd med vanen, och fotoblixtarna övergår till ett intensivt, smattrande flimmer. Jag skymtar en bår, en hand som kramar dess handtag, men inget mer.

Inga blåljus flackar längre. Dödens signaler har slagits av och kvar finns bara fotografernas blixtar, en suck från de som står längs avspärrningsbanden, kanske av upprördhet men förmodligen av besvikelse. Skynket som hålls uppe av två uniformerade poliser döljer allting de kommit för att se. Två män, likhanterarna, tar sig in i silvervanen och den styr försiktigt ut genom avspärrningen.

Jag tar mig in på Chapmansgatan 6 bakvägen. När jag passerar den första våningen står dörren öppen och jag hör Gabriel Bircks röst därinne. Avspärrningsbanden sitter uppe och kommer att göra det i flera dagar, kanske mer. Jag är separerad från det, från allt, och går upp till min lägenhet, lägger mig i sängen som om det bara var minuter sedan jag vaknade.

Märkligt, hur det går som en rysning genom rummet alldeles innan morgonen anländer.

III

Hur det var att växa upp i Salem?

Jag minns det här: den första polis jag någonsin såg hade inte rakat sig på länge. Den andra hade inte sovit på flera dagar. Den tredje stod i en av Salems korsningar och dirigerade om trafiken efter en olycka. Han hade en cigarett i mungipan. Den fjärde polis jag såg placerade oberört och oprovocerat en batong mellan benen på en av mina vänner, medan hans två kollegor lika oberört stod intill och tittade på något annat.

Jag var femton. Jag visste inte om det jag såg var bra eller dåligt. Det bara var.

Jag bodde där tills jag var tjugo. I Salem växte sig husen åtta, nio, tio våningar mot himlen, men aldrig så nära Gud att han skulle orka sträcka ner sin hand och röra vid dem. I Salem verkade människorna vara lämnade åt sig själva och vi växte upp fort, blev vuxna i förtid eftersom det var vad som krävdes.

Det var eftermiddag och jag tog trapporna från åttonde till sjunde våningen, tryckte fram hissen. Det fungerade att åka till och från den sjunde, men aldrig högre. Ingen visste varför. Det minns jag när jag tänker på Salem, att jag varje morgon tog trappan ner en våning och varje eftermiddag fick ta trappan upp sista biten hem. Och jag minns att jag aldrig reflekterade över varför det var så, eller varför något var som det var överhuvudtaget. Vi växte inte upp med tanken att ifrågasätta sakers tillstånd. Vi växte upp med vetskapen om att ingen skulle ge oss någonting om vi inte var beredda att ta det ifrån dem.

Vid sjunde våningen väntade jag medan hissen bullrade sig uppför schaktet. Jag var sexton och inte på väg någonstans, bara ut. Bakom någon av lägenhetsdörrarna hörde jag tung, dämpad hiphop och när jag öppnade hissdörren luktade den starkt av cigarettrök. Ute på gatan hängde himlen lågt, vit och kall. Gatlyktorna tändes medan jag gick förbi Ungdomens hus. En dimma var på väg. Det minns jag också: när dimman väl kom till Salem svalde den allt. Den sköljde över oss, omfamnade husen och träden och människorna.

På avstånd, bland träden, såg jag Salems höga, svampformade vattentorn skjuta upp. Den mörkgrå betongen blev en svart siluett mot den kalla himlen, och jag undrade om avspärrningarna var borttagna. För bara ett par dagar sedan hade någon fallit där. Jag visste inte vad han hette, bara att vi gick på samma skola och att det sades att han hade skrivit NOLL ATT FÖRLORA på sitt skolskåp sista dagen, som ett meddelande. Dagen efter hans död, när alla andra hade gått hem och korridorerna var tomma, gick jag länge längs med skåpen och sökte efter meddelandet utan att hitta det, till ljudet av en cd-spelare som någon glömt stänga av innan den slängts in i skåpet.

Vattentornet var den sortens plats som Salems vuxna helst av allt skulle ha velat var under konstant polisbevakning, om det funnits resurser till det. På dagarna gick kids dit och lekte, på kvällar och nätter hölls det fester och uppgörelser där. Kidsen höll sig på marken, och oftast gjorde festerna det också, men ibland klättrade vi upp i det. Och det hände, om nätterna, att någon föll, ofta av en olyckshändelse men ibland inte, och vattentornet var högt. Ingen som föll överlevde.

När jag tagit mig igenom skogsdungen som omgärdade tornet stod jag vid dess fot. Marken var av hårt packat grus och jag sökte efter spår från dem som varit här före mig, utan att finna några. Inga burkar, inga kondomer, ingenting. Någon hade kanske gjort rent marken efter killen som fallit. Jag undrade var nedslagsplatsen kunde ha varit.

Någonstans ovanför mig small det till och det rasslade i trädkronorna däruppe, innan jag i ögonvrån såg hur något föll till marken med en duns. Jag såg mot himlen, osäker på vad jag skulle vänta mig. När inget mer hände gick jag fram till det som fallit. En fågel, svartvit med näbben halvöppen, vingarna utfläkta och i oordning. I de fjädrar som var vita kunde jag se mörka röda stänk. Fågelns ena öga var inskjutet, bara ett orangerött öppet sår, som om någon tagit en tesked och gröpt ur en bit av dess huvud. Jag stod där och såg på den, tände en cigarett och hann ta flera bloss innan det ryckte i en av vingarna och ett av benen sprattlade till.

Jag började söka efter något tungt att slå ihjäl den med. När jag inte hittade något höjde jag blicken mot tornets runda topp innan jag såg på fågeln igen. Den rörde sig inte längre.

Jag släppte cigaretten till marken, släckte glöden med min sko och gick mot den smala trappan som löpte längs tornet. Trappan darrade under mina steg och jag höll mig i ledstången. Ansträngningen gjorde att min ena arm började värka. Halvvägs upp hördes ett nytt skott.

Vattentornet hade en avsats och från den löpte en kort

stege som tog en upp ännu ett par meter, till en avsats alldeles under tornets svampformade tak. Ovanför mig hörde jag frasandet av kläder mot kläder, och jag tände ljudligt en ny cigarett. Frasandet upphörde vid ljudet av tändaren, och jag kisade mot himlen, som kändes onaturligt ljus och stark.

”Vem är det?” hörde jag en röst.

”Ingen”, sa jag. ”Är det du som skjuter?”

”Hurså?”

Rösten var avvaktande, men inte hotfull.

”Jag bara undrade.”

”Kom upp. Du skrämmer fåglarna.”

Jag försökte se honom där han satt uppe på avsatsen, men lyckades inte. Den översta avsatsen var inte räfflad som den undre, utan av stumt trä.

”Kan du hålla min cigg?”

Jag tog mig upp på stegen och höll cigaretten över avsatsens golv, kände en hand som tog den ifrån mig. Jag grep om en av balkarna som sträckte sig från stegen och hävde mig upp på avsatsen. Tanken svepte förbi: om jag föll skulle jag inte överleva.

Avsatsen var bred nog för att man skulle kunna ha ryggen mot tornets kropp och benen utsträckta med fötterna mot det staketliknande räcket utan att synas nerifrån. Räcket löpte till låren. Häruppe var vinden starkare och Salem bredde ut sig framför mig, de tunga husen med sina små fönster, de låga villorna med snedtak och varma färger, den sporadiska grönskan och den mörkgrå, tunga betongen. Härifrån såg landskapet ännu märkligare ut än när man befann sig på marken.

Jag såg på handen, som höll ut cigaretten. Han höll den inte som en rökare gör utan osäkert, med tre fingertoppar vid toppen av filtret.

”Det är du som skjuter”, sa jag.

”Vad får dig att tro det?”

Jag kände igen honom. Han gick på Rönningegymnasiet men i en annan klass än jag. Han hade kort, blont hår och ett smalt, kantigt ansikte, var klädd i baggyjeans och röda Converse, en grå luvtröja med luvan uppdragen. Ögonen var djupt gröna och klara. I händerna höll han ett tungt, mörkbrunt luftgevär och intill honom låg en öppen ask med ammunition. Han lutade huvudet bakåt och blundade.

”Vad gör du?”

”Sch. Man måste lyssna.”

”På vad?”

”Fåglarna.”

”Jag hör ingenting.”

”Du lyssnar inte.”

Jag rökte av cigaretten och hörde inget utom rasslandet från träden, någon som slängde sig på signalhornet i en bil i närheten.

”Jag heter John”, sa han till sist.

”Leo”, sa jag.

”Sitt stilla.”

Han öppnade ögonen och höjde vapnet, satte ögat till det svarta kikarsiktet på geväret, och jag följde pipan med blicken, försökte se vad han siktade på. I träden omkring oss verkade det stilla. John drog in luft och höll andan, och jag tryckte mig instinktivt mot väggen. Smällen följdes av ett nytt rasslande i något av träden. Jag kunde inte se den, men en fågel föll till marken.

”Varför skjuter du dem?”

Han lade undan geväret.

”Jag vet inte. För att jag kan? För att jag är bra på det.” Han såg på min högerarm. ”Har du ont?”

Klättringen hade fått den att värka ordentligt och jag masserade den. Jag mindes Vlad och Fred, två av de äldre killarna i Salem, de hade hårda knytnävar. De slog alltid på samma punkt, alldeles intill nerven som fick armen att först domna av och sedan göra ont, när känseln kom tillbaka. Det var längesedan de slutade nu, men de gånger jag ansträngde armen började den ibland värka och det fick mig alltid att minnas dem.

”Jag gick in i ett trappräcke idag.”

”Trappräcke”, upprepade John.

”Ja. Brukar du komma hit?”

”När jag vill vara ifred”, sa han. ”Man behöver ha rånstans att gå när man inte kan gå hem.”

”Ska jag gå?”

”Det var inte så jag menade.”

Jag rökte cigaretten till filtrets kant och kastade den över räcket, följde den med blicken tills den försvann.

”Vad heter du mer än John?”

”Grimberg.”

Intill sig hade John Grimberg en stor sportbag, den sorten som fotbollsspelarna i Rönninge brukade släpa runt på. Han öppnade den och lade ner geväret, tog upp ett tygbylte och började öppna det: en vodkaflaska insvept i en tröja. Han skruvade av korken och tog en klunk utan att grimasera. Jag tänkte på hur långt från marken vi befann oss. Nedanför oss började Salem långsamt sväljas av dimma.

”Folk brukar säga Grim”, sa han. ”Eller”, rättade han sig själv, ”de som känner mig.” Han såg på flaskan i sin hand. ”De är inte så många.”

”Då är vi två.”

”Du ljuger.” Han sneglade på flaskan, verkade överväga att erbjuda mig den. ”Jag har sett dig i skolan. Du är aldrig ensam.”

”Man kan väl vara ensam även om man är omgiven av andra.”

John verkade överväga sanningshalten i det innan han ryckte på axlarna, mer åt sig själv än åt mig, och tog ännu en klunk. Sedan höll han fram flaskan. Jag tog den ifrån honom och drack lite av det genomskinliga innehållet. Det sved i min hals och jag harklade mig, vilket fick John att skratta till.

”Tönt.”

”Det är starkt.”

”Man vänjer sig.”

Han tog flaskan ifrån mig, drack av den, och såg ut över Salem. Dimman rörde sig, omslöt allting.

”Har du syskon?” frågade jag, av någon anledning.

”En lillasyster. Du, då?”

”En storebror.”

I höjd med avsatsen, bara en armslängd bortom dess räcke, svepte en svart fågel hastigt förbi och kväkte till, och därefter följde ännu en och därefter en lång, lång rad av fåglar som blev till ett suddigt, mörkt streck framför oss. Jag sneglade på Johns lediga hand, den som inte höll i flaskan, men han gjorde ingen ansats att sträcka sig efter geväret.

”Är det han som har gett dig ont i armen?” frågade han istället, när fåglarna hade passerat. ”Din brorsa?”

Frågan överrumplade mig.

”Nej.”

John lutade på nytt huvudet bakåt och drack.

”Hur gammal är din syster?” frågade jag.

”Femton. Hon börjar på Rönninge i höst.” Utan att öppna ögonen vred han ansiktet mot mig och sniffade lätt i luften, drog in luft genom näsan tre, fyra gånger. ”Du bor i Triaden, eller hur?”

Jag nickade. Triaden var vad de tre identiska betongklossarna som ringades in av Säbytorgsvägen och Söderbyvägen kallades. Vägarna krökte sig och korsade varandra, bildade en ojämn cirkel kring de tre husen.

”I det vänstra, om man kommer från Rönninge. Hur visste du det?”

”Jag känner igen lukten från trappuppgången. Jag bor i det i mitten. Husen luktar på samma sätt.”

”Du måste ha bra luktsinne. Och hörsel.”

”Ja.”

Senare gick vi fnittrande och sluddrande tillsammans tillbaka genom ett dimmigt Salem och det kändes, med ens, som om ett band hade materialiserats mellan oss, som om vi delade varandras hemlighet. Ett år går fort mellan höghusen och ändå skulle tiden som följde komma att kännas så lång.

Jag minns det här, att i utkanten av Salem låg fina villor och små radhus med välklippta gräsmattor och när man gick förbi där om sommaren kände man lukten av grillat kött. Ju närmare pendeltågsstationen Rönninge man kom, desto mer ersattes de små husen av tunga betongklossar och asfalt, graffiti. Kring stationen flockades unga och äldre, semikriminella tonåringar och huliganer, syntare och raveare och de som var hiphop och jag minns en låt jag brukade höra ofta, en vass röst som sjöng *head like a hole, black as your soul, head like a hole*. Vi satt på bänkar och trottoarer, drack sprit och välte omkull automater med läsk och godis och sprayade ner dem med färg. Flera greps för olaga hot, misshandel och skadegörelse men vi klarade oss alltid undan, sprang in i skuggorna som vi kände mycket bättre än vad de som jagade oss gjorde. Vi var alla blivande gangsters i de vuxnas ögon och det hade varit illa i Salem länge, sa man, men inte så här. Polisen kunde inte kontrollera det längre. Till och med Salems kyrka hade brutits upp och innanför porten hade man haft fest. Jag hörde om det i skolan, var inte med själv men visste vilka som hade gjort det eftersom de gick i min parallellklass och vi hade svenska ihop. Några veckor senare bröts kyrkan upp på nytt och de som var där då hängde upp en Sverigeflagga stor som en bioduk därinne, med ett stort svart hakkors. Ingen förstod poängen med det, kanske eftersom det inte fanns någon.

Salem. I skolan lärde vi oss att det en gång hade hetat Slæm, och varit en sammanslagning av två ord, slån och hem. Någon gång under sextonhundratalet bytte det namn till Salem och ingen visste egentligen varför, men lokalhistorikerna och de kommunala fröknarna föredrog tanken att det hade en koppling till det bibliska Salem, av Jerusalem. Det gjorde Salem till en fridfull plats, eftersom ordet betyder frid på hebreiska. En plats dit våra föräldrar en gång, långt innan det blev så här illa, hade flyttat för att få leva ett lyckligt liv.

Och i förortshusen stod vi vid fönstren, vi som var vänner, och iakttog varandra på avstånd de gånger vi inte kunde gå ut. När vi var ute höll vi oss undan dem som kunde skada oss och drogs till dem som var som vi, strök utanför varandras portar när vi inte hade någonstans att gå men heller inte ville gå hem, och på avstånd hördes ropen och skriken och skratten, billarmen som ljöd i natten.

IV

Avspärrningsbanden kring Chapmansgatan slår i vinden när jag går ut på balkongen med det svaga surret av Sobril i tinningarna. En bit bort korsar en kvinna gatan med en pojke, kanske hennes son, i en rullstol. Pojken är kopplad till slangar och sitter stilla, som om han bara var ett skal.

En blåvit patrullbil står parkerad utanför huset och två poliser rör sig utträkat fram och tillbaka längs avspärrningens gräns. Jag följer dem med blicken tills en av dem lyfter ansiktet uppåt, mot mig, och får mig att återvända in i lägenheten likt ett skrämt djur.

I tidningen finns en notis om det som hänt: en kvinna i tjugofemårsåldern har hittats död, skjuten på ett härbärge för hemlösa i centrala Stockholm. Den tekniska undersökningen pågick fortfarande då notisen skrevs. Polisen arbetar intensivt med att bearbeta de tips som redan hunnit inkomma, men mycket arbete återstår. De som verkar ha sett något hävdar alla att de sett en mörkklädd man springa från platsen.

Den lilla tidningsnotisen räcker för att kasta mig tillbaka till det som hände i våras, och det som hände i våras började kanske långt tidigare, jag vet inte. Det jag vet är att jag handplockades av Levin, den gamle räven till intendent, till enheten för internutredningar efter en period som kriminalassistent på Citypolisens våldsrotel. Syftet var egentligen inte att vara en del av internutredningsenheten, de som utreder andra poliser misstänkta för brott. Syftet gick ett steg längre: att bevaka enheten inifrån. Levin misstänkte att internutredningarna, framförallt de som rörde polisens informatörs- och infiltratörsverksamhet, var vridna och konstruerade. Det fanns ett omfattande problem i Huset, det visste alla, men det var bara Levin som vågade lokalisera det där det verkligen låg: i den egna kontrollen och utredningen av organisationens mer riskabla arbete, där polisen medvetet samarbetade med kriminella och ibland tvingade fram brott genom provokation.

Formellt var jag endast en del av enhetens administrativa avdelning, men min egentliga arbetsuppgift var att gå igenom och kontrollera internutredningsprotokoll, att söka efter de genvägar, underlåtelser, överslätanden eller raka lögner som de interna utredarna pressats till av högre instanser när de utredde sina egna. De vanliga mapparna var röda. De särskilda, de jag verkligen satt där för att arbeta med, var blå och placerades alltid på mitt bord av Levin själv. Varje internutredning granskades av Levin, och när något verkade för enkelt eller för genomskinligt lade han det i en blå mapp och gav det till mig för djupare utredning och kontroll.

Många gånger var hålen enkla att finna. Majoriteten av händelserna kallades incidenter, ett bra och bagatelliserande ord, och redogörelserna för vad som hänt följde ett typiskt mönster: ”Den gripnes uppförande föranledde incidenten i hiss 4. Under färden i hissen upplevde patrullen personen som stökig och tvingade honom till nerläggning framåt. Detta orsakade skador i ansikte (v. kind, h. ögonbryn), mellangärde (blånad över andra till fjärde revbenet, v.) samt höger handrygg (fraktur). Skadorna i den gripnes mjukdelar orsakades av att den gripne, efter att patrullen lugnat ner honom och hjälpt honom upp, fallit illa."

Den gripne hävdade att hans mjukdelar hade utsatts för det som inom kåren kallas trumsolot: upprepade batongslag i skrevet. Missbrukaren gav sig inte utan hävdade sin oskuld. Händelsen gick till rättegång, där två vattenkammade poliser vittnade mot en man djupt nedgången i ett femton år långt opiatmissbruk. Poliserna gick segrande ur förhandlingarna, givetvis, med reservation för att en internutredning tillsattes. Den var klar en månad senare och hävdade att det inte gick att utesluta att skadorna orsakats av fallet. Ingen medicinsk expert hade tillfrågats om saken. När jag själv vände mig till en visade det sig omgående att detta visst gick att utesluta. Liknande fall inträffade ofta, särskilt med unga inne i city eller ute i förorterna. Andra gånger var det betydligt svårare, eftersom poliserna ifråga varit mycket skickligare, brottsligheten betydligt mer avancerad, och händelserna mycket mer komplexa och invecklade.

Jag lärde mig fort och blev snart bra på det. Allting skedde i tysthet, bakom speglar och rökridåer skickligt utlagda av Levin. Jag gjorde grundarbetet, identifierade hålet och lämnade över mappen – alltid blå, alltid namnlös – till honom, som tog över. Tidigt i våras hade fem stora internutredningar fallit, och viskningarna hade tagit fart i det borgliknande Husets korridorer. I praktiken var jag Levins råtta och den värsta sortens polis.

Det var då det började gå utför.

Alltihop kallades senare för Gotlandsaffären eller av vissa för Laskeraffären, efter Max Lasker, informatören som dog. En polis och två gärningsmän drogs också med i fallet, men blev inte den symboldöd som Laskers blev. Lasker var en slug liten råtta till man med fuktig blick, smutsiga naglar och år av missbruk bakom sig. Det är inte den sortens person man vill ha som informatör, men Lasker hade kontakter, information och pengar. Det gjorde honom dyrbar, gjorde honom till den viktiga länken mellan den organiserade brottsligheten och Stockholms missbrukare. Jag kände till honom sedan min tid på våldsroteln och jag tror att han litade på mig. I våras fick han kännedom om en stor last vapen som skulle byta ägare på Gotland, och kontaktade mig genom en papperslapp med bara ett mobiltelefonnummer, som han personligen tryckte ner i mitt brevinkast på Chapmansgatan.

Jag hade vant mig vid arbetet på IU, som i allt väsentligt gick ut på att sitta vid ett skrivbord, läsa rapporter och ringa samtal för att kontrollera uppgifter. Jag vidarebefordrade Laskers information till fotfolket nere på kriminalpolisen, utan att gå via Levin. Jag förstod inte vad IU skulle använda informationen till, men på något vis fick Levin ändå höra talas om det, för några dagar senare kom han in på mitt rum – ranglig och bekymrad – och drog med mig ner i Husets källare, och in på en av toaletterna. Där bad han mig hålla operationen under uppsikt. Vapnen som skulle byta händer på Gotland skulle vidare till Stockholm, för att säljas till två av de södra förorternas nya rivaliserande gäng.

”Det blir en stor intervention”, sa Levin nu. ”Det kommer att finnas informatörer på plats, tillsammans med deras kontakter här i Huset. Det innebär att någon, troligen inte länspolismästaren själv men garanterat någon strax under, kommer att sätta en, kanske två IU-killar på det för att de ska ha ryggen fri om något går åt helvete.”

Det var den nya tendensen, proaktiv internutredningsteknik där IU var med och bevakade och gav råd i en operation redan från start. Allting handlade om en sak: att ha ryggen fri. Det kändes förmodligen oroväckande för utomstående, men för oss som satt innanför väggarna var det en praktisk förändring.

”Och du vill att jag ska ha koll på IU.”

Levin log, utan att säga någonting. Jag lutade ryggen mot toalettväggens kalla kakel, blundade.

”Du vet att det har börjat viskas i Huset”, sa jag, ”om att något inte är som det ska?”

”Vad tror du om mig?” sa Levin och strök sig över sin höknäbb till näsa. ”Det är klart jag vet. Du rapporterar bara till mig. Om någon annan kontaktar dig är det ett försök att blotta dig.”

Min uppgift skulle vara att observera IU-utredarna och endast i undantagsfall gripa in för att rädda tillslaget. Att jag var på Gotland och en del av operationens utkant var okänt för alla utom Levin.

Dagarna före tillslaget tog jag mig till Gotland och en liten håla utanför Visby. Jag hade aldrig varit där tidigare och behövde lära mig området. Det var maj och grått, blåsigt och kallt. Fåglar jagade utmed kusten, som om de var på flykt. Det kanske de var. Jag promenerade, memorerade gång- och bilvägar, rökte cigaretter och väntade på att något skulle hända. Ju närmare tillslaget det led, desto mer skärrad blev jag, utan att jag riktigt förstod varför. Nätterna präglades av mardrömmar om Sam och Viktor och ibland fann jag mig själv stå på toaletten i mitt hotellrum och stirra på min egen spegelbild.

Nere i Visbys hamn, ett stenkast från den plats där tillslaget skulle ske, stod jag och såg mot himlen sent en kväll, när jag hörde en röst bakom mig. Jag vred på huvudet och där stod någon som dolde sig själv – keps på huvudet, stor luvtröja med luvan uppdragen, säckiga jeans – och viftade åt mig. Lasker.

”Vad fan gör du här?” sa han och drog in mig i skuggan som föll från en av de tunga byggnaderna i hamnen.

”Semester.”

”Dra härifrån medan du kan, Junker. Nåt känns inte rätt.”

”Vad menar du?”

”Nåt kommer att gå fel.” Han släppte taget och började röra sig bort från mig igen. ”Det är snett, allting.”

Sedan var han svald av mörkret och jag stod ensam kvar och rökte, ryste till. Var det här ett försök att, som Levin sagt, blotta mig? Jag antog det, men förstod inte Laskers roll i det. Han arbetade ju åt oss.

Båten med varor anlände två dagar senare. Jag höll mig undan fram till dess, checkade ut från hotellet och bodde under ett annat namn på ett av värdshusen i närheten. Det var viktigt att jag höll mig i rörelse. Jag noterade när IU-utredarna och insatsstyrkan anlände till Visby, följde efter de civila polisbilarna som rullade ut ur Gotlandsfärjans mage och noterade vilka poliserna var, var de bodde, vad de gjorde. Jag höll all information begränsad till en svart anteckningsbok, som jag ständigt förvarade i innerfickan på min jacka. Det gav mig en känsla av att ha världen under kontroll.

Internutredarna skulle inte vara på plats i hamnen. De skulle istället befinna sig i en närbelägen lägenhet och få rapporter av insatsledaren, rapporter som de i sin tur skulle vidarebefordra till Stockholm. Jag undrade vilka som väntade där, i andra änden av linjen, hur högt upp det här var förankrat och vad som skulle hända om något gick fel.

Båten var en liten motorbåt utan belysning som kom glidande genom natten. Jag stod dold vid byggnaden där jag talat med Lasker några dagar tidigare. Skuggor rörde sig utmed kajen och jag försökte höra deras röster. På avstånd väntade polisinsatsen: de skulle inte ingripa förrän överlämningen av varor var genomförd. Jag bar mitt tjänstevapen, trots att jag inte ville.

Jag såg båten lägga till, såg skuggorna röra sig hastigt, omgivna av mörker. Hamnen var folktom. Någonstans ur mörkret lösgjorde sig en stor jeep som långsamt rullade mot båten tills den stannade och någon klev ur, öppnade bakluckan. Väsande röster. Köparna mötte säljarna.

”Få se”, sa en man. ”Öppna en av dem.”

”Vi hinner inte”, sa en annan vid hans sida.

Jag kände igen rösten: den tillhörde Max Lasker.

”Fort nu.”

”Jag vill se”, sa den förste. ”Öppna.”

”Som du vill”, sa en tredje.

Ljudet av en låda som öppnades, och sedan ingen som sa någonting på alldeles, alldeles för lång tid.

”Skämtar du, eller?” hörde jag den första rösten.

Mannen som höll i lådan vred upp locket och såg själv ner i den.

”Va?” Han stack ner handen i lådan och rotade runt därinne. ”Det ... Jag ... Jag vet inte vad so...”

Någonstans bakom dem tändes en enorm strålkastare och

brann gulvit och stark, lyste upp hamnen och de långa siluetterna. Röster bakom strålkastaren skrek polis och det var så det började. Alla, även Lasker, var beväpnade. Hans rörelser yviga och ryckiga, som om han inte kunde kontrollera dem. Mannen som tittat ner i en av lådorna stod med en pistol i handen och såg upp, mot strålkastaren, innan han med en hastig rörelse försvann ur motljuset, tog skydd bakom bilen och gjorde sig osynlig för mig. Lådan föll abrupt till marken. Den slog i med en tung duns, och jag drog min pistol ur hölstret, höll andan.

Insatsstyrkan kom skyndande med vapen och sköld, som om de förberett sig för ett krig. Jag vet inte vem, vilken sida, som avfyrade det första skottet men någonstans small det till. Lasker höjde sitt vapen men blev träffad i låret innan han hunnit avfyra det. I motljuset blev de skvättande bloddropparna svarta och benet vek sig under honom. Hans ansikte förvreds och han släppte vapnet, tog ett strypgrepp om sitt lår medan han gav ifrån sig ett gällt skrik.

Någon startade båten igen, kanske för att försöka ta sig ut ur hamnen. Smattret av vapen, glas som splittrades. I ögonvrån såg jag en polis falla till marken och jag undrade vem det var. Deras uniformer gjorde dem ansiktslösa.

I bakgrunden slogs blåljus och sirener på, blinkande och tjutande. Jag rörde mig ut ur skuggorna med vapnet draget, osäker på vad jag skulle göra. Mannen som tagit skydd bakom bilen måste ha fått syn på mig, för något kallt och hårt ven förbi mig, tvingade mig tillbaka in i mörkret igen.

Jeepens förardörr öppnades och mannen klättrade in, startade bilen. Jag såg hur kupén lystes upp i en blinkning innan han stängt dörren efter sig och accelererade iväg. Jag följde bilen med blicken tills den försvann. Mina händer skakade.

Skottlossningen upphörde inte, men den tonades ner. En polisbil åkte efter jeepen och jag undrade hur många poliser det fanns här, hur många som gömde sig i skuggorna. Jag tog mig fram till Lasker, som låg väldigt stilla med händerna om sitt lår. När jag vred på honom såg jag att han också blivit träffad i huvudet. Munnen var halvöppen och den tomma blicken var fäst på en punkt strax över min axel.

Ett flertal poliser lyckades ta sig ombord på båten och avväpna dem som tagit skydd inne i hytten. Ett skott hördes någonstans ifrån, jag vet inte var, och jag måste ha drabbats av panik, tror jag, för jag avfyrade blint ett skott mot någonting i gapet av mörker som bildades mellan två block av containrar som staplats på varandra.

Jag hade skadat människor förut, men aldrig skjutit någon. Det var en överväldigande känsla: omkring mig blev allt stilla och alla sensorer i min kropp sände känslor och impulser till min hand, mitt pekfinger. Fingret som tryckt av brände och bultade som om jag blivit brännskadad och jag tror att jag stirrade på det.

Benen drog mig framåt. Jag skyndade mot det jag hade träffat och anade två tunga kängor. Med en känsla av att allt hade gått oerhört fel, slet jag fram mobiltelefonen för att ha något att lysa med. Det är det jag minns starkast nu, efteråt. Det var så onaturligt mörkt i hamnen. Jag lyste upp marken framför mig och såg blodet som rann ur en bred strimma i hans hals, hur stilla han låg, och hans axelemblem som lyste till i blått och guld: POLIS.

V

Jag och John Grimberg blev vänner och jag började kalla honom Grim. Vi var ganska olika. Jag insåg snart att han stundtals var väldigt motsägelsefull, åtminstone på ytan. Han hävdade att han hade svårt att hantera sociala sammanhang. Trots det kunde Grim snacka sig ur de flesta situationer om han hamnade i någon sorts knipa. Då kunde han bortförklara sig eller bara, till synes helt ärligt, beklaga och be om ursäkt. Jag hanterade sådana situationer mycket sämre och lärde mig aldrig hur han gjorde. Och han verkade aldrig ha problem att prata med andra. Jag frågade honom om det, hur det gick ihop att han var asocial, som han sa, och ändå hade så lätt för att hantera människor.

”Det där är ju bara som masker, ju”, sa han och såg oförstående ut. ”När nån pratar med mig är jag egentligen inte där.”

Jag förstod inte vad han menade.

Grim var snygg, med sitt kantiga ansikte, tjocka, blonda hår och sneda leende påminde han om någon man brukade se i sommarens tv-reklam. Jag var längre än han men gänglig och inte lika bredaxlad. Jag försökte klara mig i skolan medan Grim verkade ganska ointresserad av hela projektet. Han var ett år äldre än jag, hade gått om ett år eftersom han inte klarade sig igenom nian med betyg för gymnasiet. Trots det skolkade han mindre och var mycket smartare än jag, men kanske hade han insett att det fanns viktigare saker än skolan att lägga sin tid på. Enda slutsatsen jag kom till var att Grim ibland helt enkelt inte hade någon annanstans att gå än till skolan. Jag var slarvigare än han. Grim företog sig överhuvudtaget få saker, men de saker han gjorde genomförde han mycket grundligt.

Han ägde en liten filmkamera och tillsammans började vi göra korta filmer som vi redigerade i en av skolans datorer. Det var enkla filmer, som ofta utspelade sig kring vattentornet. Vi spelade in dem medan vi drack sprit, skrev manus, regisserade och spelade alla rollerna själva. Han hade väldigt lätt för att leva sig in i olika roller, som om han kunde kamouflera sig själv vid behov. Jag blev bättre på det efter ett tag, men aldrig lika bra som Grim.

Över Salem hade himlen färgen av bläck som spillts över ett oskrivet papper. Vi hade bara känt varandra i ett par veckor. I min hand höll jag en påse med öl och jag var sen, på väg till en fest. Jag gick hastigt runt vårt hus, förbi det som familjen Grimberg bodde i, och lyfte blicken mot husfasaden och de fyrkantiga små fönstren. Vissa var mörka men många var upplysta. I ett av fönstren på översta våningen tändes en lampa och kort därefter: någon öppnade fönstret och kastade ut något. Det föll i en vid båge tills det träffade marken med ett plastigt, kraschande ljud. Jag såg från nedslagsplatsen till fönstret, där siluetten hade försvunnit men ljuset ännu var tänt. Jag fortsatte gå men stannade upp när husets tunga port öppnades och slog igen med ett dunkande ljud, och någon tog sig ut. Han sprang fram till det som kastats på marken och lyfte upp det. När han höjde blicken fick han syn på mig, där jag stod under en av gatlyktorna.

"Leo?"

"Är allt okej?" sa jag och tog ett par steg mot honom.

"Min cd-freestyle."

Grim höll den framför sig. Locket hade nästan ramlat ur sina gängor och hörlurarna hängde slappa i sin sladd.

"Jag tror att den är sönder", sa jag.

"Jo." Grim kliade sig i det blonda håret och tryckte på en knapp som förmodligen var tänkt att öppna locket. Istället flög hela locket loss, gjorde en volt i luften och föll till marken. Grim såg sorgsen ut. "Det här ska han få fan för."

"Vem?"

Han lyfte ut cd-skivan som låg däri och stoppade den i bakfickan på de säckiga jeansen. Sedan kastade han resterna av elektroniken i en av buskarna bakom bänkraden utmed husväggen och såg på påsen i min hand.

"Är det fest?"

"Jag tror det. Här är det alltid fest nånstans."

"Jag antar det", sa Grim, tankfull, och nickade åt raden med bänkar. "Vill du sitta en stund?"

"Jag är egentligen på väg", sa jag, men när jag såg hur uppgiven Grim verkade nickade jag och satte mig på bänken, drog upp två burkar och gav den ena till honom.

"Lite musik hade varit bra", sa han och skrattade till, öppnade sin burk.

Jag öppnade min egen efter att ha knackat med pekfingret på burkens ovansida två gånger.

"Vad gjorde du?" sa Grim.

"Vad menar du?"

”Du knackade på burken. Varför?”

”Om det ligger mycket kolsyra nära öppningen bubblar det över.”

”Och att knacka på den skulle fixa det?”

”Jag tror det. Jag vet inte.”

”Meningslöst”, mumlade Grim och drack av sin öl, och jag drack av min.

Först nu insåg jag att enda anledningen till att jag alltid knackade på burken innan jag öppnade den, var att jag hade sett min bror göra det.

Vi satt därute och pratade. Efter en stund hörde vi musik och skrålande röster, och på andra sidan gatan passerade en samling skinnskallar, en med en svensk flagga draperad över axlarna. De spelade Ultima Thule och verkade söka efter någon som skulle reagera och konfrontera dem. Det hade varit så här ett tag, de fanns till och med på Rönningegymnasiet. Flera slagsmål hade ägt rum i närheten av Salem. En tjugoårig kille från Makedonien hade fått tänderna utslagna för bara några veckor sedan.

Jag tänkte inte längre på festen jag var på väg till. Grim var enkel att vara med, kanske eftersom vi pratade om enkla saker: musik, skolan, filmer vi sett och rykten vi hört om de äldre killarna i Salem som tagit studenten. Några hade redan fått barn. Vissa arbetade heltid, medan andra var ute och reste. Åter andra studerade. Ett fåtal satt på ungdomshem. Och en hade alltså nyligen fått tänderna utslagna.

”Känner du nån som suttit i fängelse?” frågade jag.

”Bortsett från min pappa, nej.”

”Vad satt han för?”

”Grov rattfylla och misshandel.” Grim skrattade till, men

det var ett uppgivet skratt. ”Han körde full en gång och var nära att köra på nån som gick över gatan utan att se sig om. Pappa stannade bilen och började skälla ut honom. Det blev gräl som slutade med att pappa smällde till honom i ansiktet. Mannen slog huvudet i marken och blev medvetslös, fick hjärnskakning.”

”Får man fängelse för sånt?”

”Om man har otur. Men han fick bara sex månader.”

Grim drack av sin öl och drog upp ett paket cigaretter ur fickan, öppnade det och höll ut en åt mig. Han rökte inte själv men de gånger han kom över cigaretter sparade han dem ändå, för att kunna bjuda mig. Jag tog den och tände den, satt en stund och funderade på vad jag skulle ha gjort om min pappa suttit i fängelse. Jag kände mig med ens rastlös, kände ett behov av att röra på mig, att gå till festen.

”Där kommer Julia”, sa Grim och nickade mot någon som kom gående i mörkret.

”Vem?”

”Min syster.”

Hon hade mörkt, långt hår uppsatt i en tofs, bar en vit klänning under en öppen jeansjacka. Ur jackans ficka löpte en sladd som delade sig vid hennes haka och fortsatte till två vita hörsnäckor. I halsgropen dinglade ett smycke. Benen – svarta, av strumpbyxorna hon bar – var smala och långa. Till skillnad från Grim, vars hela uppenbarelse det var något lite udda med, såg Julia Grimberg inte ut som någon som skulle få några större problem när hon började på Rönninge i höst. Hon var brunare än sin bror men hade samma smala ansikte och markerade kindben, och log när hon fick syn på honom.

”Var har du varit?” frågade han.

Julia tog ur hörsnäckorna och jag hörde musiken, någon som sjöng *our lives have come between us, but I know you just don't care*. Hon lyfte ut cd-spelaren ur jeansjackans ficka och stängde av den.

"Ute."

"Men var?"

Hon ryckte på axlarna, såg på mig.

"Hej."

Hon sträckte fram handen, vilket förvånade mig. Julia betedde sig mer som en förälder än en lillasyster. Hon log. Julias framtänder var stora, nästan kvadratiska som på ett barn, men hennes blick hade den svala distansen och skepsisen man bara såg hos vuxna. Det minns jag nu efteråt: hur barnslig och samtidigt vuxen Julia Grimberg var, och hur hon kunde gå från det ena till det andra i en blinkning.

När jag tog handen i min var den varm och liten, men stark.

"Julia."

Jag drack av min öl.

"Leo."

"Finns det en öl till i påsen?"

"Ja", sa jag och såg tvekande på Grim, som hade blicken fäst på något annat och inte verkade höra oss.

Julia satte sig intill mig på bänken, lade benen i kors. Hon bar tunga, svarta kängor med skosnören som inte var knutna och hon luktade fruktigt, som schampo. På gatan framför Triaden gick någon förbi iklädd lång, svart rock och hörlurar runt halsen. Jag betraktade honom tills han vek av gatan och försvann ur sikte.

"Ska vi inte gå nånstans?" sa Julia.

”Leo är på väg till en fest.”

”Jag tror att det är för sent för det”, ljög jag och tände en cigarett. ”Den håller nog på att dö ut nu.”

”Vi kan väl gå hem till dig?” sa Grim.

Mina föräldrar var bortresta över helgen, och min bror var ute någonstans. Det var bara därför jag gick med på det. Vår lägenhet bestod av fyra rum och ett litet kök, och trots att jag sällan hade vänner med mig hem var det här inte första gången. Däremot var det första gången jag upplevde lägenheten som genom någon annans sinnen. Jag såg den fula hallmattan, kände lukten av cigarettrök från ärmarna på kläderna som hängde på krokarna innanför dörren. Jag hörde suset från husets ventilation, såg fotografiet på mina morföräldrar och hur snett det hängde ovanför soffan i vardagsrummet. I diskhon i köket stod vattnet alltid och droppade. Jag hörde det inte längre, som det är med de flesta ljud man ständigt är omgärdad av, men den här kvällen stack det ut och växte sig märkligt påtagligt.

Min pappa arbetade som truckförare på ett stort lager i Haninge. Han var boxare när han var ung, och hävdade att det var därför han inte utbildade sig till något. Hans kropp kunde arbeta, det var bättre än att använda huvudet. Han föredrog att låta huvudet vara ifred och bry sig om annat. Jag tyckte om den tanken. Min mamma arbetade i receptionen på ett hotell i Södertälje. De var födda samma år, hade träffats på en krog på Södermalm när de var nitton och bröt med varandra när de var tjugotvå eftersom de inte var redo för något större. De träffade varandra igen när de var tjugofem, fick min bror när de var tjugosju. Det låg något romantiskt över det, uppbrottet och sökandet efter någon annan bara för att till slut inse att personen de sökte redan hade funnits där. Han arbetade dagtid, hon ofta nattskift, och lägenheten var sällan städad.

”Vad är det som låter?” frågade Grim.

”Vattnet i diskhon. Det går inte att stänga av.”

Han klev ur sina kängor och såg sig omkring.

”Vilken dörr är din?”

”Den närmast ytterdörren, till vänster.”

Mitt rum bestod av en säng och en bokhylla halvfull med cd-skivor, filmer och en bok jag fått av en släkting någon gång. Mitt emot sängen stod ett skrivbord jag aldrig tillbringade någon tid vid. Kläder och skor låg på golvet och väggarna täcktes av affischer med *Reservoir Dogs* och *White Men Can't Jump*.

”Charmigt”, sa Grim, utan att gå in.

Triadens tre hus var identiska. Deras lägenhet var förmodligen precis som den här, kanske spegelvänd. Jag öppnade en ny ölburk och satte mig i en fåtölj i vardagsrummet. Jag hade två kvar och ställde fram dem på soffbordet åt Grim och Julia. Grim gick på toaletten och Julia tryckte igång stereon i hyllan bakom min rygg, sökte efter en skiva i mina föräldrars skivställ. När hon inte hittade någon hon tyckte om slog hon på radion.

”Du kan ta en av mina skivor istället”, sa jag när hon satte sig mitt emot mig i soffan. ”Om du hittar nåt du gillar.”

”Jag vill inte gå in på ditt rum. Det känns privat”, tillade hon.

”Det är okej, du får.”

”Men ändå.”

När Grim återvände från toaletten satte han sig i fåtöljen

intill mig och vi drack öl tills vi alla började fnittra åt radioprataren och härmade hans släpiga, sömniga röst. Jag tryckte igång tv:n istället och vi såg på MTV. När ölen var slut hämtade jag en flaska med sprit nerifrån källaren och vi drack den utblandad med läsk. Efter en stund somnade Julia i soffan. Jag såg på henne så ofta jag vågade utan att göra Grim misstänksam. Hennes mun var halvöppen och ögonen mjukt slutna. Snart rörde hon sig och började fumligt ta ur tofsen hon hade i håret. Jag tror att hon gjorde det i sömnen, utan att vakna.

”Brukar ni dricka ihop?” frågade jag.

”Det är bättre att hon gör det med mig än med nån annan.”

Jag skrattade, full.

”Låter jävligt överbeskyddande.”

”Det kanske det är.”

”Tycker hon inte att det är jobbigt?”

”Inte fan vet jag”, snäste han och viftade med handen. ”Behöver du pengar, förresten?”

”Hurså?”

”Jag vet var det finns.”

”Hur vet du det?”

Han knackade sig lätt på näsan.

”Jag känner igen lukten.”

”Pengar luktar inte”, sa jag.

”Allting har en lukt”, sa Grim och reste sig ur soffan, gick ut i köket och ställde sig framför skåpen ovanför diskhon och spisen.

Ovanpå köksskåpen stod dyrare vinglas, några vaser, en gammal vattenkanna i plåt, och en tung mortel min farfar en gång hade ägt. Grim stod och betraktade dem medan han sniffade i luften framför sig.

”Den där”, sa han och pekade mot vaserna.

”Vilken?”

”Den blommiga, näst längst till vänster.”

”Den är tom.” Jag såg frågande på honom. ”Jag såg mamma göra rent den igår.”

”Ska vi slå vad?”

”Hur mycket?” sa jag.

”Hälften av det som ligger i vasen.”

”Och vad får jag om du har fel?”

Han tvekade.

”Mitt gevär.”

”Jag vill inte ha ditt gevär.”

”Då säljer jag det och ger dig pengarna.”

Jag skrattade åt hans självsäkerhet, drog fram en stol och ställde mig vingligt på den. Jag lyfte upp handen och tryckte ner den i vasen, kände frasandet av sedlar mot mina fingrar. När jag visade dem för Grim såg han inte förvånad ut.

”Hur mycket är det?”

Jag klev ner från stolen, räknade sedlarna.

”Ettusensexhundra.”

Han höll ut handen.

”Hälften till mig.”

Jag såg på honom att han förväntade sig dem. Vi hade slagit vad. Det var pengar mina föräldrar måste ha sparat till något. Det var inte mycket, men det var vad vi hade.

”Jag kan inte ge dig de här.”

Grims blick mörknade.

”Vi slog ju vad.”

”Men det ... det är mina föräldrars. Jag kan inte.”

”Men vi slog vad. Man kan inte bryta det.”

Jag såg länge på honom, föreställde mig min mammas ansikte, hur sårad hon skulle bli. Jag gav honom en femhundrakronorssedel och tre hundrakronorssedlar.

”Det räcker nästan till en ny cd-freestyle”, sa han, vek ihop sedlarna och stoppade dem i bakfickan.

Jag har börjat hallucinera. Det är sömnbristen. Ibland lyckas jag sova men det kan gå flera dagar utan att jag gör det. Den som till slut blev jag, var det det bästa jag kunde åstadkomma? Det kanske antingen var det, eller ta en överdos eller något. Hellre det, inser jag nu. Jag hade hellre gjort det. Kanske är det det jag borde göra? Jag är feg, bara. För feg.

Jag har lämnat din gamla dörr, håller mig undan. Jag reser när jag skriver det här, befinner mig i rörelse. När jag var barn tyckte jag inte om det men nu gör jag det. Den som rör sig går inte att fånga. Jag har lärt mig det. Den som rör sig syns inte, blir bara en suddig skugga på fotografierna. Om du befann dig i samma vagn som jag, skulle du lägga märke till mig? Skulle du se att det var jag? Jag tror inte det. Du minns inte. Du minns ingenting.

Jag skriver det här för att du måste minnas, men det blir inte som jag har tänkt mig. Jag är för splittrad, för kluven. Skakig. Kanske är det metadonet. Jag åker genom löven som faller från träden. I ett gathörn nära stationen skymtar low-lifesen och jag tänker: vi var som de, en gång. Är vi det än?

Jag borde ha skrivit till dig för längesedan.

VI

Polisen jag träffade i halsen bland skuggorna i Visbys hamn dog. Han, Max Lasker och en medlem ur vardera gruppering blev det misslyckade tillslagets fyra dödsoffer. Jag kan namnen på dem alla. Efteråt har jag sett på bilder av deras ansikten så många gånger att jag skulle kunna rita dem. Lådorna med vapen innehöll gamla Aftonbladet och Expressen, gulröda plastbilar, svärd och brynjor i grått och svart, pojk- och flickdockor i blått och rosa, legobitar i mängder. Det var inte polisens verk. Ingen verkade veta vem som hade lurat vem.

När skandalen nådde medierna började alla söka efter en syndabock. Polisens arbetsmetoder lyftes fram som riskabla och olagliga, och alla inom organisationen tog skydd bakom någon annan – utom jag, som inte hade någon att ta skydd bakom. Jag uppfattades ha fått någon sorts sammanbrott och hölls under strikt observation, först i Visby och senare på Sankt Görans i Stockholm, efter att ha fraktats ombord på en båt under översyn av två övervakare. En av dem hette Tom, och när jag frågade om han hade en cigarett såg han på mig som om jag just bett om att få hålla i hans elpistol. Jag gick på toaletten och låste in mig, tillbringade större delen av resan där med huvudet mellan mina händer, osäker på vad som skulle hända nu. Båten gungade stadigt och gjorde mig så illamående att jag kräktes, vilket resulterade i att de två övervakarna bröt upp dörren. De trodde att jag hade försökt ta mitt liv. Jag släpades av båten och in i en omärkt polisbil som tog mig till Sankt Görans sjukhus. I mitt öra hörde jag någon, kanske en kollega, viska åt mig att inte prata med någon.

Jag fick ett eget rum. Fönstret saknade gardiner, eftersom de var rädda att patienterna skulle använda dem till att hänga sig. På ett bord intill mig stod ett plastglas med tillhörande plastbringare. Taket var vitt, så som snö är vit när den just har fallit.

Levin kom på besök senare samma eftermiddag och såg beklagande ut. Han drog en stol till sängkanten, lade ena benet över det andra och lutade sig framåt.

”Hur är det, Leo?”

”De har hällt i mig en massa tabletter.”

”Mår du bättre av dem?”

”Som ny.”

Han skrattade till.

”Bra. Det är bra.”

”Vad var det som hände?”

”Jag tänkte fråga dig detsamma.”

”Det fanns inga vapen”, mumlade jag. ”Bara leksaker och tidningar. Jag vet inte vilken sida som började skjuta, men när det väl började så fortsatte det.” Jag tvekade och såg på Levin. ”Jag var nere i hamnen en av kvällarna innan.”

”Jaha?”

”Lasker var där.”

Levin rörde inte en min.

”Han sa att jag skulle dra därifrån”, fortsatte jag. ”Att något var skevt.”

”Och vad sa du?”

”Ingenting.” Mina läppar var torra och jag drog tungspetsen över dem. ”Jag antog att han blev skrämd, bara. Men antagligen visste han att någonting skulle gå fel.”

”Eller inte. Lasker var en paranoid fan, det vet du också. Han kanske hade sagt samma sak även om allting gått som det skulle.”

”Det är det jag undrar. Hur det var tänkt att det skulle gå.”

”Du undrar om någon satte dit dig.”

”Gjorde någon det?”

”Nej.”

Jag såg på Levin och försökte låta bli att blinka. När jag misslyckades vek jag undan med blicken igen.

”Varför fanns det inga vapen?”

”Ingen aning.”

”Någon måste veta.”

”Någon vet säkert. Någon vet alltid. Men jag vet inte vem.”

Jag trodde honom inte, men visste inte varför. Det var något som inte stämde. Tystnaden lade sig mellan oss. Han såg på sitt armbandsur och hällde upp vatten ur bringaren, drack ur det innan han fyllde det igen och gav det till mig. Jag skakade på huvudet.

”Du behöver dricka vatten.”

”Jag är inte törstig.”

Levin drog ut ett block ur fickan på sin jacka och skrev ner något i det, sköt över det till mig.

jag tror att rummet är avlyssnat

Jag såg på honom.

”Och det säger du nu?”

det är bra att de får höra din version

”Vilka är ’de’?”

Levin reagerade inte. Jag lutade mig tillbaka igen, suckade. Rummet lutade och jag upplevde att jag drogs mot fönstret, men var för trött för att röra på mig.

De var rädda att jag skulle prata, tror jag, trots att jag instruerats att inte göra det. Exakt vilka ”de” var förblev oklart. De var poliser, så mycket förstod jag. I den situation de nu befann sig var informationskontroll centralt. De ville ha kontroll över vad jag sa och till vem.

Levin skrev något mer i sitt block, lade det på min bröstkorg. Jag lyfte upp det och höll det framför mig, ansträngde mig för att fixera blicken.

jag kan inte rädda dig nu, Leo

De behövde en syndabock och de fick en. I formell mening, den mening som pressekreteraren delade med sig av till medierna, sjukskrevs jag till årsskiftet för att därefter omplaceras, om jag önskade fortsätta inom kåren. Både media och organisationen var nöjda, för informellt stängdes jag av. Det förstod alla. Skulden för det misslyckade tillslaget lades på mig, en valp till IU-anställd. Det var det enklaste och mest vattentäta för dem att göra. Eftersom en utredning om polisens delaktighet i det hela skulle ha placerats på internutredningsenheten, och jag redan befann mig där, hade jag ingen att vända mig till. Jag sjukskrevs på Sobril för akut ångest, fick Oxascand för att kunna sova och dämpa min generella oroskänsla, som läkaren uttryckte det. Jag försökte ringa Levin men han svarade inte, tror inte att han vågade ta i mig. Det var i slutet av våren, och jag skrevs ut, sommaren tog vid och gled förbi med dimmiga dagar och långa nätter.

Antingen gjorde tabletterna mig paranoid, eller så fick de mig att se vad som verkligen hade hänt. Jag var osäker på vilket av det som stämde, är det fortfarande. Jag började ana att jag inte placerades på Gotland för att kontrollera och övervaka internutredarna, utan av just den här anledningen. Jag var praktisk för dem, de kunde fly undan strålkastarljuset, skyddade bakom varandra, och lämna mig ensam kvar därute ifall något gick fel.

Utomhus. Jag är utomhus och har stannat till vid ett skyltfönster på Kungsholmen som visar upp sommarstugor. Jag betraktar bilderna, de röda små husen med vita knutar. På några av bilderna hänger till och med Sveriges flagga från taken. Jag föreställer mig glas i händerna på människor som skålar, som skrattar och ler, föreställer mig barn med kransar i sitt hår. Allting är som det alltid har varit, som om tiden har stått still. Jag föreställer mig glas som står på ett bord vid stugans baksida, tomma som ord. Hur det ligger en sönderriven, rödstänkt tröja på gräsmattan, utom synhåll för den som är utanför och bara passerar. Bilderna upptar mig och det tar en stund innan jag inser att stugorna är till salu och att jag står framför en mäklarbyrå. Jag gnisslar tänder och står framåtböjd mot rutan med pannan bara en viskning från glaset. Moln rusar över himlen, som om de jagade någon.

Min telefon ringer. Jag är i trapphuset framför hissen, har gått in bakvägen igen efter att ha studerat den avspärrade platsen kring Chapmansgatan 6, och stannar upp medan signaler går fram från ett skyddat nummer.

"Hallå?"

Det är Gabriel Birck som ringer. Han vill tala med mig

rörande det som hände igår. Det som hände, det är uttrycket han använder.

”Jag trodde att du hade andra som gjorde sånt här fotarbete åt dig”, säger jag och trycker ner hissen.

”Jag gör alltid minst ett samtal själv.”

Han låter strikt och professionell, som om han antingen glömt eller inte hade något emot att jag bröt mig in och rörde runt på hans brottsplats för mindre än tolv timmar sedan. Det gör mig osäker.

”Okej”, säger jag.

”Ringer jag olägligt?”

”Jag ... nej.”

Jag står framför min lägenhetsdörr och betraktar låset. Det är rispor kring det, rispor jag inte känner igen. Jag tar ett steg tillbaka och ser på golvet kring dörren. Det avslöjar ingenting. Jag sveper med fingrarna över risporna kring låset, undrar om de är färska, och trycker försiktigt ner handtaget och känner på det. Dörren är låst. Jag behöver en Sobril och tar mig in och fram till köksbänken, fyller upp ett glas vatten och får fram en tablett.

”Leo?”

”Va?”

”Hörde du vad jag sa?”

”Nej, förlåt, jag ... det var inget.” Jag lägger tabletten på tungan, dricker en klunk vatten. ”Fortsätt.”

”Jag behöver spela in det här samtalet, är det okej?”

Jag rycker på axlarna, trots att han inte kan se det.

”Hallå?”

”Jag antar det.”

Birck trycker in knappen på sin telefon och jag hör det svaga men distinkta pipandet. Bandet rullar.

”Kan du berätta vad du gjorde igår?”

”Jag var hemma. Nej, jag åkte till Salem på eftermiddagen.”

”Vad gjorde du i Salem?”

”Jag var på besök hos mina föräldrar. Sedan åkte jag hem.”

”Vad var klockan när du kom hem?”

”Jag vet inte. Fem, sex, kanske.”

”Och vad gjorde du hemma?”

”Ingenting.”

”Alla gör alltid någonting.”

”Jag gjorde ingenting. Jag såg på tv, åt mat, duschade, somnade vid elva, typ. Ingenting.”

”När vaknade du?”

”Det minns jag inte. Men det var på grund av blåljusen.”

”Vaknade du av det?”

Birck låter förvånad.

”Jag sover lätt, numera”, mumlar jag.

”Jag trodde att du fick medicin för det där.”

”Den hjälper inte särskilt bra”, är allt jag säger, distraherad, för någonting i lägenheten har fångat min uppmärksamhet men jag har svårt att avgöra exakt vad.

Jag går fram till badrumsdörren och gläntar på den. Allt ser orört ut. Jag tar ett steg in, ser mitt förvirrade ansikte i spegeln, handen som håller i luren.

Taklampan. Den lyser. Lämnade jag den tänd?

”Va?” säger jag, ganska säker på att Birck sagt något.

”Vad gjorde du när du hade vaknat?” upprepar han, tydligt irriterad och otålig.

”Klädde på mig och gick för att se vad som hade hänt.”

”Och vad betyder det?”

”Att jag gick ner till Chapmansgården.”

Med min lediga hand öppnar jag badrumsskåpet och studerar innehållet: hygienartiklar och starka mediciner, en liten ask som innehåller en ring jag en gång bar varje dag och som då var min viktigaste ägodel. Jag stänger skåpet.

”Och?” säger Birck. ”Mer?”

Jag berättar om hur jag tog mig in på Chapmansgården efter att ha talat med de två poliserna, hur jag passerade Matilda där hon satt och talade med en tredje polis. Birck lyssnar och ställer följdfrågor, mer angelägen än förut. Jag förstår att jag är nära något viktigt och slutar prata.

”Undersökte du kroppen?”

”Inte direkt.”

”Det här är ett formellt upplysandeförhör”, säger Birck. ”Uppför dig som man bör.”

”Jag undersökte den inte.”

”Rörde du vid den?”

”Nej. Jag såg bara på henne.” Det är i stort sett sant. ”Hurså?”

”Handen”, fortsätter Birck, som om han inte hört mig. ”Såg du om hon hade något i handen?”

Jag tvekar, och sätter mig på sängkanten.

”Jag minns inte.”

”Du ljuger. Hade hon något i handen?”

”Ja.”

”Rörde du vid det?”

”Va?”

”Jag frågar om du rörde vid det hon hade i sin hand.”

”Nej.”

”Är du helt säker på det?”

Jag undrar vad han tänker.

”Ja”, säger jag. ”Jag är säker. Hurså?”

”Tack.” Han andas ut. ”Det var allt.”

När Birck har avslutat samtalet sitter jag kvar med telefonen i handen. Mitt huvud snurrar, försöker knyta upp knutar utan att lyckas. Slutledningsförmåga har aldrig varit min starka sida, jag är för långsam och för ologisk, irrationell. Istället sveper jag med blicken över lägenheten, söker efter indikatorer på att någon har varit härinne. Jag är säker på att de finns, att de väntar rakt framför mig. Jag kan bara inte se dem. Eller så är jag paranoid. Jag ser på taklampan i badrummet igen. Den kan ha varit tänd när jag gick ut. Jag känner Sobrilen rysa till och börja surra i mina tinningar. Inget händer och jag öppnar balkongdörren, röker en cigarett.

Ett efternamn. Jag behöver hennes efternamn. Har jag det har jag kommit ett steg längre. När jag ringer till växeln på Kungsholmsgatan kopplas jag upp till Bircks rum och vidare till hans mobiltelefon. Han är den sortens polis som bara svarar med sitt efternamn.

”Det är jag, Leo.”

”Jaha? Jag har inte ätit lunch än, Leo, jag har inte ti...”

”Rebecca”, säger jag. ”Hon heter Rebecca, med cc, tror jag.”

”Ja, Salomonsson, Rebecca”, säger Birck, frågande. ”Tror du inte att vi vet det?”

”Bra”, säger jag. ”Tack. Jag ville bara ge er all information jag har.”

Jag tror han inser att jag lurat honom men han säger det inte. Rebecca Salomonsson. När jag ställer mig framför spegeln i badrummet och tar fram rakhyveln förvånas jag över mina ögon: de är vakna och pigga, som om de efter en tid av dimma äntligen fått syn på något att sysselsätta sig med.

När jag började som polis tvingades jag patrullera gatorna kring Medborgarplatsen under långa nätter. Jag höll mig vaken på receptbelagda koffeintabletter som jag och min kollega beslagtagit under ett rave ute i Nacka. Jag rökte cigaretter när ingen såg och skickade textmeddelanden till Tess, min dåvarande flickvän. Hon hade det rödaste hår jag sett och arbetade i garderoben på Blue Moon Bar. Min patrullpartner var en man från Norrland som alla kallade för Tosca, eftersom han en gång försökt sig på att bli operasångare. Han var from och vänlig mot alla, men bred och stabil. Han röstade på Centerpartiet och hävdade gång på gång att jag resonerade som en moderat, vilket jag kanske gjorde. Vi hade inte särskilt mycket att prata om, men när jag bröt upp med Tess var han den förste som fick veta. Jag antar att det blir så när två män tillbringar många timmar tillsammans i en bil, i väntan på att få komma till användning.

Men då, när jag började patrullera, var vikten av kontakter bland det första jag lärde mig. Knarkarna, hororna, råttorna i de organiserade gängen, tonåringarna som driver omkring på förorternas gator, gamla rövare som sitter på trapporna utanför metadonkliniken varje morgon. Ett par väl utvalda personer kan ge mer värdefull information till en utredning än trehundra andra. Utmaningen ligger i att identifiera dem, och om det är något jag är bra på så är det det: att avgöra om någon är värdefull eller inte. Det är inget drag som gör en människa omtyckt, men det är det jag har.

Jag gick via patrulltjänst till vapenroteln, till assistent på Citypolisen i Stockholm där grova våldsbrott föll på mitt arbetsbord. Det var på Citypolisen jag träffade Charles Levin, som var kommissarie då. Jag var där i flera år, och under de åren arbetade jag nära Levin, som lärde mig mer om polisarbete än någon annan gjort. Levin såg mig gå från godkänd polis till skicklig utredare. Jag hade träffat Sam då och han såg vårt förhållande växa och dö.

Levin bor i en lägenhet på Köpmangatan 8 i Gamla stan och när jag kommer till adressen strilar ett svalt regn och fallna löv vispar i vinden. Hösten stundar, jag kan känna den på tungan. Över husfasaden nära porten har någon skrivit JAG VET ATT JAG HAR FÖRLORAT i vita versaler, varje bokstav lika stor som en vuxen mans ansikte. Jag betraktar orden, försöker tolka dem, försöker föreställa mig någon stå och skriva dem. Omkring mig, lukten av blöta kläder och det ständiga sorlet av turister som trängs på för smala gator. Jag tar hissen upp och ringer på dörren.

”Leo”, säger Levin när han öppnar, tydligt förvånad. Han studerar mitt ansikte. ”När rakade du dig senast?”

”För en timme sedan.”

”Jag misstänkte det.” Han stiger åt sidan, släpper in mig i hallen. ”Ditt ärende måste vara viktigt.”

”Tack. Ja.”

Levin har ett sällsamt öga för detaljer. Det är nyckeln till hans framgång. Det bottnar, enligt honom själv, i barndomen då han tidigt intresserade sig för tågbanor och modeller. Flygplan, byggnader, bilar, landskap och flaggskepp i miniatyr var den unge Charles Levins största intressen. Det var detaljerna som skilde ut en bra modell från en medioker. Numera har han dem samlade i ett stort vitrinskåp som täcker större delen av det ljusa vardagsrummets långsida. De står i kronologisk ordning, likt en alternativ livshistoria.

Det är stilla häruppe. Genom fönstren ser jag husen breda

ut sig, men på tryggt avstånd. Staden är inte lika kvävande här. Det är det man kan köpa för pengar i Stockholm: tystnad. Avstånd.

"Kaffe, kanske", säger han när jag satt mig i en av de bekväma fåtöljerna med ryggen mot skåpet.

"Och absint, om du har."

"Absint?"

"Ja."

"Tyvärr inte", säger han kyligt.

"Vatten då?"

"Det går nog att ordna."

Levin är lång och smal, huvudet rakat, har ett par runda små glasögon som sitter på nästippen. Han bär svarta jeans, vitt linne och en uppknäppt skjorta. Han har varit utomlands. På bordet ligger resebroschyrer om Argentina kvar. Efter att hans fru Elsa dog i cancer började Levin resa, eftersom Elsa älskat att göra det men de aldrig kunde göra det tillsammans. Levins arbete kom i vägen. Istället reste hon ensam och visade honom bilder när hon kom hem. Nu är det Levin som fotograferar sin resa. När han återvänt hem besöker han graven, sitter där och visar bilderna och berättar om dem, precis som hon en gång gjorde för honom.

Levin återvänder till vardagsrummet med två koppar svart kaffe och ett glas vatten.

"Det var en polis som ägde den här lägenheten före mig", säger han. "Visste du det?"

"Nej."

"Han var den bra sortens polis. Chef för Riksmordkommissionen, en gång i tiden. Flyttade hit efter att han skilt sig från sin fru."

Jag tar en Sobril ur min innerficka och lägger den på tungan, sväljer den med en klunk vatten.

”Jag ska ta tre om dagen”, säger jag när Levin följer min hand med blicken.

”För att du fortfarande behöver?”

”För att de kontrollerar att jag tar dem.”

”Du skulle kunna slänga dem.”

”Jag antar det.”

Vi dricker den första kaffeklunken utan att se på varandra, som om det var en ceremoni. Det är det inte, jag försöker bara fundera ut vad jag ska säga. Efter Gotlandsaffären har vi haft väldigt lite kontakt och den kontakt vi haft har varit sval, avvaktande. Han vet något jag inte vet, det är jag säker på.

”Hur har du det, Leo?”

”Jag klarar mig.”

”Och Sam?”

”Vi pratar inte längre. Det var bara den gången, när jag precis hade kommit hem från sjukhuset efter Gotland, när hon undrade hur jag hade det.”

Han nickar långsamt, som en psykolog skulle göra.

”Så, Leo.” Han lyfter kaffekoppen, tar en sörplande klunk. ”Jag förstår att du har ett ärende.”

”Det stämmer.”

”Gäller det just Gotlandsaffären? Jag har inte hört något mer.”

”Det gäller inte den.”

Det här förvånar honom. Han lutar sig bakåt i fåtöljen, lägger ena benet över det andra.

”Låt höra.”

”En kvinna dog i mitt hus i natt. Skjuten i tinningen på nära håll. Gärningsmannen är av allt att döma ett spöke.”

Levin känner till händelsen, jag ser det på honom, men det tar en stund innan han kopplar ihop det med var jag bor.

”Alldeles under dig”, säger han, långsamt. ”Eller hur?”

”Åtta, nio meter under.” Jag harklar mig. ”Hon hette Rebecca Salomonsson. Det är något med hennes död som stör mig.”

”Rebecca Salomonsson”, upprepar Levin.

”Förmodligen runt tjugofem, knarkare, kanske prostituerad.”

”Det är ovanligt att kvinnor dödas”, säger Levin tankfullt och dricker av sitt kaffe igen. ”Och att de blir skjutna.”

”Ännu ovanligare att det har gått snart ett dygn och ingen misstänkt gärningsman finns. Och inget motiv, såvitt jag vet. Och ingen aning om hur det gick till, egentligen, bara att han tog sig in på Chapmansgården genom dörren och ut genom fönstret. Han har storlek fyrtiotre i skor och vet hur man hanterar finkalibriga vapen.”

”Ibland dröjer det tills rätt vittne kliver fram, eller till att rätt teknisk analys har gjorts. Det har inte gått så lång tid ännu.”

”Hon hade något i handen, ett smycke av något slag, kanske en halskedja.”

”Jaha?”

”Jag tror att det är viktigt.”

”Har kedjan gått till analys?”

”Ja.”

”Då så?” Levin ser frågande ut. ”Resultatet kommer inom några dagar.”

Jag ser på mina händer.

”Jag vill vara en del av utredningen”, säger jag, så lågt att det blir till en viskning.

”Med tanke på att du bor i huset är du redan det. Som potentiellt vittne.”

Jag höjer blicken och ser på honom. Jag tror att jag ser bedjande ut, men jag vet inte. Det bränner bakom mina ögon.

”Du vet vad jag menar. Jag behöver göra någonting. Jag behöver ... jag kan inte bara sitta i min jävla lägenhet och röka cigaretter och knapra tabletter. Jag måste få göra någonting.”

Levin säger inget på en lång stund och undviker att se på mig.

”Vad mer exakt är det du begär av mig, Leo?”

”Jag vill återgå i aktiv tjänst.”

”Det ligger inte på mitt bord.”

”Väldigt lite av det du har gjort har legat på ditt bord.”

”Hur tänker du då?” frågar han, lugnt, och dricker mer av kaffet.

Jag tvekar, önskar att jag kunde provocera honom.

”Du kan hjälpa mig”, försöker jag istället. ”Du vet att jag är en bra utredare. Ingen vet vad som egentligen hände i Visby. Ingen vet vem som lurade vem. Det var kaos. Hade du varit där hade du förstått det. Det var inte på grund av mig.”

”Men det var du som bröt ihop”, säger han, med ens väldigt kall. ”Det var du som sköt Waltersson.”

”Och det var kåren som sålde ut mig”, säger jag och det är först nu som jag inser att jag har rest mig, att jag står och ser ner på Levin där han sitter i fåtöljen och ser märkligt liten ut. Min röst darrar. ”Du är skyldig mig det här.”

”Jag tror inte att vi ska prata om skuld, Leo. Den diskussionen kommer du aldrig att vinna.”

Jag känner hur jag ofrivilligt sjunker ner i fåtöljen igen.

”Jag vill bara ... det är något som inte stämmer med Salomonsson.”

Levin kliar sig tankfullt på det kala huvudet, där den solbrända huden har börjat flagna.

”Vem är ansvarig utredare?”

”Birck.”

”Så det är Pettersén som styr.”

Olaf Pettersén är Husets enda svensk-norska åklagare. Han är också den enda person vars order Gabriel Birck står ut med att lyda.

”Om du, på allvar, tror att någonting inte stämmer”, börjar Levin, ”så gör det du är bra på. Men”, tillägger han, ”hittills har du inte sagt något som tyder på att någonting inte stämmer, mer än att det är en ovanlig händelse. Och ovanliga händelser inträffar hela tiden.”

”Jag kan inte göra det jag är bra på utan formell tillåtelse.”

”Har jag haft för höga tankar om dig?” Levin tar upp en av resebroschyrerna, river loss en bit av dess förstasida. Ur bakfickan på sina jeans får han fram en penna och skriver något på pappersbiten, håller fram den åt mig. ”Använd din fantasi. Och ring det här numret när du behöver hjälp.”

Jag ser på lappen.

”Vart går det?”

”Till någon jag känner mycket väl”, är allt Levin säger.

VII

Jag tillbringade mycket tid ensam. Jag vet inte varför det blev så, mina vänner fanns där någonstans men av någon anledning umgicks jag inte särskilt mycket med dem utanför skolan.

Vlad och Fred brukade slå mig. Det började när jag var tio och fortsatte ett par år. Jag slog inte tillbaka till en början, och när jag gjorde det blev de provocerade och slagen bara värre. Så jag slog inte tillbaka mer. Det var bäst så, för alla. Vlad var värst, Fred brukade ibland se på mig med något som liknade medlidande eller något, jag hade svårt att sätta ord på det. Men Vlad såg aldrig på mig så. Han verkade bara avsky mig.

Jag berättade det inte för någon. Jag skämdes. Det hände alltid utomhus när få eller inga personer var i närheten och trots att jag medvetet undvek vissa platser verkade de alltid hitta mig, som om de kunde spåra mig, lukta sig till mig. De stal min keps, mina pengar. Sedan brukade de slå mig i magen eller på armen, aldrig i ansiktet så att det syntes. Jag sa till mina föräldrar att jag hade tappat bort kepsen, att jag köpt godis för pengarna. Att jag fallit illa i skolan och hade ont i magmusklerna, att jag brutit arm med en klasskamrat och sträckt någonting. Jag förstod inte varför det hände, varför de valt just mig, men jag antog att jag gjorde något fel, att det var så här livet var.

En dag i början av våren när jag var tretton eller fjorton hade jag slutat skolan tidigt men glömt kvar en bok i mitt skåp. Mamma tvingade mig att gå tillbaka och hämta den. När jag hade gått av bussen och kom gående längs Rönninge Skolväg hörde jag någon väsa till. Det var ett sammanbitet ljud, som när någon andas genom smärta.

Rönningeskolan låg som en stor koloss bland småvillor och träd som just hade börjat återfå sina blad, och jag såg mig omkring, undrade varifrån ljudet kom. Ett stenkast framför mig väntade skolans baksida, dess lastingång. Uppe på avsatsen tog skolan dagligen emot varor. Efter mörkrets inbrott brukade det ibland höras tung musik från en bergsprängare, mumlandet av röster och plötsliga skratt, ölburkar som öppnades och tändare som klickade till. Kom man tillräckligt nära kunde man känna den söta röken av hasch.

Det här var något annat.

Uppe på avsatsen, med ryggen mot mig, stod två killar jag inte kände igen. De såg inte ut att vara elever på Rönningeskolan utan snarare på gymnasiet. Jag ställde mig bakom ett av träden, gjorde mig osynlig samtidigt som jag hade dem under uppsikt. De två killarna hade stängt in någon mellan sig, stod tätt intill varandra med ena handflatan lutad mot tegelväggen. Vem som än stod därinne hade ingenstans att ta vägen.

”Din lilla fitta.”

En av dem slog honom och jag hörde det hulkande ljudet av någon som förlorade all luft i lungorna, såg hans överkropp fällas framåt mellan dem. Det var då jag såg Vlads ansikte, rött och grimaserande, kippande efter luft.

”En till”, sa den andre.

Den förste tryckte upp honom mot väggen igen och riktade ett slag mot magen, fick honom att falla framåt igen. Jag stod kvar och såg dem fortsätta, men behövde egentligen inte göra det för att förstå vad som hände. Vlad kunde ha hånglat eller till och med haft sex med någon han inte borde, eller lånat pengar utan att kunna betala tillbaka, men jag tvivlade på det. Alla hade sett sådana här situationer förut. De uppstod för att de kunde göra det, folk behandlade varandra så här därför att de kunde. För att de var uttråkade. För att ingen brydde sig.

”Plånboken”, sa en av dem och höll ut handen.

”Vad fan gör du?” sa den andre.

Den förste vred på huvudet och såg sig omkring, fick mig att ta ett steg tillbaka bakom trädet.

”Vi kan lika gärna ta den”, sa den förste. ”Som om den här jäveln tänker anmäla oss. Han har inte gjort det förut, så varför skulle han göra det den här gången?”

”Vi har aldrig tagit hans grejer förut.”

”Han har aldrig varit så här kaxig förut.”

”Fittor”, fick Vlad ur sig.

”Och han ber om det. Han förtjänar att bli av med den.”

Jag hörde hur de började dra i hans kläder. När de tagit plånboken satte en av dem ett knä i hans mage, samtidigt som den andre återigen såg sig oroligt omkring. Vlad föll ihop på avsatsen, och de två hoppade mjukt ner på marken, började gå därifrån med kontrollerade lugna steg.

Nästa gång han och Fred försökte ge sig på mig blev Vlad blek i ansiktet när jag konfronterade honom med händelsen. Jag minns inte vad jag sa, kanske något om att han var feg.

Fred såg förvånat på Vlad, som bara stirrade på mig, blinkade en gång, innan han började jaga mig genom utkanten av Salem.

Det var flera år sedan nu, men när jag och Grim klivit av bussen och gick mot Rönningeskolans lastingång kom händelsen tillbaka till mig. Vlad och Fred hade fyllt arton och flyttat från Salem nu, båda två. Så var det med många. De bara försvann.

Jag försökte minnas om de fick tag i mig, den gången då jag hade konfronterat Vlad och de börjat jaga mig. Tillfället gled ihop med många andra. Kanske kom jag undan den gången, kanske inte.

”Du ser tankfull ut”, sa Grim där han gick intill mig.

”Jag mindes en sak, bara.”

”Nåt obehagligt?”

”Hurså?”

Han sänkte blicken och nickade kort, en gång.

”Dina händer är ju knutna.”

Jag undvek att se på dem. Istället ansträngde jag mig för att slappna av.

”Det är de inte alls.”

Han såg på mina händer igen, där de nu hängde övertydligt viljelösa och slappa. Vi gick fram till avsatsen, hoppade upp på den. Jag lutade mig mot den del av väggen som Vlad en gång varit upptryckt mot. Vi väntade på Julia, som fortfarande hade en tid kvar på Rönningeskolan och högstadiet. Jag undrade hur det kom sig att jag inte hade sett henne förut. Hon hade börjat där ett år efter mig, vi måste ha setts i korridorerna. Julia Grimberg var den sortens person jag borde ha lagt märke till. Grim satt och dinglade med benen i luften. Till vänster om oss klickade det till i den stora carportliknande porten, och den började öppnas med ett lätt rassel. När porten var i höjd med mitt lår stannade den till och ut genom den kom Julia, iklädd ljusa jeans och en svart t-shirt med THE SMASHING PUMPKINS i mjuka, gula versaler.

"Du kan gå runt, vet du", sa Grim. "Du behöver inte smyga ut genom porten så här."

"Rastvakten står precis vid hörnet. Hon hade sett mig."

Julia satte sig med Grim på avsatsen, och jag satte mig intill Julia. Jag tror inte att Grim uppfattade det som konstigt, men jag var osäker. Hennes jeanstyg ströks mot mitt. Ur sin väska tog Grim upp ett kollegieblock och bläddrade fram till en ren sida. Medan han gjorde det såg jag att de flesta sidorna var fulla av annat än skolarbete: skisser och små teckningar, vissa så fullklottrade med text att jag inte kunde avgöra vad det stod.

"Vad ska det stå?" sa Grim.

"Jag vet inte", sa Julia. "Nåt om att jag ska resa bort."

"Ska ni resa bort?" frågade jag.

"Nej. Vi ska på klassresa för att stärka sammanhållningen. Om man inte kan följa med måste man ha föräldrarnas underskrift."

"Kan du inte be dem om det, då?"

Hon skakade på huvudet.

"Det är sista dagen att lämna in intygen idag, och jag hade glömt bort det. Dessutom skulle de aldrig gå med på det."

"Varför inte?"

Julia såg på Grim, som inte sa någonting. Han hade skrivit en kort text i en handstil som inte var hans. Det enda som återstod var signaturen. Han bläddrade till en tidigare, fullskriven sida i blocket. Den täcktes av samma figur, tre kolumner av vad som måste ha varit en namnteckning. På sidan satt en ditklistrad lapp med vad jag senare förstod var originalet. Han studerade den en kort stund, innan han bläddrade tillbaka och gjorde ett par hastiga rörelser med handen, kopierade namnteckningen. Han rev ut bladet och visade det för Julia.

”Är det okej?”

Det var en exakt kopia av originalet.

”Perfekt”, sa Julia.

Han vek bladet på mitten och gav det till henne.

”De kom på att vi brukar förfalska dem”, sa hon, med blicken på mig. ”Vår klass har till och med haft möte om det, så ska man komma undan nu måste det vara bra gjort.”

”Allvarligt?”

”Allvarligt.” Hon reste sig och vek bladet en gång till, stoppade det i bakfickan på jeansen. ”Jag måste gå, jag börjar snart.”

”Vi ses hemma”, sa Grim.

”Vi ses”, sa jag och försökte le.

”Ja, vi ses”, sa Julia, innan hon försvann in under porten igen.

Han sköt fåglar med luftgevär, kunde lukta sig till pengar och förfalskade sina föräldrars namnteckning. Och kallades Grim. Han framstod mer och mer som en seriefigur eller en karaktär i en film. Men det var han inte. Han var helt vanlig och verklig.

”Nån måste betala räkningar och skriva under papper”, sa han när vi hade satt oss på bussen som skulle ta oss tillbaka till Rönningegymnasiet. ”Så är det i alla familjer, er också, antar jag. Det är inte så konstigt.” Han ryckte på axlarna. ”I min familj gör jag det, eftersom ingen annan kommer ihåg det.”

Det hade börjat med att deras mamma glömt skriva under

ett papper från Försäkringskassan. Grim hittade det liggande på köksbordet. Deras pappa var sjukskriven då och pappret rörde deras ekonomiska stöd. I anslutning till det låg ett papper från socialtjänsten, också det utan underskrift. Grim letade upp ett papper med sin mammas underskrift, övade ett par gånger i ett block innan han noggrant skrev under de båda pappren och postade dem. Liknande saker inträffade ett par gånger efter det, och Grim berättade för Julia, som berättade för deras pappa.

”Han blev skitarg, såklart. Det är väl olagligt, egentligen. Jag vet inte. Men ganska snart hade jag bättre koll på deras pengar än vad de själva hade. Pappa orkar inte och mamma är ju sjuk. Med medicinerna har hon svårt att hålla ordning på grejer. Jag gör det, alltså sköter om och betalar räkningar och sånt, egentligen bara för Julias skull, så att hon får ... jag vet inte. Så att hon slipper oroa sig.”

Busschauffören hade radion på och i tystnaden mellan mig och Grim hörde jag låten som spelades därframme.

”Vadå sjuk?” sa jag.

”Vad menar du?”

”Du sa att din mamma är sjuk.”

”Har jag inte sagt att hon är det?”

”Jag tror inte det.”

Han suckade och såg ut genom rutan.

”När Julia föddes blev mamma deprimerad. Psykotisk ett tag, till och med. De sa att det berodde på förlossningen. Hon var ... hon försökte ...” Grim tvekade, länge. ”Jag var arg när hon kom, när Julia föddes. Åtminstone har jag fått höra det, jag var ju bara lite mer än två då. Jag blev arg över att hon fick all uppmärksamhet. Men en dag när mamma kommit in i psykosen, satt jag på golvet nånstans hemma och Julia låg bara och skrek. Man har ju inga minnen från så tidigt, sägs det, men jag är säker på att jag har det för det här är så tydligt. Jag kom ut i vardagsrummet och då hade hon tydligen suttit och ammat Julia. Mitt i allting hade hon bara lagt henne på golvet. Eller tappat eller släppt henne, jag vet faktiskt inte och jag vill nog inte veta heller. Men hon hade bara låtit henne ligga där, i alla fall. Pappa var på jobbet, så jag tog upp Julia och vi satte oss i soffan tills hon slutade gråta. Det tog lång tid, åtminstone kändes det som det. Jag minns att jag var jätterädd. När hon väl slutade vred mamma på huvudet och sa 'nu kan jag ta henne igen'." Grim skakade på huvudet. "Jag ville inte ge Julia till henne. Det är sjukt, jag kunde ju knappt prata, så liten var jag. Men jag hade en känsla av att nåt var fel. Till slut reste mamma sig upp och tog henne ifrån mig och fortsatte väl mata henne. Men jag satt kvar hela tiden, rädd att nåt skulle hända. Pappa fick aldrig veta nåt, tror jag."

Han verkade osäker på hur han skulle fortsätta.

"Senare, flera år senare, visste jag ännu inte om hon hade blivit tappad eller inte, och då började jag oroa mig för om hon skadats av det på nåt sätt. Jag började leta efter tecken på det."

"Tecken på vadå? Hur då?"

"Alltså, om hon nu hade blivit tappad kunde det ju ge hjärnskador, trodde jag. Och jag visste att vissa såna skador kunde det dröja länge innan man hittade, om man hittade dem alls. Så jag började leta efter talsvårigheter, minnessvårigheter, om hon hade problem att lära sig saker."

Grim var aldrig sjuk som barn, berättade han. Han föddes frisk och han förblev frisk, slapp alla de vanliga barnsjukdomarna. Julia, å andra sidan, drabbades av vattkoppor, kikhosta, krupp, och alla de andra. Hon var alltid sjuk och när hon började skolan verkade hon ständigt vara på gränsen till undernärd, till den grad att sjuksköterskan – gamla Beate, som rökte gula Blend och hade känt på alla killarnas pungkulor, inklusive Grims och mina, för att se att alla lågstadiepojkar i Salem hade två och inte en eller tre – hade uttryckt oro över det.

”Såna saker tog jag som tecken på det.” Han skrattade till. ”Sjukt, med tanke på att Julia nu är den friskaste i vår familj. Det var väl ingen fara. Men mamma har, hur som helst, aldrig tagit sig ur depressionen helt. Hon har bättre och sämre dagar, men aldrig några bra, så det är svårt för henne att sköta om pengar och sånt. Och pappa orkar inte.”

Gamla Beate var förresten död nu, tillade Grim. Hans pappa hade berättat det för honom, för Beate var tydligen mamma till en av hans arbetskamrater.

”Jaha”, sa jag, som inte ville byta samtalsämne från Julia men Grim verkade angelägen om att inte prata om det mer.

Jag såg ut genom bussens ruta och världen svepte förbi. Gröna träd, grå himmel, bleka gula hus.

Senare den kvällen ringde telefonen. Vi hade tre i vår lägenhet: en i min brors rum, en i mina föräldrars sovrum, och en bärbar som aldrig fanns där man trodde. Var man än letade låg den alltid någon annanstans, och fick pappa att utbrista att den här telefonen skulle göra honom galen en dag.

Signalerna gick genom lägenheten och jag lät bli att svara. Jag satt och bläddrade i gamla skolkataloger från Rönningeskolan och letade efter Julia Grimberg. Jag hade inte funnit henne ännu, men skolan var stor och klasserna många. Ute i köket svarade någon och snart knackade det på min dörr.

”Leo, det är till dig.”

”Vem är det?”

”Någon som heter Julia.”

Jag reste mig, öppnade dörren och tog telefonen ifrån mamma. Jag stängde dörren utan att säga något, slog igen den öppna skolkatalogen, lade den ovanpå de andra och sköt undan dem.

”Hallå?”

”Hej, det är Julia.”

”Hej.”

”Vad gör du?”

”Inget särskilt.”

Bortom Julias röst var det tyst. Jag undrade om Grim var där, eller om hon var ensam.

”Bra”, sa hon.

”Vad ... har det hänt nåt?”

”Nej, inte alls.”

Har det hänt nåt. Vem säger så. Jag ville slå mig själv i ansiktet.

”Jag ville bara”, fortsatte hon, ”jag vet inte. Jag såg ditt nummer i Johns rum.”

”Ringer du alla nummer du ser på hans rum?”

Hon skrattade.

”Det här är första gången.”

Jag lade mig på rygg på sängen och blundade. Vi pratade en stund utan att egentligen säga någonting. Jag undrade varför hon hade ringt, men var rädd för att fråga.

”Kollar du på tv?” frågade hon.

”Nej.”

”Det är *Tillbaka till framtiden* på trean. Har du sett den?”

Det hade jag inte. Jag tryckte igång tv:n men lät ljudet vara avstängt. Michael J. Fox var i färd med att undvika en tjej som var kär i honom.

”Det är hans mamma”, sa Julia. ”Han har åkt tillbaka i tiden för att se till att hon och hans pappa blir ihop, så att han själv blir född. Problemet är bara att mamman har blivit kär i honom, alltså sin son. Fast det vet hon ju inte att han är.”

Vi såg på filmen tillsammans. Då och då skrattade Julia till. Det var ett fint skratt, påminde om Grims.

”Vart skulle du resa, om du kunde göra en tidsresa?” frågade hon.

”Öh, jag vet inte, jag har inte tänkt på det.”

”Skulle du resa framåt eller bakåt?”

”Bakåt. Nej, framåt. Nej, bakåt.” Jag hörde hur Julia skrattade. ”Jag vet inte, det är jättesvårt. Får jag bara resa en gång?”

”Ja.”

”Det låter som en skitdålig tidsmaskin, om man bara får resa en gång.”

”Men om du får resa hur många gånger som helst är det ju poänglöst.”

”Dinosaurier”, sa jag.

Hon skrattade till.

”Va?”

”De dog ju av en stor meteor, sägs det. Men man vet inte. Jag skulle vilja se om det är sant.”

”Kul, Leo. Du kan åka vart du vill, kolla på precis vad som helst, och du väljer att kolla på några dinosaurier. Dessutom kanske du dör själv. Kunde man ens andas då? Alltså, för så längesen, var inte luften helt giftig och farlig då?”

”Jag skulle ta med en syrgastub, för säkerhets skull.”

”Och vad skulle du göra?” frågade hon. ”Stå där och kolla på dem, bara? Klappa dem?”

”Du hånar mig.”

”Bara lite.”

”Vart skulle du själv resa då?”

”Framåt, lätt.”

”Varför då?”

”För att få se hur allting blir. Så att man slipper oroa sig. Fast”, fortsatte hon, ”då kanske man åker tillbaka till sin egen tid och liksom tar det lugnt, eftersom man tror att allting kommer att bli bra ändå, om det nu är så att allt ser bra ut i framtiden, alltså. Och då kanske man inte gör de där grejerna som leder till att framtiden faktiskt blir som den blir. Fattar du?”

”Jag, öh ... jag tror det.”

Jag hade ingen aning om vad hon menade.

”Det kanske är viktigt att man inte vet hur det blir. Så jag kanske skulle åka bakåt, då. Fast, om allt ser för jävligt ut i framtiden, om man nu åker framåt, då har man ju en chans att rätta till det, bara man vet vad det är man behöver rätta till.” Hon tvekade. ”Jag skulle vilja se hur det kommer att gå för mamma och pappa. Och John. Och för mig.”

”Oroar du dig för framtiden?”

”Det gör väl alla?” Hon var tyst en stund och jag hörde henne andas. ”Jag tror att pappa har kommit hem.”

”Får du inte prata i telefon?”

”Jo, men jag vill inte att han ska höra. Mitt rum ligger vägg i vägg med deras sovrum.”

Det blev tyst, igen, men det kändes lugnande och varmt. Sedan fortsatte vi prata, om vad vi skulle göra i sommar, om musik och film och om skolan. Hon frågade om jag hade hört talas om *Helgonet*.

”Filmen med Val Kilmer?”

”Ja?”

”Den går väl på bio?”

”Ja. Jag tänkte gå och se den, men ingen jag känner vill gå. Vill du se den?”

”Med dig?” frågade jag och öppnade ögonen.

”Om du vill, menar jag.” Hon lät osäker. ”Du måste inte. Det är bara så tråkigt att gå själv.”

”Nej, jag bara ... visst.”

”Säg inget till John.”

Jag minns det som att jag tänkte mycket på dem, familjen Grimberg. Hur de hade det och vad som egentligen hade gått fel. Det man kunde se utifrån, det yttre tillståndet i den familjen, var inget ovanligt i Salem, flera andra jag kände verkade ha det likadant. Jag tror att det förekom våld, eller i alla fall hade gjort det förut. Julia hamnade mitt emellan pappan och mamman, medan Grim höll sig undan så gott han kunde. Så var det alltid för oss. I skolan, hemma, på fritiden: någon klarade sig undan, någon fastnade i skottlinjen. Det som märkte ut Grim var att han var så överbeskyddande när det kom till Julia. Det verkade vila mycket mellan raderna som jag inte fick grepp om, trots att jag försökte och kanske faktiskt ännu gör det.

”Ibland, när jag är ensam, har jag en känsla av att jag försvinner”, brukade Grim säga och även om jag inte riktigt förstod vad han menade då så är det likadant med dem nu, för mig. Man måste hålla fast vid dem, Grim och Julia, fästa dem i specifika scener för att de inte ska försvinna.

Ungdomen och barndomen, ju längre tid som går desto mer diffusa blir de och desto mer framstår Grim och Julia som det mysterium de kanske hela tiden var.

Alltihop kändes förbjudet. Under den ganska korta tid jag och Grim känt varandra hade vi kommit varandra nära. Åtminstone upplevde jag det så, det var svårt att veta med honom. Samtidigt hade vi inte pratat i telefon en enda gång. Efter det första samtalet med Julia tillbringade jag minst en timme om dagen på min säng i telefon med henne. Det fanns en närhet mellan oss som fick det att vibrera i mig. Jag kände mig levande på ett sätt jag inte hade gjort förut, som om mina känslor var ögon som tidigare varit förbundna. Julia Grimberg fick allting att virvla och kännas större, oändligt.

”Vad har du på dig?” frågade hon i telefon, kvällen före bion.

Jag skrattade.

”Hurså?”

”Jag vill veta.”

”Varför det?”

”Jag vill veta, bara.”

Jag var tyst medan jag kontrollerade att dörren till mitt rum var stängd.

”Boxershorts.”

”Det heter kalsonger.”

”Kalsonger är ett så fult ord.”

”Men det heter det.”

”Du då?” sa jag.

”Va?”

”Vad har du själv på dig?”

”Trosor. Är det också ett fult ord, eller?”

”Nej.”

”Jag tycker om killars underkläder”, sa hon och det lät som om hon sträckte på sig, innan jag hörde hur hon andades ut.

”Är du oskuld?”

Frågan föll bara ur mig, överraskade mig. Jag ville ta tillbaka den.

”Nej”, svarade hon. ”Är du?”

”Nej”, ljög jag, ganska säker på att hon inte trodde mig.

”Hur gammal var du?” frågade hon.

”Femton. Du då?”

”Fjorton.”

Jag hörde henne dra efter andan.

”Vad gör du?” frågade jag.

”Vad tror du?” viskade hon.

Snart blev hennes andning ansträngd. Ljudet var förhäxande. Jag ansträngde mig för att höra varje nyans i det som skedde i andra änden.

”Ta på dig”, sa hon lågt och med en tjockhet i rösten jag inte hade hört förut.

”Okej”, sa jag, trots att jag redan gjorde det.

”Hur känns det?”

Vad säger man?

”Bra”, försökte jag.

”Tänk att det är min hand.”

Jag var snart nära att sprängas. Plötsligt flämtade hon till, som om luften gick ur henne gång på gång, innan hon långsamt verkade hämta sig.

”Jag bet mig i läppen”, sa hon efteråt, fnittrande. ”Jag tror att det gick hål.”

Allting snurrade. Jag hade aldrig upplevt något liknande.

VIII

Langaren är en liten sparv till man med tätt sittande ögon, en vass näbb till näsa och ryckiga rörelser. Det bakåtslickade håret blottar hans panna, stor och blek. Han bär en lång, svart rock som fladdrar efter honom. På varje handrygg, två tatuerade diamanter. Jag håller mobiltelefonen framför honom.

"Känner du igen henne?"

"Är hon död?"

"Känner du igen henne?"

Han ler svagt och visar sneda tänder.

"Du är fortfarande avstängd, eh? Jag behöver inte säga ett skit till dig."

"Jag har återgått i tjänst."

"Visa plattan då."

Jag ser mig omkring. Vi står i ett hörn nära Mariakyrkan på Södermalm. Jag känner lukten av nybakat bröd från ett av konditorierna i närheten och Hornsgatan susar på avstånd. Det är en vacker dag. Jag tar ett steg närmare honom.

"Hur mycket pengar är du skyldig mig?"

Leendet försvinner och han ser upp på mig.

"Jag vet inte."

"Det är mycket."

”Du ska få tillbaka dem.”

”Ge mig det här, så är du tillbaka på noll.”

Felix är före detta informatör. När vi avbröt samarbetet för några år sedan hade han ingenting kvar och tvingades fly utomlands ett tag. När han kom tillbaka gav jag honom möjligheten att börja om, och Felix började om genom att fortsätta precis som förut och snortade upp pengarna. Det finns nog ett pris att hämta för den som dödar honom och det är ett under att han lever, men kackerlackor som Felix har en tendens att klara sig.

”På riktigt?” frågar han.

”På riktigt.”

Felix flackar med blicken över mobiltelefonens skärm.

”Hon måste vara viktig, eh?”

Jag trycker in Felix i skuggorna som faller kring Mariakyrkans torn.

”Vet du vad hon heter?”

Felix leker med tungan i mungipan, som om han kliade sig, och ser på bilden.

”Rebecca.”

”Rebecca vad?”

”Simonsson, tror jag. Nej, Salomonsson?” Han ser på mig. ”Salomonsson är det. Rebecca Salomonsson. Det var hon på Chapmansgården, eller hur? Jag läste om det i tidningen.”

”Hur känner du henne?”

”Hon sålde.”

”Vad?”

”Vad tror du?”

”Folk säljer allt möjligt”, säger jag.

Felix nickar, gillande.

”Det är sant. Men Rebecca höll sig till knark och sex.”

”Och på vilket sätt gör det att du känner henne?”

Han sänker blicken, som om han övervägde något. Felix panna har börjat bli fuktig.

”Jag vet att det här kommer att se illa ut, men fan, jag lovar, Junker, det var inte jag som gjorde det.”

”Låt höra.”

Han ser sig omkring och lutar sig mot mig, de små ögonen uppspärrade och blanka.

”Jag var den som förság henne med grejer.”

”Och hur ser det illa ut, menar du?”

”Jag jävlas inte med dig, så jävlas inte tillbaka”, säger han hetsigt, innan han verkar samla sig något. ”Du vet vad jag menar. Såna här saker händer av typ två anledningar. Antingen är hon skyldig nån pengar, och den hon är skyldig är ju i så fall jag, eller så har hon sett nåt hon inte skulle se. Det mest troliga är det första. Så”, säger han och tar fram en cigarett ur innerfickan på sin rock, ”det ser jävligt illa ut.”

Jag ser på Felix skor medan han tänder cigaretten. Det är små Converse, flera storlekar mindre än mina. Flera storlekar mindre än den sko som gjorde avtrycket inne på Chapmansgårdens golv. Han kan ha haft andra skor på sig men jag tvivlar på det.

”Vill du ha?” frågar han och håller ut cigaretten åt mig.

”Jag har egna. Berätta vad du vet om henne.”

Felix drar in rök och andas ut den genom näsan. Oupphörligen spelar blicken över omgivningen, för att försäkra sig om att han inte blir sedd i närheten av mig.

”Hon kom inte härifrån. Jag tror att hon kom från Nyköping eller Eskilstuna eller nåt, en mindre stad, i alla fall. Hon hade varit här ett par år. Typiskt socialfall som de flesta andra. Hon tog sig hit för att försöka jobba eller plugga, men hamnade i fel kretsar ganska fort. Killen hon började hänga med var en rejält nerpundad jugoslav från Norsborg. Han drog med henne ner i skiten, innan han dog av en överdos. Det var då hon kom till mig."

"Var det då hon började sälja?"

Han tar ett bloss.

"Just det."

"Vad sålde hon?"

"Allt jag gav henne. Men det enda hon tog själv var heroin."

"Och vad gav du henne?"

"Du känner mig." Felix ler. "Allt. Det finns ingen möjlighet att specialisera sig på en grej, det funkar inte så längre. Man måste ha tillgång till allt. Heroin, morfin, amfetamin, kola, benzos, Mario, hela skiten."

"Vad är Mario för något?"

"Du vet, Super Mario? Nintendofiguren?"

"Ja."

Han ser på mig som om det förklarade någonting.

"Spelet är fullt av svampar? Du börjar tappa greppet, Junker. Du har varit borta från gatorna för länge."

"Och ändå tog det mig mindre än en eftermiddag att hitta dig." Jag tänder en egen cigarett och min rök blandas med hans. "Hade hon något otalt med någon?"

"Alla har nåt otalt med varann."

"Du vet vad jag menar."

Felix röker mer av sin cigarett och leker med tungan i mungipan.

"Inte vad jag vet, nej. Hon gjorde det hon skulle. Hon var nästan aldrig sen med att betala mig. Om hon gjort affärer med andra vet jag inte. Eftersom hon kom utifrån hade hon få vänner."

"Var bodde hon?"

"Ingenstans och överallt."

"Var bodde hon senast?"

"Den senaste tiden hade hon ingen fast bostad. Det var väl därför hon sov på Chapmansgården."

"Hon hade inga tillhörigheter med sig på Chapmansgården, men hon måste ju i alla fall ha haft en ryggsäck med saker?"

"Inte fan vet jag. Jag antar det?" Han slår ut med händerna, hostar till innan han tar ett nytt, ansträngt bloss. "Hon åkte ofta röda linjen söderut, även efter att hennes kille i Norsborg hade släckt sig själv. Hon kanske kände nån där, bodde hos nån."

"Har du namn på hennes vänner?"

"Nej."

"Vad hette hennes kille?"

"Miroslav nånting."

"Miroslav Djukic?"

Felix nickar igen, hetsigt och ryckigt.

"Ja, så hette han."

Felix tvekar en stund, innan han lägger huvudet på sned och ler stort, som om han just kommit på något. Det är en märklig gest att göra, men hela Felix rörelsemönster är oförutsägbart, som om han glömt bort vilket ansiktsuttryck som passar till vilka ord.

"Får jag gå nu?"

Jag viftar trött med händerna.

"Du vet vem du måste snacka med, va?" säger han, på väg från mig, rocken flaxande efter honom där han går ut i solen och ser sig omkring.

”Nej.”

”Det vet du visst.”

”Nej.”

Men det gör jag. Felix försvinner runt husknuten en bit bort och jag står ensam kvar med cigaretten i handen.

Jag måste prata med Sam.

Numera är Sam tillsammans med ägaren till Pierced, den mest kända piercingstudion söder om Mälaren. Han heter Rickard men kallar sig Ricky och har, förutom ett oräkneligt antal piercingar, låtit Sam tatuera in den latinska originaltexten till Carl Orffs ”O, Fortuna” på ryggen. Det är en person jag, kanske av förståeliga skäl, aldrig riktigt har kunnat ta på allvar, trots att jag bara hört saker och aldrig träffat honom.

Jag och Sam möttes på en fest i en lägenhet på Nytorgsgatan. Jag hade nyligen börjat arbeta under Levin på Citypolisen och var där för att återse gamla vänner som jag inte längre hade något gemensamt med. Det kändes meningslöst men pliktskyldigt. Sam var där av samma anledning. Det var sommar, och hennes hud var solbränd. Hennes hår var genomsvept av slingor i olika, ljusare nyanser. Med hjälp av en grov kolpenna var det uppsatt i en slarvig knut i nacken, med remsor av vågigt hår som hängde fritt. Hennes axlar var täckta av tatueringar, vassa linjer i svart, iskallt blått och stålgrått. Hon stod ensam med en mjölkvit drink i handen och en blick som mer än något annat avslöjade hennes önskan om att vara någon annanstans.

Senare på kvällen kom hon fram till mig i köket där jag blandade en drink åt mig själv och vi började prata, eftersom alkoholen hade gjort henne på bättre humör. Hon var lätt att prata med när hon väl öppnat dörren och släppt in mig. Hon var uppmärksam och kunde lyssna utan att tappa koncentrationen, samtidigt som hon inte var passiv eller tillbakadragen. Hon är, än idag, den bästa samtalspartner jag någonsin haft. Sam har en förmåga att dra fram det bästa ur mig.

Olyckligtvis lockar hon fram det värsta också.

"Jag har en tatueringsstudio", sa hon. "Den ligger borta på Kocksgatan."

"Kocksgatan", upprepade jag och tömde min drink.

"Jag måste dit nu."

"Nu? Ska du till jobbet nu?"

Klockan var långt över midnatt.

"Jag glömde mina hemnycklar där", sluddrade hon. "Jag har jobbnyckeln och hemnyckeln i olika knippor."

"Så ... opraktiskt."

Jag sluddrade också, ofrivilligt.

Den natten hade vi sex i studion, stående mot hennes stora, bruna soffa för väntande kunder. Våra byxor kring anklarna, min ena handflata mot Sams bröstkorg och den andra i ett hårt grepp om hennes höft. Hennes hår i mitt ansikte, lukten av hårspray och bläck, hennes naglar i min hud, insikten att det här var något jag inte hade känt på länge.

Två veckor senare blev vi ett par. Det var Sam som ställde frågan, och jag skrattade eftersom jag tyckte att själva frågan var ungdomligt oskyldig. Snart delade vi allt, utom lägenhet. Vi tillbringade få nätter ifrån varandra. Så ofta vi kunde stannade vi inne och såg på film eller dåliga tv-serier. Vi gick ut och åt middag, gick på bio, tog långa promenader längs Söder Mälarstrand. Vi hade sex på morgonen, under lunchen och på kvällen. I sängen, i duschen, på golvet, på köksbordet, på nytt i Sams tatueringsstudio, på Sergelbiografens toalett, i Katarinahissen, mitt i natten mot stängslet längs Monteliusvägen med ett helt Stockholm som bredde ut sig nedanför oss. Månaderna snurrade förbi och vi bytte nycklar och snart flyttade jag in hos henne på Södermalm, hyrde ut min lägenhet på Chapmansgatan i andra hand.

Efter att vi träffats tog det någon vecka innan Sam fick veta att jag var polis. Jag sa det inte till henne, eftersom jag var rädd att hon skulle dra sig undan då. I själva verket misstänkte hon det redan från början, berättade hon senare. Jag borde ha förstått det. Jag hade påstått att jag var försäljare, kom inte på något bättre. I efterhand kändes det löjligt.

Sam rörde sig i utkanten av den undre världen. Farliga män uppskattar bra tatueringar, och Sam är skicklig. Tatueraren är som den vanliga världens lokala frisör, som bara genom yrket vet mycket om den värld hennes kunder lever i. Och Sam hade ingenting emot det, men kände heller inget behov av att bli mer involverad. Vi balanserade på varandras gränser och jag tror att det var därför vi drogs till varandra.

Sedan blev hon gravid. Vi var osäkra till en början, men beslutade oss för att behålla barnet. Vi köpte varsin ring, inte till en förlovning utan för att ha ett gemensamt materiellt band tills barnet kom. Det var början på de lyckligaste sju månaderna i mitt liv. Vi skulle få en pojke och döpa honom till Viktor, efter Sams morfar. En kväll satt vi i en bil på väg hem från en fest. Sam körde och jag satt intill henne, vi hade radion på och jag minns hur någon sjöng *if I had the chance I'd ask the world to dance.*

Det var vinter och i bilen framför oss hade föraren en promillehalt så hög att han egentligen borde ha varit medvetslös.

Sedan hände någonting, som fick Sam att dra efter andan och vrida på ratten. Jag vet fortfarande inte vad det var, minns inte. Vägen var hal och isfläckarna kom tätt. Världen vändes upp och ner när bilen slog runt. Allt blev svart, tills jag öppnade ögonen och såg en stjärnklar himmel. Jag låg på rygg på en bår och det sprängde i mitt huvud. Varje andetag fick det att sticka våldsamt i min överkropp, som om någon pressade nålar genom mig. Jag hade brutit fyra revben. Nästa gång jag vaknade låg jag under ett starkt, vitt ljus på Södersjukhuset. När jag frågade efter Sam sa de att hon fortfarande opererades. Hon skulle klara sig. Det var Viktor de försökte rädda.

Det gick inte. Sam hade förlorat för mycket blod och Viktor själv hade fått kraftiga inre blödningar. Jag fick höra det utan att ha Sam nära mig. Hon låg kvar på uppvakning. Jag minns hur starkt ljuset var, hur svalt det var i rummet, hur det stod en liten blågul flagga i trä på bordet intill mig.

Mannen framför oss, som tappat kontrollen över sin bil, dömdes till grov vårdslöshet i trafik. Han fick sex månaders villkorlig dom. Jag sa det aldrig till någon men sent en kväll något år senare sökte jag upp honom, knackade på hans lägenhetsdörr och när han öppnade slog jag honom med ett knogjärn. Han gjorde inget motstånd.

Viktors död blev en oöverkomlig spricka i vårt förhållande. Vi höll ut i ett år. I takt med att allting blev värre, i takt med att hela tillvaron satt som på nålar, kom grälen. Öga mot öga, flygande porslin mot flygande porslin, rygg mot rygg i mörkret. Spektakulära gräl om ingenting och, samtidigt, allt som var väsentligt. Vi försökte minimera sprickorna genom att ha sex, och gjorde bara allting ännu värre.

Jag och Sam var varandras första tillflykt, första person att vända sig till när något slog fel, och hon känner till de mörkaste vrårna av mitt hjärta. Och jag känner henne. Jag vet att hon är rädd för mörkret. I hennes tatueringsstudio hänger omslagen till filmer som *Fight Club*, *Gudfadern* och *Pusher*, men hennes egentliga favoritfilm är *I hetaste laget*. Jag vet att hon har en tatuering på insidan av låret, två duvor så högt upp att en av vingspetsarna stryker henne i ljumsken. Jag vet att Sams mor blev misshandlad av Sams far.

Samtidigt som Viktors spöke slet i oss, begravde vi oss i våra arbeten. Det som tidigare hade fungerat ganska väl, kanske eftersom jag och Sam hållit vårt förhållande dolt för många, skapade ytterligare bristningar. Hon tangerade den undre världen. Hon fick höra saker. När ryktet spred sig att hon var tillsammans med en polis fick hon inte bara färre kunder, utan blev också hotad av många. Sam tog det med ett synbart lugn, men jag kunde se att hon var skärrad. Det var jag också, jag upplevde att det var mitt fel.

”Du borde sluta”, sa jag. ”Göra något annat.”

”Varför ska just jag sluta? Varför inte du?”

”Det är lättare för dig.”

”Det är det inte alls”, snäste hon. ”Du älskar inte att vara polis. Jag älskar det jag gör.”

”Du älskar att tatuera grova brottslingar?” skrek jag tillbaka. ”Hedervärt arbete, Sam.”

”Du förvränger allt jag säger”, sa hon, rösten darrande av en blandning av ilska och svek.

Och så fortsatte det, dag efter vecka efter månad.

”Ni ska väl inte göra slut?” frågade en av Sams vänner under en fika.

”Inte idag”, svarade Sam.

Vi bröt upp två veckor efter att jag gett henne ett litet halsband med svarta kuber i ett försök till försoning. När det vilade kring Sams hals såg det mer ut som om någon höll henne i en snara än något annat, men Sam tyckte om det. Jag flyttade tillbaka till Kungsholmen och Chapmansgatan, och ett år efter det involverades jag i det som senare blev Gotlandsaffären.

Hon ringde mig efter att ha sett händelsen brisera i medierna, ville höra hur jag hanterade dem. Jag ville inte prata just då, men senare ringde jag upp. Det blev ett samtal som präglades av tystnad och ord mellan raderna. Kanske var det därför jag, några dagar senare, ringde henne igen. Då var jag hög. Sam avslutade samtalet, och jag lät bli att ringa upp, åtminstone några dagar. Sedan ringde jag igen. Jag vet inte varför, jag tror att jag ville höra hennes röst. Den fick mig att tänka på hur enkelt och lovande allting en gång hade varit. Jag hade fyllt trettio utan att något särskilt inträffat, men kanske var det nu konsekvenserna av att bli vuxen verkligen kom. Jag drömmer fortfarande om Viktor på nätterna.

”Sam”, svarar hon kort när jag ringer.

Jag vet inte vad jag ska säga. Så jag säger ingenting, och skäms.

”Hallå?” säger hon trött. ”Leo, du måste sluta ringa mig. Är du hög?”

”Nej.”

”Jag lägger på nu.”

”Nej, vänta.”

”Vad, Leo? Vad vill du?”

I bakgrunden rör någon sig, en naken man i en säng som

försöker få sin flickvän att sluta prata med mannen som kanske ännu älskar henne. Åtminstone är det vad jag intalar mig att jag hör.

”Jag saknar dig”, säger jag lågt.

Hon säger ingenting, och det svider till i mig.

”Säg inte så”, mumlar hon.

”Men jag gör det.”

”Nej.”

”Hur vet du det?”

”Sluta ringa hit, Leo.”

”Jag är inte hög. Jag har slutat.”

Hon fnyser.

”Det har du inte alls.”

”Jo.”

”Vad vill du?”

”Det sa jag ju. Jag saknar dig.”

”Jag tänker inte säga det tillbaka.”

Vi andas ut, och vi gör det samtidigt. Jag undrar vad det betyder.

”Jag skulle behöva träffa dig”, säger jag.

”Varför det?”

”Jag behöver din hjälp.”

”Med vadå?”

Jag tvekar.

”Hörde du om kvinnan som sköts på Chapmansgården?”

”Ja.”

”Det är något som inte stämmer. Jag tror att du kan hjälpa mig.”

”Är det här på allvar?”

”På fullaste allvar.”

”Imorgon vid tolv, kanske?” säger hon, tvekande. ”Jag har en kund vid tio och hinner inte innan det.”

”Tack. Bra.”

”Bra”, säger hon.

Jag undrar vad hon tänker.

”Är du lycklig?” frågar jag till slut.

Sam bryter samtalet och jag ringer inte upp igen.

Det är sen kväll nu. Omkring mig är det mörkt. Från min balkong kan jag se huset som BAR ligger i och jag tänker på Anna, som bad mig ringa henne. Jag kanske borde göra det. Det kanske vore bra för mig. Sedan tänker jag att jag borde åka till Salem igen och det är något med det som fyller mig med uppgivenhet. På radion hör jag en nyhetssändning och ett inslag om utredningen. Rebecca Salomonssons föräldrar hemma i Eskilstuna har underrättats om deras dotters död. Jag undrar hur de tar beskedet. Det gör ont att förlora varandra.

Det är kallt på balkongen och jag röker en sista cigarett. När jag går in vibrerar mobiltelefonen till i min ficka: ett textmeddelande från skyddat nummer.

jag ser dig, Leo

Jag sjunker ihop i soffan och skickar tillbaka:

vem är det här?

jag har hört att du jagar en mördare

säg vem du är, skickar jag.

Jag klickar ut en Sobril ur kartan som ligger på soffbordet, sväljer den, tar djupa andetag.

gissa, kommer svaret.

är det här ett skämt? frågar jag.

nej

Nere på gatan startar en bil. Jag går ut på balkongen igen och ser den rulla iväg, hur stadens ljus reflekteras i den blanka mörka lacken, bakljusen röda och lysande, hur kupén är svagt upplyst av det vita skenet från en mobiltelefon.

Jag är tolv. Pappa kallar mig för sin enda riktiga vän, att alla andra är emot honom. På tv:n är det Beverly Hills. Pappa säger att jag är lik Dylan. Jag förstår inte vad han menar men det känns bra. Han har armen om mig. Det är bara vi hemma. Efteråt sätter vi oss i bilen. Vi ska ingenstans, vi bara åker. Vi lyssnar på musik och solen skiner. Det är vår. Efter en stund blir vi invinkade till vägkanten av en polis. Pappa får blåsa i ett munstycke. Sedan får vi lämna bilen och åka polisbil tillbaka hem. Pappa övertalar polisen att stanna en bit bort, så att vi får gå sista biten. Jag vet inte varför.

Mamma skäller inte. Hon säger ingenting. Det gör hon aldrig. Nästa vår skriver pappa frivilligt in sig på behandling i sex månader. Han kommer hem efter tre och säger att han är bra, att han är okej nu. Vi pratar inte längre med varandra för jag tror honom inte och han vet det. Men en gång säger jag det till honom. Han kastar en stol efter mig. Jag springer in på mitt rum och låser dörren. Pappa står utanför och vill komma in och prata. När jag inte öppnar blir han arg. Jag trycker igång stereon och höjer volymen för att inte höra hans röst. Pappa slår knytnäven i dörren. Han slår så hårt att det blir som ett hål i det billiga träet. Flisorna skär djupa sår i handen och han åker taxi till sjukhuset och får sy.

Vad gjorde du medan jag satt i bilen med pappa? Var någonstans var du? Var du ensam? Jag gör detta mycket numera, väljer ut ett tidigt minne och tänker på det, tänker på de tidiga åren, innan vi träffades. Tiden då vi var främlingar.

IX

När morgonen kommer sitter jag i lägenheten, sömnlös och rödögd. Den tidiga morgonradion spelar någon sorts vansinnig jazz för att återuppväcka eventuella lik som glömt radion på innan de vek hädan. Den är tung och ilsken och verkar aldrig ta slut, bara växa och sjunka i hetsiga omgångar. Sam. Jag ska träffa Sam. Hennes röst har dröjt sig kvar i mitt huvud efter samtalet igår. Jag hade nästan glömt bort hur den låter, hur sträv och samtidigt mjuk den är.

Jag ser på telefonen.

jag har hört att du jagar en mördare

Någon vill ge sig tillkänna. Jag ska veta att någon iakttar mig.

Psykologen jag går till sedan en tid tillbaka är känd, ofta ett ansikte i medierna. Jag vet inte hur jag hamnat där, vet bara att det inte är jag som betalar. Inledningsvis gick jag till en psykolog specialiserad på att behandla polisers trauman, men efter ett tag skickades jag vidare till en annan. Den här har solbränd hy, gråsprängd skäggstubb och kantig käke. Han pratar mycket om sina kommande projekt: framträdanden i en tv-serie om mental hälsa, föreläsningar på gymnasieskolor, boken han planerar att skriva om sin barndom. Och så: "Hur är det?"

"Bra. Antar jag."

"Sommaren är snart slut."

"Ja."

"Hösten kommer."

"Jag antar det", säger jag och ser på min mobiltelefon, pendlar mellan bilden på Rebecca Salomonssons stilla ansikte och textmeddelandena från det skyddade numret.

"Väntar du på något?"

"Va?"

Han ser på mobiltelefonen.

"Kan du lägga undan den där?"

"Nej."

Han ler och slår försiktigt ut med händerna, lutar sig bakåt. Han tar allt i min takt. Det är så det går framåt, hävdar han. Sanningen är den att jag inte har sagt något av betydelse på över en månad. Till en början var han intresserad av mig, förmodligen för att han kände till min bakgrund, men intresset svalnade fort. Under våra möten röker jag cigaretter och dricker vatten. Jag ljuger när han frågar varför jag är där, vad jag tror att mina problem är. Ibland skriker jag åt honom, ibland gråter jag, oftast säger jag ingenting. Ofta passerar timmen under tystnad. Ibland sitter jag kvar hela sessionen, andra gånger reser jag mig och lämnar rummet utan att säga någonting.

Den här gången lämnar jag psykologens rum efter fyrtiofem minuter.

Det är något med den här staden. Något med hur espressobaristan i kostym ler mot de välklädda men ingen annan, något med de vassa armbågarna i tunnelbanan. Något med sättet vi aldrig möter varandras blickar, hur vi aldrig kommer att se varandra. Alla väntar på att Gud ska uppfinna något nytt, något som gör det lättare att härda ut.

Det mesta i Stockholm ligger i något som är gammalt. Allting kan återanvändas och förnyas. Ingenting har någon kärna. Lokaler som brukade vara lägenheter har blivit affärer, och tvärtom. Restaurangen en bit bort från polisernas borg på Kungsholmsgatan brukade vara en frisörsalong. En gothbutik på Ringvägen huserar i vad som brukade vara en strippklubb. En strippklubb på Birger Jarlsgatan brukade vara ett antikvariat.

Jag står på Södermalm och ser hur lunchrusningen stryper Götgatan tills trafiken står helt stilla. Klungor av fotgängare dröjer på trottoarerna vid varje rödljus. Jag bär solglasögon, eftersom jag alltid bär solglasögon innan och efter att jag varit hos min psykolog. Jag rör mig in på de mindre gatorna öster om Götgatan och tar en Sobril när jag ser skylten till S TATTOO. Sams studio ligger i en gammal livsmedelsbutik från femtiotalet.

Dörren är utbytt och svartmålad med en plexiglasruta skyddad bakom tjocka galler. Den är stängd men olåst. I den berömda stolen därinne sitter en ung man med spygrönt hår och piercingar i ansiktet, hans överkropp bar och framåtlutad, ögonen slutna som om han sov. Sam syns inte till.

Men så kommer hon ut ur ett litet hål i väggen längst in i studion. I handen har hon en flaska rött bläck, och jag tar ofrivilligt ett djupt andetag, höjer handen för att knacka på dörren.

Med ena handen om handtaget på den öppna dörren och den andra vilande på dörrkarmen, står Sam framför mig med en blick som snabbt har mörknat, käkmuskler som spänts.

Bakom henne har den grönhårige unge mannen lyft huvudet och ser på oss med ett nyfiket ansiktsuttryck.

"Hej", säger hon.

"Hej."

"Ska du ha de där på dig?"

"Va?" Men så minns jag, och tar av mig solglasögonen. "Nej. Jag har varit hos min psykolog."

"Okej", säger hon och verkar förvirrad, sänker blicken till den lilla strimman av betonggolv mellan oss. Hon släpper taget om dörren. "Jag har en kund. Du får vänta."

"Det är okej. Jag har inte bråttom. Tror jag."

Inne på S TATTOO luktar det starkt av steriliseringsvätska och bläck. Jag sjunker ner i den stora, mörkbruna skinnsoffan. Den är sliten och fransig. Soffan står i hörnet av studion intill hålet i väggen där Sam förvarar sitt lager av bläck, nålar, bandage, antiseptisk tvål, bokföringspärmar och allt annat. Väggarna inne på S TATTOO pryds av fotografier med kroppsdelar som motiv. Ryggar, axlar, nackar, ansikten, händer, magar, bröst och lår, alla tatuerade av Sam.

Hon är klädd i ett par mörka jeans och en vit skjorta. Längs ena underarmen skymtar svansen på en orm, som fortsätter under tyget och slingrar sig kring hennes överarm. Hon tar på sig ett par nya plasthandskar och fortsätter att fylla i ynglingens ryggtatuering, en varelse från underjorden med en tjurs ansikte och vingar som en drake, svart och röd och gul. Den elektriska nålen ser ut och låter som en tandläkarborr när Sam kontrollerar dess hastighet med fotpedalen.

Den unge mannens ansikte går från blekt till rött och åter till blekt och han klänger sig fast i stolen som om han annars skulle lyfta mot himlen.

”Vi behöver göra en sittning till, tror jag”, säger Sam lugnt. ”Det enda jag har kvar att fylla i är den ena vingen.”

”Mm.” Han är vit i ansiktet, med uppspärrade ögon och torra läppar. ”Det är okej.” Han ser skamsen ut.

När han lämnat S TATTOO står Sam kvar med ryggen mot mig. Det verkar som om hon ser efter honom, men jag tror inte det. Hon tar ett djupt andetag och vänder sig om, går förbi mig och in på sitt lager, kommer tillbaka med två burkar läsk. Hon sjunker ner i soffan så långt ifrån mig hon kan. Sam öppnar burken och dricker en klunk och jag slås av att hon ser ännu bättre ut nu än för ett år sedan.

”Jag behöver din hjälp”, säger jag.

”Jag har förstått det.” Hon ser på klockan som sitter på väggen. ”Jag har tio minuter.”

Jag tar fram mobiltelefonen och klickar fram bilden.

”Känner du igen henne?”

Sam ser från bilden till mig.

”Du är ju helt otrolig, hur fan kan du bara trycka upp en död kvinna i ansiktet på mig utan förvarning?”

”Förlåt.” Jag tar ett djupt andetag. ”Jag är ... förlåt. Kan du se om du känner igen henne?”

Sam håller ut sin hand. När jag ger henne telefonen rör mina fingrar vid hennes.

”Du rodnar”, säger jag.

”Jag är varm. Och illa till mods av den här.”

Hon studerar bilden, sammanbiten, blinkar långsamt med munnen hopdragen till ett streck och rynkar ögonbrynen. Det är svårt att se någon död. Hon lämnar tillbaka mobiltelefonen, som om hon inte ville kännas vid det hon ser. Våra fingrar rör vid varandra igen.

”Rebecca”, säger hon. ”Eller hur?”

Jag flyttar mig närmare henne. I hennes ansikte ser jag strimmor av det förflutna: jag minns hur Sam ser ut när hon skrattar. När hon gråter. När hon sover. Jag minns att Sams ansikte blir fridfullt då, som ett barns.

”Hur vet du vad hon heter?”

”Jag träffade henne en gång för några månader sedan, på en fest. Hon var där och försökte sälja. Men jag visste inte vad hon hette då, jag hörde det inte förrän igår.”

”Vem hörde du det av?”

”Du vet att jag inte kan säga det. Bara att du sitter här är riskabelt.”

Hoten som kom när det började bli känt att Sam Falk var tillsammans med en polis följdes av färre kunder. Men det innebar också att andra kunder kom hit, de som tidigare hade gått någon annanstans. När allt hade lugnat sig var Sams ekonomiska balans nästan tillbaka där den varit tidigare. Sedan bröt vi, och därefter vet jag inte vad som hänt, mer än att hon fortfarande får höra saker.

”Hon dog i mitt hus, Sam”, säger jag och ser på henne.

”Jag vet det.”

”Hon var tillsammans med Miroslav Djukic. Låter det namnet bekant?”

Sam höjer på ögonbrynen.

”Var de tillsammans? Jag trodde han var död.”

”Det är han. Men du vet vem han var?”

”Inte mycket mer än det. Ett socialfall från Norsborg.”

”Felix trodde att hon kanske bodde hos någon av hans vänner.”

”Jag känner inte sånt folk längre.”

Jag nickar åt det här, trots att det inte är sant.

”Kan du berätta något mer om henne? Vad som helst?”

Sam biter sig i underläppen. Det har alltid haft en distraherande effekt på mig och när hon märker att jag stirrar slutar hon abrupt.

”Vet du var hon bodde?” frågar jag.

”Nej. Bara att det inte var på Chapmansgården.”

”Och hur vet du det?”

”Jag hade en kund för ett par månader sedan som tillbringade natten där ibland, när hennes kille blev våldsam. Hon berättade att ingen kan bo där, det är inte den sortens plats. Man sover och kan få mat och kläder, men det är inte direkt en plats man kallar för ett hem.”

Jag kliar mig på kinden. Jag gör det när jag tänker. Åtminstone hävdade Sam det en gång.

”Det är något som inte stämmer, jag kan bara inte förstå vad det är.”

Jag berättar det jag vet om Rebecca Salomonsson, och hur ologisk hennes död ter sig, hur effektiv gärningsmannen har varit.

”Och enligt Felix”, säger Sam när jag är klar, ”fanns det ingen som ville henne illa?”

”Inte såvitt han visste. Han garderade sig, givetvis, med att han inte vet allt.”

”Har du tänkt på ...” Sam hejdar sig.

Hon biter sig i underläppen igen. Jag sänker blicken.

”Vad?” frågar jag.

”Det kanske inte är henne det handlar om.”

”Vad menar du?”

”Det kanske inte handlar om en person, utan om en plats.”

”Du menar Chapmansgården?”

”Det finns mängder av undanskymda platser i den här stan, både inomhus och utomhus. Gränder, parker, knarkarkvartar, källarutrymmen. Folk som Rebecca Salomonsson har en tendens att befinna sig där. Om det är henne det handlar om, varför inte bara göra sig av med henne på någon av dem? Varför Chapmansgården, där risken för upptäckt är mycket större?”

”Det kanske var bråttom”, säger jag. ”Hon kanske var jagad.”

”Går man och lägger sig och sover om man är jagad?”

Jag skakar på huvudet.

”Framförallt inte om man är på ett så öppet ställe som Chapmansgården”, säger jag. ”Det är bara att gå in.”

Frågan kanske inte är varför hon dog. Frågan kanske är varför hon dog på Chapmansgården. Eller, kanske, varför *någon* överhuvudtaget dog på just Chapmansgården. Något reser sig i de mörka vrårna inuti mitt bröst. Jag känner igen känslan: problemet är inte löst, frågan har inte fått något svar, men problemet har flyttats fram. Det är en tes att tänka kring, något att arbeta efter. Arbeta, det är ordet jag tänker. Det känns bra.

Dörren till S TATTOO öppnas och en medelålders kvinna kommer in, ser sig omkring.

”Jag har fått en fyrtioårspresent”, säger hon, osäker.

”En kinesisk drake, om jag inte minns fel”, säger Sam.

”Mm.”

”Vi kanske ska börja med något mindre.”

Kvinnan ler, verkar tacksam.

”Ett ögonblick, bara”, säger Sam och vänder sig till mig igen. ”Inget nytt om Gotland?”

”Hurså?”

”Jag bara undrar.”

”Någon gång i mitten av juli slutade jag försöka ta reda på vad som hände. Ingen vet varför det låg leksaker i lådorna. Ingen vet vad som egentligen hände. Jeepen som försvann ... det ledde ingenstans. Såvitt jag vet, alltså. Såvida de inte var ute efter att sätta dit mig.”

Sam höjer på ögonbrynen.

”Varför skulle de ha varit det?”

”Ingen aning.”

”Det låter inte särskilt sannolikt.”

”Jag vet.”

”Och du då?” frågar hon.

”Vad menar du?”

”Hur är det med dig?”

”Jag återgår i tjänst efter årsskiftet.”

”Det är långt dit.”

”Ja.”

Hon verkar medlidsam men det finns något mer i hennes blick. Hon ser med ens sårbar ut.

”Har du träffat någon?”

”Nej”, säger jag. ”Men jag skulle kunna om jag ville.”

Jag försöker inte såra henne, men när jag ser stinget av dåligt samvete i hennes blick kan jag inte undgå att känna att det är rättvist.

”Jag förstår”, säger hon.

”Är du lycklig?” frågar jag. ”Med honom?”

”Ja, det är jag.” Hon reser sig ur soffan. ”Gå härifrån nu. Jag behöver jobba.”

Jag har svårt att avgöra vad hon tänker. Någon ringer till min telefon från skyddat nummer. Jag tänker på textmeddelandena, undrar om det är avsändaren som kontaktar mig, och trycker fram samtalet fortfarande sittande i soffan.

”Det är Leo.”

”Jag skulle behöva ha dig i Huset så snart som möjligt.”

Birck. Fan. Sam ser frågande ut, vänder sig mot klockan på väggen. Hon har lagt armarna i kors under de små brösten, får skjortan att spännas ut över dem.

”Jag är tjänstledig.”

”Du är avstängd. Men det har framkommit en del saker och vi skulle behöva hålla ett nytt förhör med dig.”

”Vilken sorts saker?”

”Du vet hur vi jobbar, Leo. Vi tar det på plats.”

Jag ser på klockan.

”Jag kan vara där om en halvtimme.”

”Det ser vi fram emot”, säger Birck och sarkasmen dröjer sig kvar i luren efter att vi avslutat samtalet.

”Ring mig”, är det sista jag säger till Sam. ”Om du får höra något mer”, tillägger jag när jag ser hennes förvirring och hon nickar, rodnande.

X

Filmen visades på Rigoletto. Jag hade hellre velat gå i Haninge eller Södertälje, men Julia hävdade att den enda biograf som var värdig att visa film var Rigoletto, och den största salongen. När vi satt framför duken förstod jag vad hon menade. Den var stor och bred som en tennisbana.

När vi träffades utanför biografen visste jag inte hur jag skulle vara, vad jag skulle säga. Julia log när hon fick syn på mig och jag svalde, flera gånger, och när hon lade armen om mig och gav mig en lång kram kände jag hennes läppar snudda vid min örsnibb.

Julia ville ha popcorn och jag bjöd henne på det trots att hon själv ville betala. Hon höll skålen i famnen och jag åt av den, sträckte mig över stolen och tog ur den. Bara det, en så enkel sak, kändes nära.

Jag tänkte att det var såna här ögonblick jag skulle komma att minnas för alltid. Våra lärare och föräldrar berättade alltid för oss hur vissa saker som kändes livsavgörande nu skulle framstå som löjligt överdrivna om några år, men de hade missat något. De hade glömt bort hur det var att vara sexton. De förstod oss inte. Det gällde allt: vi talade inte längre samma språk. Alla var rädda för vår generation. Vi var som främlingar för dem.

Jag tänkte på filmen jag och Grim hade gjort någon dag tidigare, hur splittrad min uppmärksamhet hade varit och hur jag hade haft svårt för att inte le hela tiden.

"Du är för glad", sa Grim där han tittade upp bakom den lilla kameran. "Du ska inte vara glad i den här scenen, du ska vara mer tyngd, fattar du? Precis som jag var."

"Jag förstår", sa jag, men hur jag än ansträngde mig blev scenen dålig.

För jag var glad. Jag var varken tystlåten eller tillbakadragen, men jag brukade känna mig så. Pappa hävdade att det hörde till, men jag förstod inte vad han menade. Nu kände jag inte så längre. Jag kände mig plötsligt oövervinnerlig.

Julia såg länge på mig. Sedan öppnade hon munnen för att säga något, men hejdade sig när ljuset släcktes ner och den tunga, röda ridån drogs undan, och av första hälften av filmen mindes jag ingenting; det enda jag kunde tänka på var vad Julia hade tänkt säga, men jag vågade inte fråga.

Någon gång under *Helgonet* lade Julia handen på mitt lår. Det hann gå en darrning genom mig innan hon abrupt ryckte bort den och blev stel i stolen intill mig. Hon lutade sig mot mig och jag kände hennes andetag i mitt öra.

"Förlåt. Jag skulle lägga den på din hand."

Jag höll fram min hand i mörkret, och hon lade försiktigt handflatan mot min handrygg. När vi rörde vid varandra blev det ännu svårare att tänka, omöjligt att se på filmen. Efter en stund strök hon försiktigt med sina fingertoppar, som om hon undersökte handen, de små fjunen, blodådrorna och knogarna. Jag visste inte vad jag skulle göra, så jag tog ett djupt andetag och hoppades att hon inte lade märke till det. Mitt hjärta höll på att strypa mig, som om det satt i halsen på väg att ploppa ut ur min mun, ner i mitt knä.

Efteråt promenerade vi mot Centralen genom ett ljummet Stockholm. Hon lade sin hand i min.

”Jag gillar dig”, sa jag efter en stund.

”Hur länge har du gjort det?”

Det var inte den reaktion jag hade väntat mig.

”Jag öh, det, jag vet inte, ett tag?”

”Ett tag”, härmade hon, skrattande. ”Jag tänker inte säga det tillbaka.”

”Varför inte?” Mitt hjärta slog hårdare igen. ”Gillar du int...”

”Det är inte lätt för mig att säga sånt.”

Jag kysste henne på pendeltåget. Hon smakade salt om läpparna från popcornen och sött om tungan, från läsken. Det var jag som kysste henne, inte tvärtom, och jag var beredd på att hon skulle ge mig en örfil för försöket. Julia Grimberg framstod som den sortens tjej. Istället mötte hon min mun med sin och snart kände jag hennes hand på mitt lår igen. Den här gången flyttade den sig inte, och jag ville röra vid hennes hår men vågade inte flytta på armen, rädd att ögonblicket skulle ta slut. Tåget stannade till och folk klev på. De fnittrade och jag tänkte att det var åt oss. Jag brydde mig inte.

Vi skiljdes åt framför Triaden, där de tre husen växte sig höga och vita framför oss.

Jag såg på henne. Hon verkade tankfull.

”Du får hundra kronor om du säger vad du tänker”, sa jag.

Hon skrattade till.

”Mer än så får du betala, i så fall”, sa hon och släppte min hand. ”Vi ses snart.”

Grim kom gående mot mig över skolgården. Jag skämdes inte, men insåg att jag skulle behöva ljuga för honom. För honom var Julia viktigare än något annat och att jag kysst henne skulle inte göra honom glad. Jag föreställde mig hans ansiktsuttryck om jag skulle säga att jag hållit hennes hand.

"Vad gjorde du i helgen?" frågade han.

"Inget, typ. Var på fotboll."

"Fotboll? Gillar du fotboll?"

"Nej. Det var för pappas skull. Vi åkte in till Söder tillsammans."

Där föll lögnen. Det kanske borde ha varit svårt, men det var det inte. Det var enkelt. Jag tänkte på Julias ansikte. Jag hade inte sett henne sedan vi sa hejdå i fredags, och jag hade inte hört hennes röst heller. Det gjorde mig dyster.

"Vad gjorde du själv?" mumlade jag, utan att se på honom.

"Det här." Han höll fram något åt mig och jag tog det ifrån honom. "Mitt första."

Jag mötte Grims blick och såg hur det gnistrade i hans ögon.

"Vad tycker du?"

Han hade gett mig sitt id-kort. Jag såg på det, vred och vände på det. Det var inget annat än det.

"Är det här ett skämt, eller?"

"Vad tror du att det är?" Han log, stort och stolt.

"Ett id-kort."

"Det stämmer." Han lutade sig närmare. "Titta på årtalet."

Han satte dit sitt pekfinger.

Då förstod jag.

"Du är född sjuttionio", sa jag. "Eller? Det här säger sjuttioåtta."

"Jämför med det här." Han lät exalterad. "Ser du nån skillnad?"

Han tog fram ett id-kort som var identiskt med det jag höll i handen. Likadan stil, likadana uppgifter, likadan bild med Grim som stirrade in i kamerans lins med ett uttryckslöst ansikte, det blonda håret kort och läpparna spända.

"Årtalet", sa jag. "Det här säger sjuttioåtta, det andra sjuttionio."

"Men i övrigt? Ingen skillnad?"

"Nej."

"Perfekt."

"Har du visat det för nån annan?"

Han skakade på huvudet.

"Jag ville visa det för dig först."

Jag tittade upp från id-kortet och mötte hans blick, märkte hur stolt han var och insåg att jag inte visste vad jag skulle göra. Jag kunde inte ljuga för honom om Julia men jag kunde inte säga sanningen heller.

"Jag började med tippex på ett gammalt kort, på själva ytan", sa han. "För typ ett halvår sen. Jag placerade en liten, liten klick ovanför nian. Om man tittade på det hastigt så såg man inte att det egentligen stod sjuttionio. Men om man drog fingret över ytan kändes det ju som en liten, liten smula som hade fastnat. Jag funderade på hur man skulle kunna göra det bättre, och provade med andra saker, tills jag hittade ett sätt att göra om hela kortet."

Jag strök fingrarna över kortet, kände räfflorna i den hårda plasten.

"Det är inte helt slätt", sa jag.

"Man måste skära försiktigt i plasten för att få till det. Det var det som tog längst tid. Det, och att hitta tillräckligt tjock plast. Det är samma som de använder."

”De?”

”Postverket. De som gör de riktiga.” Han tog båda korten ifrån mig, stoppade ner dem i sin ficka igen. ”Jag tror att jag kan tjäna pengar på det här.”

”Förmodligen”, sa jag och tänkte på alla vi kände som inget hellre ville än att komma in på klubbar med åldersgräns, där hjärndöda vakter som inte lyckats bli poliser stod vid entrén och styrde världen.

”Vill du ha ett?”

”Jag, öh, visst.”

”Ge mig ditt leg. Jag behöver bara ha det i en vecka eller så.”

Jag höll fram det och han tog det, studerade det så noggrant att kortet var nära att snudda vid hans nästipp.

”Det blir första gången jag gör på nån annan än mig själv”, mumlade han och vred på kortet. ”Undrar om det blir lika bra.”

”Grim, jag ...”

”Vad?”

De var lika varandra, inte vid första anblicken men det fanns ändå där, i deras ansiktsuttryck.

”Inget.” Jag sänkte blicken, såg på mina skor. ”Det var inget.”

Vi kom överens om ett pris för kortet. Det var lägre än jag hade väntat mig, men jag hade fortfarande ingen aning om varifrån jag skulle få pengarna.

Pengarna han hade luktat sig till hemma hos mig. Dem kunde jag använda, jag hade inte rört dem.

Rasten var slut och jag lämnade Grim, gick mot skolans uttryckslösa entrédörrar.

Hon väntade på mig bakom vattentornet. När jag anlände var det mörkt och svarta kväkande fåglar cirkulerade kring tornet, som om de uppmuntrade någon däruppe att falla. Jag hade händerna i fickorna på min luvtröja och släppte ut dem i hopp om att handflatorna skulle bli mindre fuktiga.

Hon bar jeans, ett rött linne med tunna axelband och svarta Converse, höll en tjock, svart kofta i händerna. Jag undrade om hon var kall, men när jag kom fram kände jag hur värmen steg och hörde ett dovt brummande. Något i tornet, kanske en generator eller en motor av något slag, gjorde platsen där Julia stod onaturligt varm.

”Du är tidig”, sa hon.

”Du med.”

När hon lade armarna om mig ställde hon sig på tå och den smala kroppen trycktes mot min, de små brösten mjuka mot mina revben och hennes händer i min nacke, Julias hår i mitt ansikte.

”Det är väldigt varmt här”, sa hon lågt med läpparna mot mitt öra.

”Du kunde ha ställt dig nån annanstans.”

”Jag ville inte det, ifall du inte skulle hitta mig.”

Hon släppte taget om mig och vi stod och såg på varandra.

”Grim har mitt id-kort”, sa jag, för något måste man säga.

”Jag vet. Han visade mig det.” Julia fnittrade till. ”Du ser rolig ut på det. Liten, liksom.”

Efter en stund klättrade vi upp i tornet, satte oss på avsatsen. Julias hand vilade i min och den kändes väldigt liten.

”Jag blir alltid lite tankfull, eller vad man ska säga, när jag sitter häruppe”, sa hon.

”Varför det?”

Hon nickade mot något av de många husen.

”En jag kände bodde i ett av husen därborta, det med rött tak. Man ser hans gamla fönster härifrån. Det gör mig alltid lite, ja, bara tankfull, liksom.”

Julia berättade att de hade gått på samma dagis och varit lika gamla och haft likadana skor. Det var så det hade börjat, att den lille pojken hade blivit retad för att han haft likadana skor som en av tjejerna. Julia hade hjälpt honom genom att upplysa de andra om att det inte alls var så att han hade tjejskor. Det var hon som hade killskor. Julia var ett stillsamt barn – lugnet före stormen, du vet, sa hon till mig och skrattade till – och det var han också, så de lekte ofta samma lekar och hade följe till lekplatsen som låg en liten bit bort. De blev kompisar och började i samma skola, började lyssna på musik tillsammans. Efter ett tag gled de ifrån varandra, som man gör när man börjar i en ny skola men hamnar i olika klasser, men de var fortfarande vänner.

”Men nånstans”, sa Julia nu, ”jag vet inte, det var nåt med honom. När vi var typ elva eller tolv började jag inse att han dolde nåt för mig. Först var jag säker på att han hade blivit kär i mig, att det var det som hade hänt. Men det var det inte, vår relation var aldrig sån, den var nästan syskonaktig, fattar du?”

Julia berättade till och med om sin familj för honom, något hon inte gjort för någon annan än socialtjänsten och den gången hade det varit under mer eller mindre uttryckliga hot och tvång.

”Är inte det konstigt?” sa hon. ”Att han inte sa nåt?”

”Jo”, sa jag.

De gled ifrån varandra mer och mer, trots att de gick på

samma skola. När de mötte varandra i de mörkgrå korridorerna gjorde de inget mer än att hälsa.

En sommar flöt förbi som den alltid gjorde i Salem, varm och händelserik. Julia såg honom på fotbollsplanen under skolavslutningen i juni. Och så, efter sommaren, var han bara borta. Försvunnen. Det dröjde någon vecka in på terminen innan Julia förstod det. Hon hade inte sett honom och blev orolig, av en anledning hon inte kunde beskriva, och ringde hem till honom. De bodde inte kvar längre, och Julia hade ingen aning om vart de tagit vägen.

”Sen dess har jag inte sett honom”, sa Julia. ”Och jag vet inte varför, men det är svårt när människor försvinner. Det är svårt att hantera, liksom, trots att man inte varit så nära dem innan de försvann så är det ändå nåt som ... ja, saknas.”

”Vad hette han?” frågade jag.

”Du kände nog inte honom.”

”Men ändå, vad hette han?”

”Tim”, sa Julia. ”Tim Nordin.”

Namnet var som ett osynligt slag i magen. Jag tappade andan.

”Nej, du har rätt. Jag vet inte vem det är.”

Det hade blivit sommar igen, den sortens sommar som förlamar en hel stad. Tillsammans med pappa hjälpte jag min bror Mikael att flytta hemifrån. Han hade fyllt arton och arbetade på en lackeringsfirma, stod och fick slitna bilar att verka nya varje dag mellan klockan åtta och fyra. Jag hade gått med på att hjälpa till först efter att ha blivit lovad pengar, men när vi väl var klara hade jag svårt att ta emot dem. Det kändes bra att göra någonting tillsammans. Vi gjorde sällan det, numera.

När vi var små gjorde vi utflykter om somrarna, till djurparker och nöjesfält. Vi åkte gokart och spelade fotboll på ett fält utanför Salem. Jag hade inte varit på fältet på länge nu. Jag kanske kunde ta med Grim dit. Han skulle tycka om det.

Under flytten var vi nere i källaren och rotade runt i lådor. I en av lådorna låg en utklippt tidningsartikel inramad. Den var från 1973 och bilden visade resterna av en gammal bensinmack utanför Fruängen. I bakgrunden kunde man se fällda kraftledningar. VANSINNESFÄRDEN SLUTADE I KATASTROF var rubriken. Pappa tyckte om att berätta historien, att det här var under den tid då han ännu inte hade återförenats med mamma och istället spelade ganska mycket på hästar. En gång vann han en stor summa pengar på Solvalla och köpte en naturvit Volvo P1800 för pengarna, "den sortens bil Simon Templar kör i *Helgonet*". Han älskade att köra skiten ur den längs vägarna utanför Fruängen. I korsningen intill bensinmacken tappade han kontrollen över bilen, körde in i macken och fällde de två pumparna, brakade igenom en av de bärande pelarna som höll uppe mackens tak. Bakom bilen föll taket ner medan pappa fortsatte mot kraftledningarna ett stenkast bort och det sista han mindes var att det blixtrade över motorhuven. Strömmen slogs ut i området och när artikeln skrevs var det ännu oklart om "galningen" (läkarens ord, inte reporterns) skulle överleva. Pappa vårdades på sjukhus i två månader, och fick ett brev innehållande ett skadeståndskrav på några hundratusen kronor. Jag var rätt säker på att han ansåg att det var värt det.

Under flytten berättade pappa historien för oss. Vi hade hört den förr, men just den här gången lät vi honom berätta den igen, både jag och min bror. Det kändes skönt att höra någonting från förr, som ett eko från barndomen, på något vis.

”Det känns konstigt”, sa pappa där han satt vid ratten, på väg tillbaka till Triaden. ”Nu är Micke ute, och snart är det din tur.”

”Det är ett tag kvar, pappa.”

”Jag vet.” Han tvekade. ”Du har inte funderat på att skaffa ett jobb?”

”Vad menar du?”

”Ett sommarjobb, någonstans. Är det inte dags för det? Det är ganska många som har det i din ålder.”

”Det är för sent nu.”

”Ja, kanske det, men har du ens tänkt på det?”

Det hade jag inte. Bara tanken på att arbeta gjorde mig uttråkad.

”Ja”, sa jag. ”Jag har tänkt på det. Men jag vet inte var.”

”I din ålder får man ta det som erbjuds.”

Jag lyssnade på radion, en nyhetsuppläsning som just avslutades och följdes av någon som sjöng *well I can dance with you honey, if you think it's funny*, och pappa höjde volymen. När låten var slut såg han på mig, svagt leende.

”Jag och din mamma brukade dansa till den.”

”Säkert.”

”Ja, det är säkert. Det är ju Abba.” Han var tyst en stund. ”Han hade det bra, eller hur? Hos oss?”

”Vad menar du?”

”Micke.”

”Jaha. Ja, det hade han.”

Pappa såg på mig och log.

”Tack.”

Vi åkte vidare. Pappa harklade sig. Han gjorde alltid det när han behövde föra något tungt på tal.

”Pengarna i vasen”, sa han. ”Jag bryr mig inte om varför du tog dem, och jag vill inte ha tillbaka dem om det är så att du redan har spenderat dem. Men gör aldrig sådär igen. Ta aldrig någonting som inte tillhör dig. Det är fult, billigt och elakt. Om du behöver pengar, låna av oss. Eller ännu bättre, skaffa ett jobb.”

Jag visste inte vad jag skulle säga, så jag sa ingenting.

Grim hade färdigställt ett falskt id-kort åt mig. Jag kunde nu hävda att jag var född sjuttioåtta, istället för åttio. Det såg fläckfritt ut. Jag var inte förvånad över det, av någon anledning. Jag förvarade det i mitt nattduksbord. Jag mötte Grim utanför Triaden en förmiddag i början av juni. Han kom gående från centrum med hörlurarna till sin nya cd-spelare över öronen. Han höjde handen och log när han fick se mig, började ta av sig hörlurarna.

”Du ser nöjd ut”, sa jag.

”Jag är nöjd.”

”Varför då?”

”Jag har skaffat lite pengar.” Han blinkade. ”Jag ska till vattentornet, ska du med?”

”Nej”, sa jag, utan att tänka efter.

Han höjde på ögonbrynen.

”Varför inte?”

”Jag har ... jag är upptagen.” Jag började gå mot centrum och han följde mig med blicken. ”Jag kommer senare. Om en stund.”

Han verkade besviken men nickade en gång och vände sig om, fortsatte gå.

”Leo.”

Jag vände mig om igen.

”Ja?”

Grims nöjdhet hade försvunnit och istället såg han på mig med ett uppgivet, svalt uttryck.

”Efter midsommar är jag borta i en månad.”

”Va?”

”Jag, öh ... jag stal pengar ur skolans reskassa. Det var inte första gången, men den här gången gick det till soc, som skickar iväg mig.”

”Du skojar.”

Han skakade på huvudet.

”Det var mycket pengar. Jag behövde dem för att fixa med kort och sånt.”

”Varför har du inte sagt nåt?”

Han ryckte på axlarna, svarade inte. Istället sänkte han bara blicken.

”Vart skickar de dig?” försökte jag.

”Kollot i Jumkil. De tycker att det är bäst så. Jag tänkte sticka först, alltså, hålla mig undan ett tag så att de inte hittar mig, men det skulle bara göra det värre.”

”Förmodligen.”

Han tvekade.

”Du håller väl ... du kan väl hålla lite koll på Julia medan jag är borta? Så att hon inte ... bara håll lite koll, när jag inte kan.”

”Visst”, fick jag ur mig.

Han såg på mig länge, innan han nickade och viftade med handen.

”Gå, du. Vi ses.”

”Ja. Vi hinner ses massor innan du åker. Jag kommer om ett tag.”

”Visst.”

Sommaren skulle bli lång.

Jumkils ungdomskollo låg utanför Jumkil, i anslutning till en av de tyngsta ungdomsinstitutionerna. Jag kände till ungdomshemmet, eftersom min brors vän hade blivit dömd till vård där efter att ha försökt stjäla en bil. Det var den sortens plats där unga på drift skulle behandlas och släppas ut på rätt sida av lagen, men som snarare gjorde det motsatta. Det närliggande ungdomskollot hade rykte om sig att inte vara särskilt mycket bättre och Julia var orolig för vad det skulle göra med Grim.

”Han klarar sig”, sa jag där jag låg intill henne nedanför vattentornet.

Hennes hand sökte efter min, och fann den. Det var måndagen efter midsommar, som jag hade tillbringat med min familj i Blåsut där farfar bodde. Arthur Junker hade skämtat om Alzheimers sjukdom i flera år, men när den fick grepp om honom upphörde skämten och han blev dyster, introvert. Han kallade min mamma för Sara, som var namnet på min farmor. Vissa ögonblick under middagen verkade han inte känna igen vare sig mig eller min bror. Efter middagen gick jag med Grim till en fest nära Salems kyrka. Grim hade ingen lust att umgås med andra, jag tror att han följde med för min skull. Under festen satt han i ett hörn och såg osäker ut, som om han inte visste hur han skulle agera. Och nu var han iväg, i Jumkil.

”Kommer du ihåg efter bion”, sa jag, ”när du sa att du hade svårt att säga att du gillar nån?”

”Mm.”

”Varför är det så?”

Julia reste sig något, stödde sig på armbågarna.

”Jag har väl ingen bra erfarenhet av killar, bara.”

”Vadå då?”

”Det brukar bara ... jag har bara varit med några, typ tre. Men det har alltid slutat med att jag blir sårad, och att John blir svinarg.” Hon sjönk tillbaka ner igen, såg upp mot himlen. ”För typ ett år sen var jag på en fest och drack ganska hårt. Jag var kär i en av killarna, han gick i ettan på Rönninge då. Det slutade med att jag däckade, jag minns inte exakt hur. Men när jag vaknade låg jag i en säng, ovanpå täcket, utan trosor. Jag hade inte ont, så jag hade inte blivit ... jag hade inte blivit utnyttjad på det sättet. Men efteråt fick jag höra att det var han, killen jag var kär i, som hade hållit på med mig. Tydligen hade nån kommit in för att hämta nåt i det rummet, de hade ställt sin dricka därinne för att den inte skulle bli snodd. Alltså, det var en ren slump att nån kom in, men då blev han jätterädd och stack därifrån. Det är den sortens erfarenhet jag har av killar. Jag vet att du inte alls är sån, fattar du? Du får inte tro att jag tänker så om dig, det är inte det, men det är bara så jävla svårt att liksom ... att tänka om.”

”Sa du det till Grim?”

”Han heter John. Och, aldrig i livet, är du tokig? John hade slagit ihjäl honom.”

Den kvällen var hennes föräldrar inte hemma, och hon tog med mig hem för första gången. Deras lägenhet såg faktiskt ut precis som vår, men spegelvänd. Innanför dörren luktade det svagt surt av soppåsen som stod lutad mot väggen, och

Julia gick, tydligt generad, och slängde den i sopnedkastet.

Hon visade mig genast till sitt rum och jag fick bara en skymt av resten av lägenheten. Den var mer välstädad än jag hade trott. På klädhängaren innanför dörren hängde kläder jag kände igen som Grims. Köket såg enkelt ut, som vårt förutom att det saknade diskmaskin. Vi hade köpt vår egen, och jag antog att familjen Grimberg inte hade något emot att diska för hand, eller inte hade råd. I en av dörrarna fanns ett hål, stort som en knytnäve. Det gick inte rakt igenom, men det var ändå tydligt, som om någon kastat en stor sten eller slagit en knytnäve hårt. Det var dörren till Grims rum.

Julia stängde dörren efter oss och vi stod inne på hennes rum. Hon verkade osäker på vad hon skulle göra med sina händer. Till slut förde hon upp dem till smycket som dinglade kring hennes hals, rörde vid kedjan. En bokhylla täckte ena väggen, en smal säng stod längs den andra. Hyllan var fylld med böcker och filmer. Vid ett skrivbord satt en spegel och ur en necessär vällde det ut smink. Väggarna pryddes med tavlor och fotografier.

”Tycker du om dem?” frågade hon.

”Fotografierna?”

”Ja.”

De bestod främst av porträtt av personer i vår ålder, men jag kände inte igen dem. Ett par andra föreställde höghus, men tagna nerifrån i en vinkel som gjorde att stora delar av bilden bestod av himlen.

”Ja”, sa jag.

Hon nickade, släppte halsbandet och log, tog några steg och tryckte sig mot mig.

”Det är första gången en kille är i mitt rum.”

”Det är första gången jag är i en tjejs rum.”

Hon kysste mig, och nervositeten steg i mitt bröst. Mitt hjärta slog hårdare, tills jag kunde höra det i mina öron.

”Ska vi se på film?” frågade hon.

Jag hade ljugit för henne och visste inte om det hade någon betydelse. Det var bara sex, men jag hade aldrig haft det förut. Julias hud var blek och onaturligt len, som om hon aldrig hade exponerat den för någonting. När jag rörde vid den gick det en ström av värme genom mig och jag kunde känna håret på mina armar resa sig. Hon satt påklädd och grenslade mig och över hennes axel skymtade jag tv:n, hur filmens scener flackade förbi i det dunkla rummet.

”Klä av dig”, sa hon.

”Allt?”

”Allt.”

Jag hade aldrig varit naken inför någon förut. När jag stod framför henne kände jag skam. Hon måste ha märkt det, för hon drog mig till sig och strök händerna över mina axlar och armar.

”Du är fin”, viskade hon och det var något i hennes beröring som fick mig att slappna av.

”Du med. Men ...”

”Vad?”

”Jag ljög för dig förut.”

Hon stelnade till. ”Om vadå?”

”Om att jag ... jag är oskuld.”

”Och?”

”Vadå och?”

”Alla killar ljuger om det. Jag blir inte direkt förvånad. Vadå, vill du hellre ha det med nån annan?”

”Nej”, sa jag. ”Nej. Ljög du också?”

”Nej.”

I mörkret framför filmen var det något som darrade till i mig.

”Jag har ingen kondom. Har du?”

”Lugna dig. Jag äter p-piller.”

Jag undrade om Grim visste om det, och insåg hur mycket det var jag själv inte kände till, hur lite jag visste.

XI

Det är första gången jag är i Huset sedan i början av juni. Av någon anledning förvånas jag av att allt är sig likt. Jag leds genom korridoren av en bister polisassistent som jag inte känner igen. I ett av rummen vi passerar står en ensam radio på, *oh baby don't hurt me, don't hurt me no more* och i närheten hostar en skrivare till, börjar spotta ut papper. Jag ser ut genom fönstret, tänker på hur stort avståndet verkar vara mellan mig och alla andra.

”Gabriel kommer snart”, mumlar assistenten och håller upp dörren till ett av förhörsrummen. ”Vill du ha något?”

”Kaffe.”

Assistenten försvinner och jag lämnas ensam i rummet, som är litet och kvadratiskt, ett bord och två stolar. Egentligen är jag inte ensam, en osynlig kamera är riktad mot mig, registrerar varje rörelse jag gör. Vid ena väggen står en bokhylla fylld med pärmar. Den hör inte hemma här. Kanske håller de på att göra om i något av de närliggande rummen. De andra väggarna är svala och stumma. Ljuset är varmare än jag minns det, nästan behagligt. Om jag anstränger mig hör jag radion. Jag ser på textmeddelandena i min telefon. Assistenten återvänder med en ljusblå kaffemugg. Jag dricker en klunk, och det är smaken av det som får mig att verkligen vilja komma tillbaka.

Steg hörs och Birck kommer in genom dörröppningen, utan att se på mig. Han bär en pärm under armen och lägger den på bordet, samtidigt som hans mobiltelefon ringer.

"Birck." Kort tystnad. "Jaha?" Han kliar sig på kinden. "Hur har du fått det här numret?" Birck sneglar på mig, för första gången. "Jag har ingen kommentar." Han harklar sig och går tillbaka till dörren, stänger den. "Nej, det kan jag inte svara på. Jag har ingen kommentar. Tack."

Han bryter samtalet och rösten i luren, en kvinnas, tystas abrupt.

"En god vän?" försöker jag.

"Expressen."

"Annika Ljungmark?"

"Ja." Han drar ut stolen och sätter sig i den, letar efter något i sin kavaj utan att finna det. "Det var hon som var på dig, eller hur?" säger han, fortfarande sökande efter något. "Efter Gotland?"

"Ja. Vad ville hon?"

"Hon ville få ett tips bekräftat."

"Och vad gällde det?"

Ur byxfickan får han fram diktafonen. Han placerar den mellan oss, drar handen genom det mörka håret och låter pärmen vara stängd.

"Så, Leo." Han tittar upp, möter min blick. "Vi har några ytterligare frågor gällande Rebecca Salomonsson."

"Jag har förstått det. Vad gällde tipset?"

"Just nu behöver jag ställa frågor till dig. Var god och uppför dig."

"Jag gör mitt bästa."

Han blänger på mig, innan han trött talar in datum och tid i diktafonen, säger först sitt namn och sedan mitt, och utredningsnumret som gäller Rebecca Salomonsson.

”Leo. Kan du lägga undan telefonen?”

Jag stoppar telefonen i fickan, dricker av kaffet. Birck ser ovanligt spänd ut.

”Kan du vara snäll och beskriva vad du gjorde när du tog dig in på Chapmansgården.”

Jag gör det, i korta, enkla meningar, formulerar mig så att det blir svårt att missförstå innebörden i det jag säger. Jag vill härifrån så fort som möjligt. Återigen beskriver jag hur jag tog mig in på Chapmansgården, hur jag såg Matilda sitta och tala med en polis, hur jag gick fram till kroppen.

”Enligt Matilda rörde du vid henne”, avbryter Birck. ”Jag har ett vittnesmål från henne som säger att du rörde vid kroppen.”

”Jaha. Det stämmer. Men jag hade handskar på mig.”

Det här förvånar honom.

”Dina egna handskar?”

”Nej. Jag hittade dem i en korg innanför entrén.”

”Vad gjorde du när du rörde vid kroppen?”

”Inget särskilt. Det vanliga.”

”Det vanliga, som i ...?”

”Vad är det här?” frågar jag. ”Vad är det du är ute efter? Säg det istället, det gör det lättare för mig att sä...”

”Svara på mina frågor, Leo.”

Jag tror att jag himlar med ögonen för Birck biter ihop.

”Om hon hade några märken någonstans”, säger jag. ”Om hon hade något i fickorna.”

”Varför gjorde du det?”

”För att kunna stjäla det och sälja nere i Hammarbyhamnen.”

”Leo, för fan.”

”Jag vet inte. För att se om där fanns någon ... jag var uttråkad, okej? Och det störde mig, att någon hade dött precis under mig.”

Birck verkar acceptera det här, kanske för att det faktiskt är sant.

”Det här sa du inte igår.”

”Va?”

”När jag pratade med dig igår nämnde du aldrig att du rörde vid kroppen. Varför ljög du?”

”Jag ... vet inte. Du frågade inte. Det var bara en detalj.”

Han lägger handflatorna mot bordsskivan.

”Jag frågade dig. Det här är för helvete en ganska central detalj. En obehörig har varit inne på brottsplatsen och rotat runt innan vi var där. Vet du vad en duktig försvarare kan göra med den lilla detaljen i en rättssal?”

”Hon hade ingenting i fickorna”, säger jag. ”Men hon hade något i handen.”

”Hur vet du det?”

”För att jag såg det. Det såg ut som en halskedja eller något.”

”Och du rörde vid den.”

”Nej”, säger jag och mitt ansiktsuttryck är så rent att Birck inte lyckas finna någon lögn i det, hur mycket han än anstränger sig. ”Nej, det gjorde jag inte. Jag lade märke till det precis när du kom.”

”Så du rörde inte vid den”, säger Birck. ”Har jag förstått dig rätt då?”

Jag nickar. Birck pekar trött på diktafonen.

”Ja”, säger jag och lutar mig framåt. ”Du har förstått mig rätt när jag säger att jag inte rörde vid hennes hand eller det hon hade i den.”

Birck öppnar pärmen mellan oss och överst ligger en plastpåse, stor som ett A4-papper. I påsens ena hörn vilar något silverglänsande och litet. På plastpåsen sitter en klisterlapp med slarviga anteckningar och en sammanfattning av innehållet, tillsammans med utredningsnumret.

”Om du aldrig rörde vid det”, säger han, så långsamt att det gör mig irriterad, ”hur kommer det sig då att en analys av fingeravtrycken på den här kedjan ger tre olika träffar, varav en med nittiofem procents sannolikhet är du?”

Han lyfter påsen och placerar den framför mig. Jag ser på halsbandet som ligger däri och ett osynligt slag träffar mig i magen, får världen att gunga till.

”Var det det här Rebecca hade i sin hand?” säger jag, utan att ta blicken från halsbandet.

”Ja.”

”Okej.”

Jag har sett det här halsbandet förut, har rört vid det. Jag har till och med haft det i min mun en gång.

”Är allt verkligen okej?” Birck ler. ”Du ser lite tagen ut.”

”Nej, jag ... jag är bara ... jag har undrat hur det såg ut. Du sa att det var tre träffar. Vilka är de andra två?”

”Du behöver svara på min fråga, Leo.”

”Jag svarar på din fråga, om du svarar på min.”

”Det här är ingen lek!”

Birck reser sig så häftigt ur stolen att den skramlar till mot det kala golvet. Han pendlar mellan att se på mig och på diktafonen, verkar överväga att stänga av den för att det som följer härnäst inte ska fastna på band.

”Annika Ljungmark på Expressen”, säger han, ”har på något sätt blivit tipsad om att en av dem vi intresserar oss för i utredningen är polis. En polis med ett, ska vi säga, ökänt förflutet. Om du inte lägger av med den här leken och berättar för mig exakt vad fan det är du har gjort, så kommer tipset att bekräftas och din tjänstgöring kommer aldrig mer bli aktiv. Eller”, tillägger han, ”om den mot förmodan skulle bli aktiv så kommer jag personligen se till att den blir det i hålor som Mjölby eller Säter.” Han sätter sig igen. ”Hur fan ska du ha det?”

Jag låtsas fundera över det här, men i själva verket stirrar jag fortfarande på halsbandet. Det är den billiga sortens halsband, den det finns flera tusen av, men det kan bara finnas ett som har mina fingeravtryck på sig.

Det är hennes.

Det måste vara hennes. Jag kan inte berätta för Birck. Det går inte.

”Okej”, säger jag. ”Jag rörde vid det. Jag såg att hon hade något i handen och ville bara se vad det var. Jag kollade på det och lade tillbaka det.”

”Hade du inte handskar på dig?”

”Jag behövde ta av mig dem”, säger jag, för att hålla lögnen vid liv. ”Jag behövde ta av dem, de var ju bara några jag tog där i korgen, de var alldeles för stora och alldeles för tjocka. Jag kunde inte få upp hennes hand med dem på, så jag tog av dem.”

Birck ser på mig, försöker avgöra om jag talar sanning eller inte.

”Vi kommer göra fler analyser, Leo. Om du ljuger kommer det att märkas.”

”Jag har inte ljugit”, ljuger jag och försöker le.

”Du förstår vad det här innebär?”

Eftersom jag fått Birck att tro att avtrycket på halsbandet är färskt innebär det att jag från och med nu är en potentiell gärningsman. Det placerar mig på brottsplatsen. Det skulle kunna vara jag som tog mig in på Chapmansgården, satte ett vapen till hennes tinning och tryckte av, tog mig ut genom det öppna fönstret.

”Vilka var de andra två?” frågar jag.

”Det ska du skita i.”

”Kom igen”, försöker jag. ”Jag bor för fan i huset.”

”Precis. Det är det som är anledningen till att vi sitter här.”

”Nej. Vi sitter här för att någon har skjutit en kvinna. Jag bor i huset, jag kanske kan hjälpa till. Kom igen. Inte fan är det jag som har skjutit henne, jag har för det första ingen anledning och för det andra skulle jag, om jag hade haft motiv, inte varit så korkad att skjuta henne i mitt eget hus.”

Birck iakttar mig tillräckligt länge för att jag ska börja inbilla mig att jag lyckats övertyga honom. Han stänger av bandspelaren, lägger den i byxfickan igen och ser på mig. Det är anmärkningsvärt, hur hans ansiktsuttryck har förändrats. Han ser nästan medlidsam ut, och eftersom det är Gabriel Birck så förvånar det mig.

”Ett av dem var hennes eget. Det andra gav ingen träff. Men både ditt och det okända var ofullständigt, och oklart.”

”Hon hade inga tillhörigheter”, säger jag. ”Såvitt jag såg.”

”Vi hittade dem i morse. Eller, en hund hittade dem. Han och hans ägare var ute på en morgonpromenad på Kungsholmen. De låg i en buske i Kronobergsparken. Allt fanns kvar utom mobiltelefon, pengar och eventuellt narkotika.”

”Så hon blev rånad”, säger jag. ”Under mordnatten.”

”Kanske det.” Birck rycker på axlarna. ”Ingen har sett något.”

”Så hon skulle ha blivit rånad och efter det tagit sig till Chapmansgården för att sova?”

”Vad skulle du ha gjort i hennes sits, hemlös och utan tillhörigheter? Dessutom var hon förmodligen så hög att hon inte visste vad hon hette. Hon skulle knappast ha gått till polisen. Märkligare saker har hänt än att folk i den situationen gått och lagt sig. Frågan är om någon följde efter henne, en hallick eller torsk. Men just nu tyder ingenting på det. Och du”, tillägger han. ”Det här säger jag bara därför att jag tror på dig. Om någon frågar är du fortfarande min huvudmisstänkte.”

Jag undrar om han faktiskt gör det, tror på mig. Kanske, men han misstänker att jag vet mer än jag ger sken av, jag kan känna det och poliser, framförallt sådana som Gabriel Birck, är sluga varelser. De är skolade till att kunna leka med andra, tränade i att använda små tricks som får det att se ut som om de vill väl. Han kan ha sagt det här enbart i hopp om att jag ska berätta mer för honom.

Eller så kan han tro på mig. Jag vet inte.

”Okej”, säger jag med blicken i bordsskivan.

Han fortsätter betrakta mig och jag fortsätter undvika hans blick. Det är så tyst att jag hör min egen puls.

”Bra”, säger Birck, tonlöst. ”Ut med dig.”

När jag står under den mulna himlen på Kungsholmsgatan tar jag flera djupa andetag. Mitt huvud snurrar och jag mår illa, får svårt att andas. Jag har inte tänkt på henne på så länge. Hon har funnits där ibland, som ett spöke. Vissa nätter.

Julia Grimbergs halsband låg i Rebecca Salomonssons

hand. De kan omöjligt ha känt varandra. Det måste ha placerats där av den som dödade henne.

Och som om någon iakttog mig surrar det till i min mobiltelefon.

ska du inte gissa? skriver den okända avsändaren.

gissa vad? svarar jag medan jag ser mig över axeln, vänder mig om efter någon som sticker ut ur mängden.

gissa vem jag är, kommer svaret.

var det du som dödade henne?

nej det var inte jag

vet du vem som gjorde det?

kanske

vem var det?

jag ser dig, Leo

XII

Jag tänder en cigarett och stående en bit från tunnelbanenedgången skriver jag *vad gör jag just nu?*

Bilar rullar förbi, människor passerar. Min telefon surrar snart till.

du står på gatan och röker

Det kan vara vem som helst. Lägenhetsfönstren som täcker Kungsholmgatans fasader är dunkla, släckta. Det går inte att se om någon står där eller inte. Omkring mig luktar det starkt av avgaser och stekos och luften känns tjock, som före ett kraftigt regn. Jag ser på meddelandet i min mobiltelefon och inser att jag är rädd, för första gången på länge.

vem dödade henne? upprepar jag och stirrar på telefonen, märker att jag hållit andan. Ingenting händer, inget meddelande kommer.

Jag får fram den lilla lappen med telefonnumret som Levin skrivit ner åt mig vid vårt samtal igår, numret jag skulle ringa om jag inte kommer någonstans. Jag blänger på dem som passerar mig på gatan, tänker att någon av dem är den okända avsändaren och att han eller hon vill mig illa, att någon ska uppenbara sig och komma emot mig med en kniv i sin hand. Jag behöver sitta ner. Jag behöver något starkt att dricka, ensamhet.

Jag undrar vart signalerna går. Det enda Levin avslöjade var att numret tillhör någon han känner väl. Jag vänder mig om, ser på det tunga Huset som vilar bakom mig. Jag lägger en Sobril i munnen och knycker på nacken, känner hur tabletten studsar mot halsväggen innan den försvinner ner i mig, inser att numret förmodligen går till någon inne i Huset. På trottoaren står två pojkar, en med mörk hy och burrigt hår, den andre med blekt ansikte och en hållning som om han skämdes. Den mörke pojken spelar på en gitarr och den andre, med blicken mot gatan, sjunger *we found love in a hopeless place, we found love in a hopeless place,* om och om igen med ljus och klar röst medan folk går förbi dem utan att stanna upp.

”Alice”, svarar någon i mitt öra.

”Hallå, det, jag ... till vem har jag kommit?”

”Vem är det?”

”Jag heter Leo Junker. Jag fick ditt nummer av Charles Levin.”

”Han nämnde ditt namn.”

”Sitter du i Huset?” frågar jag.

”Det stämmer.”

”Och det här är en säker telefon?”

”Det här är en säker telefon.”

Hon låter kontrollerad men ointresserad, som om hon samtidigt gör något annat, något som har hennes egentliga uppmärksamhet.

”Vem är du?” frågar jag.

”Alice. Jag arbetar åt Charles.”

”Du är hans sekreterare, eller?”

”Det stämmer.”

”Jag behöver nog din hjälp.”

”Låt höra.”

”John Grimberg. Jag behöver träffa en person som heter John Grimberg. Jag har ingen aning om var han finns, om han ens lever.”

”Okej”, säger hon, skeptisk. Det är den första och enda känsla hon avslöjar.

”Jag har inte träffat honom på över femton år”, säger jag, som av någon anledning känner ett behov av att förklara mig.

”Född?”

”Sjuttionio. Men kolla sjuttioåtta också, för säkerhets skull.”

”Har han två födelsedatum?” frågar hon, förvånad.

”Jag vet inte”, säger jag. ”Sjuttioåtta kan vara falskt.”

”Född i Stockholm?”

”Storstockholm, Salem.”

I bakgrunden hör jag smattrande tangenter. Jag försvinner ner i underjorden nu, ställer mig i rulltrappan och försöker avgöra om någon följer efter mig eller inte.

”Jag har en John Grimberg född sjuttionio och först skriven i Salem”, hör jag Alices röst. ”Långt brottsregister, med första noteringen nittiosju. Mamman född femtiosex och död nittionio, pappan född femtiofyra, dog för tre veckor sedan.”

”Tre veckor, bara?”

”Det är vad min dator hävdar.”

”Har du en adress? Till John, alltså.”

”Nej. Jag, öh ... vänta.” Hon låter förvirrad, och att döma av hennes plötsliga engagemang är det sällsynt att något förvirrar Alice. ”Den sista noteringen jag har om honom är en folkbokföringsadress i Hagsätra. Den är tio år gammal.”

Hon ger mig adressen och jag försöker memorera den.

”Han är död, alltså?”

”Nej. Och inte utomlands heller. Åtminstone inte vad jag kan se här. Däremot finns han i Obefintlighetsregistret.”

”Obefintlighetsregistret?”

”Jag kan inte se mer än så, bara att Skatteverket har honom registrerad där. Jag kan kontakta dem och be att få mer detaljerade uppgifter, men även om det skulle prioriteras dröjer det några timmar.”

Obefintlighetsregistret. Det befolkas av individer som Sveriges myndigheter av olika skäl inte lyckats komma i kontakt med. Människor med skuggigt förflutet men också de som bara inte vill bli funna. De individer som fått skyddade identiteter eller fingerade personuppgifter får sina gamla uppgifter överförda till registret. Samma sak med personer som varit folkbokförda utan känd hemvist i två år eller mer. Det finns ingen gallring i Obefintlighetsregistret, så även om man skulle vara onaturligt gammal ligger ens uppgifter kvar. Enda gallringen som sker är om personen dödförklaras, om det framkommer att personen flyttat från Sverige, om han eller hon på något sätt återupptar sin ursprungliga identitet, eller om personen noteras som bosatt i Sverige. Det krävs inte mycket för att något av de tre sistnämnda ska ske. Det räcker att man betalar med kreditkort någonstans, passerar genom tullen eller visar intresse för en lägenhet hos en mäklare. John Grimberg har inte gjort något av det och inget annat heller, eftersom han finns kvar i registret. Som om han bara försvunnit.

”Jag förutsätter att det är viktigt”, säger Alice nu och jag står nere på perrongen, ser hur tunnelbanetåget kommer frustande i blått och silver ur tunnelns mörka hals.

”Ja”, säger jag. ”Det är det. Det gäller hans syster.”

”Julia”, hör jag att hon läser på skärmen. ”Julia Grimberg?”

”Det stämmer.”

”Dog i augusti nittiosju.”

Jag sväljer, och när jag blinkar flimrar halsbandet till framför mina ögon.

”Det stämmer.”

Över Hagsätra skiner solen och på torget står en klunga med barn som sparkar en boll mellan sig. De är solbrända och talar till varandra på ett språk jag inte förstår. Grims senaste registrerade adress är här, precis vid torget. De ljusa höghusen med sina små fönster påminner om Salem. Porten är öppen och jag tar trapporna upp till andra våningen, ringer på den första av de tre dörrarna. Ingen öppnar. De andra två dörrarna öppnas och jag presenterar mig som John Grimbergs vän, men ingen av dem har någonsin hört hans namn. De fick sina lägenheter genom bostadsförmedlingen. Jag undrar vilken av de tre han bodde i, får en impuls att fråga om jag får komma in och se mig omkring, mest för att se hur han kan ha levt, men jag låter bli. Det skulle inte ge någonting. Jag tackar för hjälpen och går.

Jag ringer Felix, som inte svarar. Efter det tillbringar jag resten av eftermiddagen med att försöka finna spår av John Grimberg via de kontakter jag brukar använda, men ingen av dem kan bidra med något av värde. Jag åker till och med till Skatteverket på Södermalm och sätter mig vid datorerna där, för att slå i deras offentliga register, men där finns ingenting. Det är som om Grim raderade sin egen existens för tio år sedan.

Jag börjar tvivla på mig själv. Få vet bättre än jag vilket pris man kan tvingas betala för att ha undanhållit information i en polisutredning och sent på kvällen står jag i min lägenhet beredd att ringa Gabriel Birck och berätta allt, när telefonen i min hand börjar vibrera. Det är Sam.

Avspärrningsbanden sitter kvar kring Chapmansgatan. Jag betraktar dem, hur de fladdrar till i vinden, hur förbipasserande fortfarande stannar för att försöka få en bild av vad som har hänt. Bilar står parkerade längs gatan. Jag tror att det sitter någon i en av dem, men är inte säker.

"Hallå?"

"Det är Sam."

"Hej, Sam."

"Jag, öh ... stör jag?"

"Nej. Nej, du stör inte."

"Jag tänkte bara ... efter att du var här idag."

"Ja?" säger jag och trycker luren hårdare mot örat. "Ja, tack för att du tog dig tid."

"Det kom in en kund senare. Jag tror att du vet vem han är, han kallas för Viggo."

Jag vet vem det är. Det är en av Felix langare. Han var en av dem jag träffade idag, efter att jag lämnat Hagsätra. Han bekräftade att han hört rykten om att någon rånat en hora nära Kronobergsparken, men han hade ännu inte kopplat ihop det med ryktet om Rebecca Salomonssons död.

"Jag träffade honom idag", säger jag. "Det gav ingenting."

"Han berättade det. Eftersom han vet att du och jag ... ja, han nämnde i alla fall att han hade träffat dig, och att du hade frågat efter någon som hette Grim."

"John Grimberg", säger jag och stelnar till. "Det stämmer."

"Du sa inte det till mig när vi sågs. Du nämnde inte hans namn, att det var honom du letade efter."

Jag känner igen tonen i hennes röst alldeles för väl: Sam låter sårad.

”Det var inte aktuellt då”, säger jag, ursäktande. ”Det kom fram senare.”

”Jag tror ... jag vet inte vem John Grimberg är, men jag kände igen namnet Grim.”

Nere på gatan startar någon en bil. Jag går fram till fönstret igen, osäker. Bilkupén är upplyst av skenet från en mobiltelefon. Jag anar en siluett därinne, inget mer.

”Var är du just nu?” frågar jag.

”Hurså?”

”Vi behöver träffas.”

”Leo, jag tror inte det är någon bra idé, vi kan int...”

”Det handlar inte om det.”

”Vad handlar det om då?”

Jag tar ett djupt andetag och undrar vem som sitter i bilen nere på gatan. Undrar om jag är paranoid, och hur det här låter:

”Jag tror att den här telefonen är avlyssnad.”

XIII

Det är kväll. Jag rör mig över Kungsholmens gator, mot BAR. Det är en dum plats att träffa Sam på, men det är den enda neutrala jag kan komma på. På vägen dit gör jag åtskilliga försök att se om jag är skuggad eller inte, går flera omvägar, men det är svårt. Kvarteren är fulla av smågator och gränder som växer sig djupa och outgrundliga. Det finns vrår i den här staden som får mig att tro att man, om man skulle gå in i dem, aldrig kommer ut igen. Bortom neonskyltarna och gatlyktorna väntar en onaturligt tjock svärta, den sortens mörker som nästan materialiseras och går att känna på sin tunga om man öppnar munnen.

Bilen som väntade på gatan är försvunnen. Jag har inte sett den sedan jag började gå. Min telefon är tyst. Rebecca Salomonsson är död och hade Julias halsband i handen, med mitt avtryck på. Någon hade placerat det där och jag måste finna Grim. Vi har inte träffats på över femton år, det är nästan halva mitt liv. Nästan halva hans. Men han kanske kan ge mig svar. Kanske finns det vittnen som kan få Birck att förstå att det inte var jag, att jag inte hade något med hennes död att göra. Problemet med vittnen är att de är opålitliga. De fungerar som indikatorer, som indirekta ledtrådar till vad som egentligen har hänt. Ingen polis litar på andra människor, och om andra tecken tyder på mig är jag illa ute.

Hans mor dog tidigt, när han fortfarande var ung. Jag visste inte om det, undrar hur det gick till. Kanske självmord. Troligen självmord. Och fadern. Jag försöker minnas vad Alice sagt i telefon. Tre veckor, sa hon. Hans far dog för tre veckor sedan. Oavsett var och vem Grim är nu, är han föräldralös.

Jag tänker på Rebecca Salomonsson, undrar vad hon som barn ville bli när hon blev stor, att hon aldrig hann uppleva hur livet tog slut. Det hade nog börjat gå utför för längesedan och framtiden var sannolikt inte ljus. Den är sällan det för kvinnor som hon, och jag tänker att det kanske var lika bra att det tog slut som det gjorde, livet. Tanken, att det kanske var lika bra att det tog slut som det gjorde, är motbjudande men sanningen är ofta just det.

Anna står i hörnet av baren och häller upp ur en svart flaska Jim Beam. Hon tittar upp när jag står vid dörren, ler blekt och dricker ur glaset.

”Jag trodde du skulle ringa”, säger hon.

”Jag har inte ...” Jag går fram till baren och lyssnar till ljudet av mina skor mot golvet. ”Är du ensam?”

”Vi har tio kunder som stannar till här en timme i veckan.” Hon tömmer glaset. ”Jag är nästan alltid ensam här.”

”Jag är här oftare än så.”

”Du räknas inte.” Hon ställer undan glaset. ”Vad vill du ha?”

”Inget. En kaffe.”

Det förvånar henne. Det blonda håret är uppsatt i en slarvig knut och slingor av det faller i hennes ansikte, längs med halsen till nyckelbenet som skymtar under skjortans vida hals. Hon är lite lik Sam, tänker jag.

”Det kommer hit någon om en liten stund”, säger jag. ”Någon som tror att jag har slutat helt.”

”Jag förstår”, säger hon och vänder ryggen mot mig, börjar arbeta med den gamla kaffemaskinen. ”Om du nu måste träffa henne, för jag antar att det är en hon?”

”Ja.”

”Om du nu måste träffa någon som tror att du inte längre dricker”, fortsätter hon, ”är det då så smart att träffa henne på en bar?”

”Är allt okej?” frågar jag, tvekande.

”Ja. Allt är okej.”

”Jag visste ingen annanstans där man är ...”, säger jag men är osäker på hur jag ska fortsätta.

”Där man är?” Hon trycker igång kaffemaskinen, som börjar smattra och fräsa, utan att vända sig om.

”Där man är säker.”

”Är du inte säker någon annanstans?”

”Jag tror inte det.”

”Du låter paranoid.”

”Jag vet”, säger jag och märker att jag rör vid min mobiltelefon, så jag slutar röra vid den.

”Hur kan du tro att du är säker här?”

Tillräckligt mycket kaffe har runnit ner i kannan för att kunna fylla en mugg, och hon häller upp det åt mig, vänder sig om. Annas uttryck är svårt att tolka. Hon skulle kunna vara sårad, men hon ser nästan rädd ut.

”Jag bara tror det.”

”Vad heter hon?”

”Vem?”

”Hon som är på väg hit.”

”Sam.”

”Sam, som i …?”

”Som i Sam.” Jag tvekar. ”Vi var tillsammans en gång.”

”Vad hände?”

”En olycka.”

Anna går till barkanten, häller upp mer åt sig själv och återvänder. När hon ser min blick, fäst på glaset i hennes hand, blir hon generad.

”Jag kan låta bli att dricka, om det känns jobbigt.”

Jag skakar på huvudet.

”Drick, du.”

Dörren till BAR öppnas igen och Sams ansikte skymtar fram. Ute har det börjat regna, det smattrande ljudet sveper in i den tysta lokalen och det droppar om Sams jacka. Hennes hår är stripigt, klänger sig fast vid pannan och kinderna. Hon går fram till baren och tar av sig jackan medan hon studerar kaffemuggen i min hand, som om hon försökte dechiffrera vad den innebär. Sedan beställer hon en öl.

”Jag känner igen dig”, säger Anna. ”Du tatuerar.”

”Det stämmer.”

Sam får sin öl och kontrollerar något på sin mobiltelefon innan hon ser sig omkring.

”Intressant ställe att träffas på.”

”Det är speciellt.” Jag sneglar på Anna, som tar ett par steg tillbaka och verkar försöka göra sig själv osynlig genom att räkna kassan. Förutom ett par enstaka sedlar och mynt är den tom. ”John Grimberg”, säger jag och ser på Sam och som så ofta när hon möter min blick blir allting annat suddigt, grumligt och dunkelt. Det enda jag ser är Sam.

”Ja.” Hon dricker av sin öl och en tunn remsa av skum läggs

kring hennes överläpp. Hon torkar bort den med handryggen. ”Eller, jag tror att det var han.”

”Tror?”

”Det var flera år sedan nu, under tiden som vi ... under tiden som du och jag var tillsammans. Jag sa ingenting till dig om det då.”

”Varför inte?”

”Därför att det här var den sortens sak man inte berättar för någon som är polis.”

Det svider till i mig. Trots att jag hade väntat mig det, svider det till.

”Jag var din sambo.”

”Hur som helst”, fortsätter hon, ”det var på hösten, tror jag. En person ringde till mig just när jag skulle lämna studion en kväll, och vägrade säga vem han var. Jag brukar inte acceptera en kund då, det vet du ju, och dessutom var det sent. Men den här personen erbjöd mig väldigt mycket pengar. Jag skulle få hälften redan innan jobbet var gjort, så fort de klev in genom dörren, och hälften efteråt.”

”Hur mycket pengar var det?”

”Femtiotusen.”

”Herregud.”

”Jag vet.” Sam dricker en klunk av sin öl. ”Så jag frågade vad saken gällde och det enda han sa var att han ville ta bort en tatuering. Det är egentligen ett medicinskt ingrepp, så jag rekommenderade en hudklinik istället, men det vägrade han. Han hade hört att jag gjort det förut, vilket var sant. Det var innan reglerna ändrades. Jag insisterade på att det jag kunde göra var mer smärtsamt och mindre säkert än om han gick in på en professionell klinik, men han hävdade att det inte var ett alternativ. Jag tror till och med att han skrattade åt det. Så bad han mig stanna i studion och bröt samtalet. En timme senare stod det någon vid dörren. En väldigt, väldigt blond man. Jag minns att jag tänkte att han förmodligen färgade håret, för ögonbrynen var mycket mörkare. Jag trodde att det var han jag hade pratat med. Han presenterade sig som Dejan, men jag tvivlar på att det var hans riktiga namn. Han sa att han var här för att ta bort sin tatuering. 'Var det dig jag pratade med i telefon?' frågade jag, och han skakade på huvudet och gick förbi mig, in i studion. Bakom honom stod en person till, som jag inte hade lagt märke till. Det var ju mörkt, och precis till höger utanför studions dörr är det svårt att se om det står någon, på grund av vinkeln. Den här andra personen", säger hon och sänker blicken. "Det var honom jag hade talat med. Han var ganska lång och också blond, men inte på det skrikiga sättet som Dejan. Han hade ett fint ansikte, kantigt men välformat och solbränt. Snyggt klädd i en mörk trenchcoat, såg ut som en reklamare som nyligen återvänt från semestern. Men det var något med hans blick som var väldigt annorlunda. Den var ... tom. Ihålig." Hon dricker en klunk av ölen. "Det fanns ingenting där, ingen identitet, varken värme eller kyla, ingen känsla överhuvudtaget, ingenting."

"Vilken färg hade han på ögonen?"

"Blå. Men", tillägger hon, "jag tror att det var linser."

"Varför tror du det?"

"Jag har ju linser, Leo, och jag vet hur ögonen ser ut efter en hel dag med linser i."

"Presenterade han sig?"

"Som Grim. 'Du kan kalla mig Grim.' Det var allt han sa. Jag var nervös och du vet att jag försöker skämta när jag är det, så jag sa något om bröderna Grimms sagor, frågade om han var den muntre eller den buttre, men det fick honom bara att fråga om vi skulle sätta igång. Och så stack han handen, han bar tunna handskar också, förresten, han stack handen innanför trenchcoaten och tog ut en bunt sedlar. 'Tjugofemtusen', sa han, 'så rena att du kan ta dem till banken.' Jag hade aldrig sett så mycket kontanter förut, inte i en bunt, liksom, så jag lyckades bara nicka och lade undan dem inne på kontoret. 'Jag har hört att du är bra', sa han. 'Min vanliga konsult har råkat ut för lite obehag, så jag behöver tyvärr ordna med en ny.' Om det är något jag kan är det mitt jobb. Så jag sa 'ja, jag är bra, men på att ge människor tatueringar, inte ta bort dem'. Det fick honom att luta sig framåt, mot mig liksom, och jag vet att det låter sjukt men jag är ganska säker på att han luktade på mig." Sam rodnar. "Det kändes väldigt obehagligt. Jag vet inte vad han fick ut av det, men han såg på Dejan och nickade kort en gång och sa 'vi kör'. Så jag satte Dejan i min stol och han visade mig tatueringen. En svart, tvehövdad örn stor som en knytnäve i höjd med hjärtat. Det är en känd symbol, men i det här fallet representerade den tydligen hans hemland."

"Albanien."

"Precis."

"Dejan Friedrichs", säger jag. "Kan han ha hetat det?"

"Jag hörde aldrig hans efternamn."

Dejan Friedrichs. Jag var efter honom en gång, för en mordbrand mot en krog på Sveavägen. Krogen hade ägare som inte gick med på erbjudandet om beskyddarverksamhet från något av syndikaten, och priset de fick betala för sin självständighet var att någon tände eld på deras lokal. Jag förhörde aldrig Dejan och jag tror aldrig att han kunde bindas till branden, men jag hade en känsla av att det var han. Han försörjde sig som torped åt Silver, som den gången höll i delar av underjorden i Stockholm.

"Det låter som han", säger jag och dricker av kaffet.

Jag undrar varför han presenterade sig som Grim. Han borde ha gått under ett annat namn vid det laget. Kanske använder han det fortfarande informellt?

I ögonvrån ser jag hur Anna anstränger sig för att verka göra något annat än att lyssna. Sam gör mig klarare i tanken, kvickare. Jag känner mig vaken och alert med henne framför mig. Så har det alltid varit, som om bitarna faller på plats.

"Så Grim satte sig i besökssoffan och höll på med sin mobiltelefon, medan jag började arbeta med tatueringen, bedövning och rengöring och så vidare, men jag var ganska säker på att resultatet skulle bli dåligt, definitivt inte värt femtiotusen. Så när jag var ungefär halvvägs föreslog jag för Grim att jag skulle ta de första tjugofem och att det skulle vara tillräckligt, men han sa att vi hade en överenskommelse och överenskommelser bryts inte."

"Verkade de känna varandra väl? Han och Dejan?"

Hon skakar på huvudet.

"Jag fick uppfattningen att Dejan var en klient. Under tiden pratade han, Grim, i telefon nästan hela tiden. När man sitter i studion och arbetar intensivt, jag var otroligt trött, kom ihåg det, när man sitter och bara jobbar blir det som en separat verksamhet och jag hörde ofrivilligt hans röst, strax bakom mig. Det lät som om han höll på att fixa flera saker samtidigt. Jag tror att han försökte hjälpa killen att lämna landet. Det nämndes pengar också, i samtalen. Något hade fått komplikationer och Grim lät irriterad, bröt samtalet och ringde upp någon, informerade om att det skulle kosta mer än vad han hade räknat med. Den sortens saker. Det lät hektiskt, som om de hade en tid att passa, och jag blev ganska orolig eftersom Dejans tatuering inte var professionellt gjord. Den var ett amatörverk, förmodligen gjord på kåken, och den satt ojämnt i huden. Jag fick skrapa, skrapa, skrapa utav helvete. Jag skulle inte vilja vara i närheten av honom när bedövningen släppte. Den här killen såg helt skinnflådd ut, men Grim verkade inte bry sig. Just det, jag minns att han tog en tablett under tiden som jag höll på med Dejan. Han hade dem i en tub, jag reagerade på den. Det var inte den sortens tuber man får om man köper grejer på apoteket, direkt. Det minns jag."

Hon ser på mig, som om det här betydde någonting.

"Okej", säger jag.

"Hur som helst, jag var klar, klockan var typ halv tre på natten, och hade sett till såret och allt det där. Det var så djupt att jag kunde se hans bröstmuskel, fattar du? Helt sjukt. Jag gav dem båda instruktioner om hur man behövde behandla såret. Jag försåg dem med saker som skulle kunna hjälpa honom genom de första dygnen. Grim gav mig de återstående tjugofem, och tackade för gott samarbete. Precis innan han lämnade studion lutade han sig mot mig och viskade en sak som jag inte visste hur jag skulle tolka."

"Och det var?"

Sam harklar sig, dricker mer av ölen, pendlar mellan att se på mig och sina fötter.

"Han viskade att jag luktade som en gammal vän."

Hon tystnar en stund, och Anna har slutat räkna kassan och torkar istället av flaskorna som täcker väggen bakom henne, en och en.

”Jag tolkade det som att han litade på mig”, fortsätter Sam. ”Som om jag var en av hans vänner. Fattar du?”

”Ja.”

Det var inte så Grim menade. För en sekund är jag tillbaka i Salem. Jag är sexton år, och ser hur min vän förfalskar sin mors handstil, hur han står på Rönningegymnasiets skolgård och håller upp sitt första egengjorda id-kort. Hur han återvänder från kollot han varit på utanför Jumkil, och har lärt sig hur man kan knäcka ett bankomatkort utan att det registreras i bankomaten. Det måste ha varit så det började. I mer än tio år finns han endast registrerad i Obefintlighetsregistret. Han är inte död, men existerar inte heller.

Jag vacklar till inför Sam och hon griper efter min arm, stöttar upp mig.

”Leo”, säger hon och ser orolig ut. ”Är du okej?”

”Det har varit en lång dag”, mumlar jag och vänder mig till Anna, ber om ett glas vatten.

Det har gått fyrtioåtta timmar sedan Rebecca Salomonsson påträffades död. De kritiska dygnen är på väg att ta slut. Gärningsmannen håller på att lösas upp, försvinna. Samtidigt mottar jag ett textmeddelande från det skyddade numret.

jag tror att du borde titta på nyheterna

XIV

17-ÅRING SVÅRT KNIVSKUREN PÅ KOLLO

Julia stod framför tv:n i mitt rum med fjärrkontrollen i handen och betraktade nyheten på Text-tv. Hon hade just ropat mitt namn. Jag var i badrummet när hon gjorde det, svepte handduken över höfterna och gick ut, ställde mig intill henne. Utanför sken solen och det var mina föräldrars sista arbetsdag. Det var första gången jag hade duschat med någon.

”Det är det kollot”, sa Julia, förvånansvärt samlad. ”Utanför Jumkil. Det är kollot han är på.”

Hon sökte, kanske omedvetet, efter min hand medan hon läste. När hon fann den och jag kände hennes grepp insåg jag att det var på riktigt.

På ett kollo för pojkar i åldern femton till tjugo år hade en sjuttonårig pojke blivit knivskuren. Både polis och ambulans hade omgående kommit till platsen. Pojken fördes till Uppsala akademiska sjukhus och vårdades på intensivavdelningen. Hans tillstånd var allvarligt, men stabilt.

Något knöts långt inuti min mage och jag ansträngde mig för att andas.

”Herregud”, hörde jag min egen röst.

”Ring dem”, sa hon och hämtade telefonen. ”Ring dem. Här är numret.”

”Är det inte bättre om d...”

”Jag kan inte. Jag vågar inte. Om allt var okej med honom ... vi borde ha hört nåt. Han borde ha hört av sig.”

Jag slog numret och ringde. Upptagetsignalen studsade tillbaka. Jag ringde igen och fick samma signal till svar.

”Ring igen.”

Julia stirrade på tv:n med uttryckslös blick. På det femte försöket gick signalerna fram. Någon, en man, svarade och jag sa så samlat jag kunde att vi hade läst om en händelse på Text-tv, och ville kontrollera att vår vän var okej. När jag sa hans namn bekräftade mannen att Grim inte var skadad, men att han blivit illa berörd av händelsen, eftersom det varit hans vän.

”Var det hans vän som blev knivhuggen?” sa jag. ”Vem?”

”Nej, nej”, sa mannen, ”John var kompis med killen som höll i kniven.” Han tystnade. ”Jag borde inte ha sagt det där”, tillade han. ”För det inte vidare. Allt är bara upp och ner här just nu.”

Kollot avbröts inte av händelsen. Det var tydligen viktigt att tillsammans arbeta sig igenom det som inträffat, och försöka förstå vad som hänt. Samma dag åkte Julia och hennes föräldrar till Jumkil för att träffa Grim. Dagen därpå åkte jag och Julia dit själva, efter att Julia frågat om han ville träffa mig. Det ville han egentligen inte, men han gjorde det för min skull. Jag behövde träffa honom, behövde kontrollera att han faktiskt var okej. Och jag saknade honom.

Enligt Julia verkade Grim skakad. Han hade inte sagt särskilt mycket när han träffade dem, men den psykolog som nu arbetade heltid på kollot hade förklarat att chocken ännu inte släppt taget. Det hade knappt gått fyrtioåtta timmar.

”John säger aldrig särskilt mycket”, sa Julia på bussen dit. ”Men jag vet inte, nåt är annorlunda. Jag hoppas att det bara är chocken.”

Jag sökte efter hennes hand men den här gången drog hon undan den, såg ut genom bussens fönster. Ett lätt sommarregn föll. Stadsbebyggelsen dog långsamt ut och grönskan växte i takt med att vi närmade oss Jumkil. Julia fingrade på halskedjans smycke.

Jumkils ungdomshem var en kantig ljusgrå tvåvåningsbyggnad som skymtade mellan träden när bussen tog sig runt en snäv vägkrök. Jag såg det bara i en blinkning men hann ändå lägga märke till stängslet, som fick det att påminna mer om en anstalt. Busshållplatsen låg ett par hundra meter längre fram, och istället för att gå bakåt, mot hemmet, gick vi nerför en smal grusväg som tog oss till det närliggande kollot. Julia verkade distraherad, gick med händerna i fickorna på den tunna koftan och hade blicken fäst mot trädtopparna eller himlen.

Jumkils ungdomskollo utgjordes av fem röda trähus med vita knutar, som var utplacerade i formen av en hästsko. Det såg inte ut som den sortens plats där någon kunde knivskäras och få livshotande skador, men det mesta är inte vad det verkar. Det drevs av tre kolloledare. Alla var män och tio år äldre än jag, hade breda axlar och tatuerade armar, varma leenden. Förebilder var fel ord, men det var det första jag kom att tänka på. En av dem presenterade sig utan att le och visade oss till ett av de fem husen.

Omgivningen var varm och inbjudande, men när jag och

Julia närmade oss tröskeln till huset fick jag en känsla av att gå in i ett formellt besöksrum. Det var något med den tvingande bakgrunden, att Grim hade blivit beordrad att medverka i kollot, som ingav obehag.

”Vi har egentligen inget besöksrum”, sa kolloledaren, ”men vi har gjort om ett av uppehållsrummen tillfälligt. Ni kommer ju från Salem, eller hur?”

Jag nickade.

”Då vet ni hur det är. Det enda positiva med att komma från såna ställen är att alla har ögonen på en. Om man hamnar snett kan vi hjälpas åt att hamna rätt igen. Det är det vi försöker göra här.”

”Genom att ge dem knivar?”

”Det var en matkniv. Han hade stulit den och slipat den själv.” Kolloledaren ryckte på axlarna. ”Jag är härute, i närheten. Säg till när ni är klara.”

Uppehållsrummet bestod av stolar och bord i en intrikat röra, ett biljardbord och en piltavla, utan pilar. På väggen satt en stor tv som stumt stod och rullade fram musikvideos. På en anslagstavla satt flygblad och information från olika organisationer. Jag kände igen flera av dem från Rönningegymnasiet eftersom de hade varit där och informerat om sin verksamhet mot brott och droger.

Grim satt vid ett av borden och läste. Han hade förändrats under de tre veckorna han varit borta. Han var solbränd, men hade rakat av sig håret. Istället för den blonda kalufsen hade han bara en kort, rågblond stubb kvar. När vi kom in log han svagt mot oss och lade undan boken.

”Hej.”

”Hej.”

Jag och Julia satte oss vid bordet, som var fullt av små inristningar, spretiga och ojämna som om de var gjorda med nycklar. Vissa av dem var ifyllda med blyerts. Jag kände inristningarna mot mina fingrar. Grim såg ut som en pojke som plötsligt hade blivit mycket gammal.

”Hur är det?” frågade jag.

”Det är okej.”

”Det är bara en vecka kvar nu.”

”Jag vet.”

”Ganska bra deal”, försökte jag. ”Man tar skolans reskassa och får åka ut på landet en månad.”

Grim skrattade till, men det nådde aldrig hans ögon.

”Ja, jag antar det.” Han sniffade i luften. ”Du luktar gott.”

”Gör jag?”

”Det påminner om lukten hemma hos oss”, sa han.

”Ibland är ditt luktsinne sämre än du tror”, mumlade Julia och jag var säker på att hon rodnade, men jag kunde inte se det eftersom hon satt bredvid mig.

”Det är inte vad folk säger här”, sa Grim.

”Får du cred för ditt luktsinne?” frågade jag.

”Nåt åt det hållet.”

”Vad betyder det?” frågade Julia.

”Ingenting”, sa Grim och log, drog handen genom stubben på sitt huvud. ”Bara att ... det är okej här.”

”Din kompis blev knivhuggen i förrgår”, sa jag.

”Han var fan inte min kompis”, fräste Grim och det föll som ett svart skynke över hans blick. ”Jimmy är min kompis.”

”Jimmy?” sa jag.

”Han som högg.”

Jimmy var en blek och tanig kille med långt, brunt hår, berättade Grim. Hans pappa drack för mycket, och mamman var det ännu värre med. Hon bodde inte med dem längre, utan levde med en finlandssvensk från Botkyrka som gav henne droger. Dessutom var Jimmy ett mobboffer i skolan. Så en dag hade han fått nog och varit på god väg att ha sönder en killes ansikte med hjälp av en häftapparat. Det var anledningen till att han hamnat på kollot. Där hade det bildats en allians mellan fem av deltagarna, ledd av en kille som hette Dragomir, en hockeyspelare från Vällingby. Inledningsvis hade Jimmy hållit sig undan, och Grim hade gjort samma sak. Det ledde till att de fann varandra. Fann varandra, det var uttrycket Grim använde.

"Vi gjorde inte så mycket", sa Grim. "Vi pratade mest, om olika grejer."

Efter en vecka kom det fram att Grim hade ett säreget luktsinne. Exempelvis lyckades han finna skåpet med verksamhetspengar, pengar som han och Jimmy delade på. Det blev snart känt bland de andra deltagarna. De tog Jimmys del av pengarna men lät Grim behålla sin. I hemlighet delade Grim med sig till Jimmy av sin egen andel.

"Men jag stod inte upp för honom", sa han nu, och verkade skamsen. "Inte inför de andra. Istället så, ja ... istället var jag mer med dem än med honom, även om vi träffades och snackade om grejer i skymundan och så."

Efter två veckor på kollot kom Grim en kväll gående över gårdsplanen efter att ha spelat basket i ett av husen, som var en inredd och fungerande gymnastiksal. Bakom en av husknutarna hörde han en folksamling som försökte stävja sin upphetsning för att inte göra sig hörd. Han såg Dragomirs siluett och flera som stod omkring honom.

”Nu är det dags, din lilla hora.”

Grim tog sig fram till folksamlingen och såg ner på det som väntade i mitten av den: ett rakt, brunt hår och Jimmys skrämda ansikte.

”Inte håret”, viskade han. ”Snälla, inte håret.”

I handen höll Dragomir en trimmer, som började surra intensivt.

”Vill du leka frisör?” frågade Dragomir och höll fram den mot Grim.

”Jag såg Jimmy i ögonen”, sa Grim nu. ”Och skakade på huvudet, tog ett par steg tillbaka. När jag vände ryggen åt dem hörde jag det rasslande ljudet av hur trimmern började ta sig igenom hans hår.”

Grim hade tårar i ögonen. Det förvånade mig. Julia sträckte ut sin hand över bordet, mot sin brors, men han drog tillbaka den. Jag såg på hans rakade huvud.

”Är det därför du har ra...”

”Efter det”, fortsatte han och kliade sig hastigt i ögonen, blinkade ett par gånger, ”nån dag därpå, satt han i matsalen och jag frågade om jag fick sitta med honom. Han ryckte bara på axlarna, men jag var glad att han i alla fall inte sa nej. Små testar av hår satt fortfarande kvar, det såg för jävligt ut, och jag frågade om han ville att jag skulle fixa till det. Han såg bara på mig och log, skakade på huvudet som om det inte hade nån betydelse längre. Jag är säker på att han hade en matkniv, men i slutet av lunchen såg jag att han bara satt med en gaffel. Han måste ha gömt undan den nån gång under lunchen, mitt framför mina ögon. Några dagar senare stack han kniven i magen på Dragomir, på samma plats utanför huset där han hade rakat av Jimmys hår. Det var vad som hände”, avslutade Grim, och tystnaden föll och den var tung.

Vi lämnade Jumkil på kvällen.

"Vi ses om en vecka", sa jag.

"Ja, då är lugnet över", sa Grim.

Han visste. Jag var övertygad om det. Han kände lukten av henne på mig. Jag tror att han kände lukten av mig på henne också, men han sa det inte, i alla fall inte så att jag hörde det.

"Det ska bli kul att få hem dig", sa Julia och strök honom över ryggen och Grim lät henne göra det, efter att först ha stelnat till vid beröringen.

"Vad händer om du tar tjugo killar där alla har likadana problem som John, om inte värre?" muttrade Julia på bussen tillbaka. "Det där är vad som händer. Folk skadas och de som ska få hjälp kommer därifrån ännu värre än de var när de kom in. Det är helt sjukt, jag fattar inte hur soc tänker."

"Jag tror att han vet", sa jag lågt. "Om oss."

"Han vet inte. Han misstänker, bara."

"Är du säker på det?"

"Han är min bror. Jag vet hur han fungerar."

"Vad händer om han får reda på det? Borde vi inte säga det istället?"

Julia svarade inte. Jag frågade henne om allt var okej och hon mötte min blick och log, sa att ja, allt var bra och trots att jag anade att det inte var sant valde jag att tro på det.

Jag och Grim kunde prata om allt. Allt utom Julia. Flera gånger hade han frågat om jag var intresserad av någon, eller insinuerat saker om någon tjej vi kände. Jag svarade alltid undvikande. När det gällde Julia kunde jag inte förutse hur han skulle reagera om jag berättade.

Det var inte det att det i sig var ett grovt brott mot vår vänskap. Jag hade sett liknande scenarion på film, och där brukade det lösa sig. Ibland gjorde det inte det, och då slutade det oftast i katastrof.

Grim kunde vara okej med det, och i så fall var det inte någon fara. Det kanske skulle vara märkligt och obekvämt till en början, men det skulle också kunna vara tillfälligt. Å andra sidan kunde han tycka att det var oacceptabelt, och skulden skulle han inte lägga på Julia. De var syskon. Det var jag som skulle tvingas välja mellan dem. Om jag ens skulle få möjlighet att välja. Det var möjligt att Grim skulle ta avstånd från mig, och göra det omöjligt för mig att träffa henne. Då skulle jag förlora dem båda.

I själva verket hade det inte gått så lång tid, knappt mer än en månad, men det kändes som om tiden sträckts ut, saktat ner och det gjorde varje dag speciell.

Jag hade aldrig varit ihop med någon förut, men en klasskompis hade ett distansförhållande med en tjej han hade träffat under en semester i Skåne. Han åkte dit varannan helg och jag tänkte att det var så här de måste kännas för honom, dagarna då han var med henne. Just därför att de var så få, att de snart skulle ta slut, var de extra betydelsefulla och skulle kännas bortkastade om man bara levde sitt liv som vanligt.

Om något varit fel under tiden vi besökte Grim på Jumkil, märktes det inte nu. Julia var som vanligt igen. Vi åkte och badade. Jag höll Julias hand på vägen dit, och i vattnet blev hennes kropp märkligt len och lätt. När vi återvände till Salem frågade Julia om jag ville följa med henne upp. Hon var ensam hemma, sa hon. Då vi kommit upp till deras våning och Julia öppnade dörren stod det klart att vi inte alls var ensamma. I lägenheten luktade det starkt av mat.

I en fåtölj i vardagsrummet satt en kvinna med lockigt hår och vackert ansikte. Hon tittade inte upp när vi kom in. I köket hörde jag skramlandet av porslin som diskades och intill mig blev Julia stel, släppte min hand.

Hennes pappas ansikte kikade fram i dörröppningen. Det var bistert och hårt, huden lätt rödsprängd och han var svullen kring ögonen, som om han just hade vaknat. Han såg förvånad ut. I händerna höll han en tallrik och en handduk.

”Jag trodde inte att ni var hemma”, sa Julia.

”Men det är vi.” Han försökte le och såg på mig. ”Har vi träffats?”

”Nej, jag tror inte det.”

”Det är ingen idé”, hördes kvinnans röst. Den var entonig men med ett tilltalande, lätt raspande. Om hon hade varierat sitt tonläge skulle hon ha kunnat arbeta i kundtjänsten åt företag med arga kunder. ”Hon håller aldrig fast vid något ändå.”

”Mamma”, sa Julia försiktigt, men jag såg att hennes käkar var sammanbitna.

”Det är sant.”

”Leo”, sa jag. ”Jag heter Leo. Jag bor i huset intill.”

”Leo”, sa Julias pappa, som om han försökte minnas var han hört det förut.

”Jag är vän med Gr..., med John. Vi går i samma skola. Inte samma klass, men samma skola. Vi har varit kompisar ett tag.”

Jag kunde inte sluta prata och kände hur färgen steg på kinderna. Julia kanske märkte det för när hon skulle ta av sig skorna lade hon försiktigt en hand på min axel för att få stöd, och kramade den mjukt.

”Jag förstår.”

Det var allt han sa. Tallriken han höll i händerna var torr och han försvann tillbaka in i köket.

”Vill ni ha mat?” frågade han. ”Maten är klar om några minuter.”

”Kanske, pappa”, sa Julia och tog mig om armen och drog hastigt med mig in på sitt rum.

”Vad heter de?” frågade jag.

”Klas och Diana. Hurså?”

”Jag bara undrade. Varken du eller Grim har sagt det.”

”Förlåt.” Hon skakade på huvudet. ”Jag trodde verkligen inte att de skulle vara hemma. De kommer säga det till John.”

”Inte om vi säger att jag bara var här för att hämta nåt, eller för att du skulle visa mig nåt, eller ... Ja.”

”Skulle du gå med på det?”

”Ja.”

”Jag är dålig på att ljuga”, sa hon.

”Jag med.”

Klas och Diana Grimberg. Jag hade hört så mycket om dem.

”De är inte som jag trodde”, sa jag nu.

”Mamma och pappa?”

”Ja.”

”Vad hade du förväntat dig?”

Det var just det jag försökte bestämma mig för. Att de alltid skrek, aldrig talade med varandra? En minnesbild dök upp, hur Grims cd-spelare kastades ut genom fönstret och föll till marken.

”Jag vet inte”, sa jag.

En försiktig knackning på dörren.

”Vi ska äta nu”, hördes Klas röst. ”Vill ni ha?”

Julia såg frågande på mig och jag ryckte på axlarna.

Bordet var enkelt dukat. Det var vilken vardag som helst, och att jag var där hade ingen betydelse. De försökte inte göra sig till, åtminstone inte på det sättet. Det var något tilltalande över det, framförallt i jämförelse med mina egna föräldrar som alltid försökte göra något märkvärdigt de gånger vi hade gäster på besök, och fick mig att skämmas intensivt.

”Spaghetti och köttfärssås”, sa hennes pappa. ”Du äter kött, eller?”

”Självklart”, sa jag.

”Det är inte så självklart längre”, muttrade han. ”Folk har konstigare och konstigare matvanor.”

Från vardagsrummet hördes steg och Diana Grimberg kom för att sätta sig vid bordet, mitt emot sin dotter. När hon passerade Julia stannade hon upp och såg på henne, log och klappade henne försiktigt på kinden.

”Du har ett så rent ansikte, vet du det”, mumlade hon monotont.

”Tack.”

”Och du.” Hon såg på mig. ”Kom ihåg att hon är ett kap.”

Det ryckte i Dianas mungipor och hennes blick var förvånad, som om det var något som sällan inträffade. Till slut särades läpparna i ett skratt som jag inte visste hur jag skulle tolka.

”Leo kom hit för att hämta en cd-skiva, bara”, sa Julia medan hon lade upp stora slevar spaghetti på tallriken.

”Jag förstår”, sa Klas.

”Men jag kunde inte hitta den”, fortsatte hon utan att se på dem. ”Den kanske ligger på Johns rum.”

”Ja. Kanske det.”

Jag hällde upp vatten åt mig själv ur en bringare och Julia

och hennes pappa sköt fram sina glas mot mig. Jag hällde upp åt dem och såg på Diana, som inte hade rört sitt. Hon satt istället och betraktade någonting utanför fönstret. Jag tog glaset ifrån henne och fyllde det med vatten, ställde tillbaka det. Hon ryckte till av ljudet och såg på mig.

”Tack”, sa hon. ”Förlåt, jag bara tänkte på något.”

”Vad tänkte du på?” frågade Julia.

”Inget.”

”Hur länge har du och Julia”, började Klas och avbröt sig själv för att tugga och svälja, ”hur länge har ni känt varandra?”

”Ett par månader”, sa jag. ”Ungefär lika länge som jag känt John.”

”Han kallar sig själv Grim”, sa Diana och drack av sitt vatten. ”Konstigt. Är jag ensam om att tycka det?”

”Nej, det är du inte”, sa Klas. ”Men han är sjutton. Man har aldrig konstigare idéer än när man är sjutton. Eller hur, Leo?”

Han log och något väntade bakom orden, något som inte kom fram.

”Jag antar det.”

”Han kommer bli något”, sa han. ”Det kan vem som helst se.”

”Frågan är bara vad”, sa Diana och såg på mig. ”Gör henne inte illa.”

”Mamma”, sa Julia hårt och jag kände hennes hand ovanpå min under bordet.

”Diana, ta det l...”

”Är det så konstigt att jag oroar mig?”

Julia lade ner sin gaffel intill tallriken och höjde blicken.

”Jag sitter här. Du behöver inte tala om mig i tredje person.”

Diana såg på Klas vattenglas.

”Ska du dricka vatten?”

”Ja?”

”Men du har ju semester. Du behöver inte göra dig till för de här. Leo vet säkert redan, eller hur?”

”Jag, nej, jag ...”

”Sluta nu, Diana.”

”Ska jag inte hämta flaskan, då?”

Hon såg på Klas händer. Det var först nu jag noterade att de skakade lätt.

”Jag ser ju på dig att du vill ha.”

”Jag dricker vatten.”

”Men ...”

”Nu räcker det.”

”Han skyller det på dig”, fortsatte Diana lika monotont, och svepte med blicken, fäste den återigen på något utanför fönstret. ”Du vet det, att han behöver det för att klara av att leva med mig efter de...”

”Diana.” Klas röst var så skarp att den fick mitt grepp om gaffeln att hårdna, och Julias hand försvann från min när hon ryckte till. ”Nu räcker det.”

Jag lämnade familjen Grimbergs lägenhet förvirrad och utan cd-skiva, vilket inte var så konstigt.

Sent på kvällen träffade jag Julia vid vattentornet, som reste sig mot himlen och i dunklet verkade mörkare än vanligt, grövre än det brukade. Jag hade alltid tänkt på dess form som en svamp, men nu såg det mer ut som en domarklubba. Julia svepte armarna om mig på ett sätt hon inte hade gjort förut. Det kändes mer angeläget, nästan desperat, och jag lät henne göra det. Jag frågade någonting hon inte hörde.

”Va?” mumlade hon, med sin varma andedräkt mot min överläpp.

”Är det alltid sådär hemma hos er?”

”Typ.” Hon såg upp mot tornet. ”Kom.”

Julia började ta sig upp i tornet, klättrade i mörkret ovanför mig. Jag följde efter henne, tills vi hamnade på den översta avsatsen.

”Det var här jag träffade Grim första gången”, sa jag.

”Jaså, du.”

Hon drog upp händerna under sin klänning och något litet och svart föll till hennes anklar.

”Knäpp upp dina jeans”, viskade hon. ”Och sätt dig.”

Julias andetag mot min hals var brännande varma. Över hennes axel såg jag Salem sträckas ut, himlen som blev mörkare och mörkare. Jag ansträngde mig för att inte blunda.

Jag sitter i bilen utanför din port. Jag ser dig i fönstret, men du kan inte se mig. Det gör mig ledsen. Jag vill att du ska veta. Avspärrningsband slår ensamma i vinden. Första gången man såg dem gjorde de en illa till mods. Kommer du ihåg det? Men vi var nästan fortfarande barn då och såg dem ofta. Vi vande oss.

Tiden innan pappa dör pratar vi mycket om mamma.

"Jag minns henne nästan bara från fotografier", säger jag och det gör honom arg trots att han är väldigt svag.

Jag försöker säga att det är bra att det är så jag minns henne, att de andra minnena är sådana man helst förtränger, trots att det måste ha funnits bra stunder också. Men pappa lyssnar inte, orkar inte.

Berättade jag hur de träffades? Jag borde ha gjort det för jag minns att du berättade om dina. Det var på en bar i Södertälje. Hon arbetade i en musikaffär och tydligen ville alla killar där ligga med henne men hon låg bara med två innan hon träffade pappa. Hon var i baren med några vänner från Södertäljes musikscen, och pappa var där med ett par svetsarkompisar på en afterwork. I baren frågade hon vad han gillade för musik och pappa sa:

"Jag lyssnar inte på musik."

Mamma log och sa: "Perfekt."

Åtminstone är det så pappa berättar historien. När jag kom gjorde jag det utan komplikationer och pappa säger att de var hemskt lyckliga, att enda orosmolnet var pengar. De hade alltid levt på marginalen och det fortsatte de göra, trots att pappa drack ganska mycket redan då. Sedan blev hon gravid igen. Jag minns inget av det, jag var ju så liten, men i efterhand förstod jag delar. Hur mamma hade sjunkit in i koma efter förlossningen, av någon anledning, och hur hon sedan, när hon vaknat efter ett par dagar, varit som förändrad: känslosval och nollställd kombinerat med oförutsägbara utbrott. Pappa berättar att när det hade gått ett tag och han började bli rädd för att mamma inte skulle bli bättre, grät han varje kväll över att ha förlorat den han älskade.

"Det var i alla fall så det kändes", säger han. "Fast egentligen kanske vi hade förlorat varandra långt innan."

Jag säger att han har fel, att det hade de inte alls, trots att jag någonstans inser att jag inte vet vad jag pratar om. Pappa känner nog så också men han säger det inte, lägger bara sin hand på min och säger att det är svårt att veta med familjer, och så ler han förvirrat.

De var så lika, mamma och hon. Han skrek mycket på henne och gav henne sällan beröm när hon gjorde något bra. Det plågade honom, för han visste varför han gjorde det men kunde inte rå för det. Han försökte undvika att dricka i närheten av henne, eftersom han inte vågade lita på sig själv.

Det var inte bara mot henne han började vända sig, utan mot alltihop. Han hade aldrig kunnat lämna mamma, hon var för beroende av honom för det, behövde honom för mycket. Han var olycklig, kroniskt olycklig, och fick svårare och svårare att gå upp om morgonen och ta sig till svetsarfirman.

Pappa andas ut, svagt. Han ber om vatten. Jag ger honom det. Han frågar hur jag mår. Jag säger att han är allt jag har kvar. Han ler och säger att jag har fel, men han vet ingenting.

XV

POLIS MISSTÄNKS FÖR MORD

Sam har tagit upp sin mobiltelefon och visar mig Expressens senaste nyheter. Jag ser från hennes telefon till min.

jag tror att du borde titta på nyheterna

Annika Ljungmarks artikel är kort, men kärnfull. Sedan tiotiden ikväll bekräftar ett flertal källor inom Citypolisen att spaningsläget gällande mordet på Rebecca Salomonsson inte längre är oförändrat. Polisen arbetar nu efter en specifik tes, där en polis är av stort intresse. ”Han går att placera på brottsplatsen i anslutning till offrets död”, hävdar källan.

Det kommer bara dröja timmar innan polisens identitet avslöjas. Så är det alltid. Jag står lutad mot bardisken och tittar upp från telefonen. Mitt huvud börjar snurra. Sam betraktar mig med ett osäkert ansiktsuttryck.

”Leo, det ...”

”Det är inte jag”, får jag ur mig.

”Det vet jag väl.”

Jag ser på henne, osäker på om hon har förstått vad jag menar.

”Bra.”

Sam sänker blicken till min mobiltelefon.

”Vad är det?”

”Någon skickar meddelanden till mig.”

”Vem då?”

”Jag är inte helt säker på det.”

Det som händer sedan är märkligt men känns samtidigt så välbekant, så självklart: Sam lägger handen på min överarm. I ögonvrån ser jag hur Anna betraktar oss.

”Var försiktig”, säger Sam.

”Jag gör mitt bästa.”

”Det gör du inte alls.” Hon släpper inte min arm. ”Du har alltid varit vårdslös.”

Som om Sam insåg vad hon höll på att göra, släpper hon taget. Och där är det, jag kan se det i hennes blick eftersom jag själv vet hur det känns: i en blinkning anar hon spåren av Viktor i mitt ansikte.

”Om det inte är något mer måste jag gå”, säger hon.

Jag följer henne till dörren. Det regnar fortfarande ute. Gatorna blänker och glittrar i svart och ovanför oss driver moln över himlen. Hon säger ingenting när hon går, men ser sig över axeln. Jag tänder en cigarett och följer henne med blicken tills hon viker runt ett gathörn och försvinner.

”Absint, tack”, säger jag när jag återvänt in och ställer mig vid disken.

”Vad var det där, egentligen?”

”Vad var vad?”

Anna ställer fram ett glas, häller upp åt mig.

”Det där. Hon, ni.”

”Vi var tillsammans en gång.”

”Du sa det.”

”Vi skulle få en son. Vi hade till och med ett namn.”

”Vad hände?”

Jag dricker ur glaset. Knutarna som har bildats under huden vid mina tinningar börjar lösas upp.

”En bilolycka.”

”Han dog?”

”Ja.”

Anna står med armbågarna på bardisken, ansiktet i handflatorna. Bardiskens kant trycker upp hennes bröst, gör klyftan djupare än den egentligen är.

”Du är psykolog”, säger jag.

”Psykologstudent.”

”Vad säger dina böcker om mig?”

”Ingen aning.” Hon ser på klockan. ”Jag kan stänga om du vill.”

”Varför det?”

”Du ser ut att behöva ... distraheras.”

Hon ler svagt. Jag har druckit för fort. Absinten har redan stigit till mitt huvud och börjar göra saker grumliga.

”Jag tror att du ser alldeles rätt”, mumlar jag och sneglar mot dörren. ”Men det är inte ... förlåt, men det är inte dig jag v...”

”Jag vet”, säger hon. ”Jag bryr mig inte.”

Så jag tillåter mig själv att ge efter, bara en gång.

Anna går till dörren och låser den. På väg mot mig knäpper hon lugnt upp skjortan och tar av sig den, släpper ut sitt hår. Hon sätter sig på barstolen intill mig och jag tar ett steg in, mellan hennes ben, och hon lägger handen på min bröstkorg, drar den försiktigt över min mage och börjar knäppa upp mina jeans. Jag behöver det här och när jag sluter ögonen förvånas jag över att färgen på insidan av mina ögonlock inte är svart utan mörkt, mörkt röd.

Någonstans, kanske under tiden men kanske efteråt, rasslar minnen till, oväntat som när någon man inte sett på länge kommer fram till en på tunnelbanan och man pratar en stund, och efter det hastiga mötet sveper det förflutna förbi.

Jag är tretton år. Jag har fått nog av att bli slagen av Vlad och Fred och ger igen, men på någon som är mindre än jag. Han heter Tim. Ovanför oss är himlen tung, som blöt snö. Jag slår honom i magen.

Jag är fem, och har precis lärt mig cykla. Min pappa försöker filma det men varje gång han får igång kameran välter jag och det enda som hamnar på bild är min bror som cyklar omkring i bakgrunden, obekymrat och självsäkert, på en mycket större cykel med större hjul och fler växlar.

Jag är tjugoåtta eller tjugonio och har nyligen träffat Sam. Hon skrattar åt något jag säger. Vi befinner oss på en båt. Jag känner igen ett ansikte bland passagerarna, någon som påminner om Grim men det är inte han. Sam frågar om allt är okej. Jag säger ja.

Jag är sexton. Grim och jag står vid vattentornets fot. Han har bråkat med sina föräldrar. Det är slutet på våren och Klas Grimberg har fått ett brev från sin sons klassföreståndare. Hon meddelar att hon har försökt nå föräldrarna via telefon, utan att lyckas. Grim har slagit en klasskamrat och om det händer igen måste hon kontakta polisen. Klas blir arg och dricker sig full i väntan på att hans son ska komma hem. När han gör det grälar de och det slutar med att Klas skriker åt Grim att sköta sig i skolan och inte bli som han, och om han inte skärper sig ska Klas banka in vett i honom. Åtminstone är det vad Grim hävdar att han skriker. Vi går upp i tornet och skjuter på fåglar. Grim skrattar när jag säger att ett av molnen liknar en vi känner, en tjock kille som kallas för Baggen. Ett annat moln liknar Julia. Det säger jag inte till Grim.

Samma år: det är tidig vår och jag och Grim är ute i Handen, i väntan på någon som ska sälja hasch till oss. Ingen av oss har provat det förut. Grim bär en tröja med MAYHEM på och vi stryker omkring bland husen. Ur mörkret uppenbarar sig fyra män med kängor, nitar och långt hår. De kommer fram till oss och frågar vad vi håller på med, som går omkring med sådana tröjor. De pekar på Grims t-shirt som skymtar fram under den öppna jackan. Sedan sparkar de ner oss och jag har ont i revbenen flera veckor efteråt. Senare får vi höra att folk med koppling till bandet Mayhem har bränt ner kyrkor i Norge och Göteborg och vi blir rädda. Grim slänger tröjan. Vi pratar aldrig om det med någon, inte ens Julia. Det blir något bara jag och Grim delar. På pendeltåget hem den kvällen spelar någon The Prodigy och *I'm a firestarter, terrific firestarter* ur en bandare alldeles för högt.

Någon dag efter misslyckandet i Handen köper vi hasch av en kille som åker upp från Södertälje. Vi gör bytet i Rönninge och röker det sittande i vattentornet. Jag känner ingenting och det gör förmodligen inte Grim heller, men vi fnissar så att jag får ont i magen eftersom vi har hört att andra gjort det när de rökt. Andra gången vi röker får jag kraftiga svettningar och mår illa. Grim ser dåsig ut. Den gången är vi på fotbollsplanen i utkanten av Salem, liggande i gräset. Det är kväll och luften är sval.

Grim är intresserad av teknik men okunnig i matematik. De gånger han har matteläxor får jag hjälpa honom, tills någon av oss tröttnar. Han är alltid i tid, aldrig sen. Han har svårt att respektera personer som inte passar tider, på samma sätt som han inte kan acceptera att poliser stryker omkring i Salem om kvällarna. Varje gång Grim ser en polisbil blir han dyster. Det är början på sommaren 1997 och Grim pratar sällan om sin far, inser jag. De gånger han gör det är det inget smickrande han säger, samtidigt anar jag någonting bakom orden, något som inte kommer fram. Som om han identifierade sig med honom. Kanske är det därför det skurit sig starkt mellan dem. Jag planerar att fråga Julia om det, presentera min teori för henne, men det blir aldrig av.

Två månader senare träffar jag Klas Grimberg, när vi tvingas äta middag med dem. Jag slås av hur lik Grim är sin far. Jag funderar på att nämna det för både Grim och Julia men gör det inte, eftersom jag inte vet vad det innebär.

”Vad händer om det viktigaste man har”, säger Grim en eftermiddag på pendeltåget norrut, ”aldrig var tänkt att finnas överhuvudtaget?”

”Hur menar du då?”

”Jo, tänk om det finns nån sorts öde, eller vad fan man ska kalla det, och det aldrig var tänkt att vi skulle bli en familj? Om det aldrig var meningen, på nåt sätt? Om det bara blev så här, genom en slump? Jag menar, kolla på oss. Med tanke på hur vi har det hemma skulle allt kunna vara en olyckshändelse.”

”Alla familjer är fucked up.”

”Nej, det är de inte.”

Jag är sjutton. Det är flera månader sedan Julia dog. Jag ler mot kameran. Det är skolfotografering och jag känner ingen av dem som står omkring mig.

XVI

När Grim återvände från Jumkil gjorde han det i en av socialtjänstens intetsägande vita personbilar. Det var kvavt ute, och för bara en liten stund sedan hade jag sett Vlad och Fred passera en gata bort. Jag undrade vad de gjorde i Salem, och hade svårt att andas. Jag satt på en bänk mellan husen i Triaden och försökte göra mig osynlig tills de försvann ur sikte.

Bilen parkerade och en av bakdörrarna öppnades. Grim steg ur med sin väska, samma svarta sportbag han hade förvarat luftgeväret i dagen vi träffades. Det kändes som om lång tid hade förflutit, men i själva verket hade vi känt varandra i mindre än ett halvår. En man med Systembolagetpåse, smutsig keps och yvigt vitt skägg satt på en bänk i närheten. Han stirrade skrämt på den vita bilen innan han samlade ihop sina tillhörigheter, reste sig på vingliga ben och började gå därifrån med tillkämpad värdighet.

Grim stängde bildörren och föraren – en man, mer än så kunde jag inte avgöra – vred på huvudet, gjorde en U-sväng och körde iväg, som om han hade brådskande ärenden att uträtta någon annanstans. Jag reste mig, vilket fick Grim att rycka till. När han såg att det var jag ersattes förvirringen av ett leende och han höjde handen. Jag log men att han återvände kändes märkligt för mig, som om en frihet jag haft tillgång till varit temporär och nu åter hade ersatts av en sorts tvångströja.

Senare gick vi till vattentornet. Luften stod stilla och solen sken över oss. Majoriteten av bilarna som passerade på gatan var packade med campingutrustning och familjer. Det var slutet av juli och långt kvar av sommarlovet. Grim var klädd i en kortärmad skjorta och shorts, men torkade trots det upprepade gånger sin panna med handryggen.

”Jag ska till Uppsala imorgon”, sa han.

”Vad ska du göra där?”

”Träffa Jimmy. Han sitter fortfarande häktad.”

”Vet du hur det är med honom?”

”Nej. Men jag tror att det är bra. Han mår i alla fall bättre än killen han knivade.”

Det var Grim som ville gå till vattentornet. Jag ville helst göra någonting annat, gärna befinna mig på en plats som överhuvudtaget inte gick att associera till Julia. Istället tog vi oss upp i tornet och Grim satte sig på avsatsen, precis där jag suttit någon dag tidigare när hon klivit ur sina trosor och grenslat mig. Det kändes absurt, overkligt.

”Vad skrattar du åt?” frågade han.

”Va?”

”Du skrattade.”

”Jaha. Nej, inget. Jag fick bara en konstig tanke.”

”När vi träffades på kollot”, sa Grim och tog upp en flaska sprit och två glas ur den lilla ryggsäcken han haft på sig, ”vi hann inte ens prata om dig.”

”Det kändes som att andra saker var viktigare”, mumlade jag.

”Hur har din sommar varit?”

”Bra. Antar jag. Micke flyttade hemifrån. Jag och pappa hjälpte honom och ingen av oss har träffat honom sen dess.” Jag tvekade. Det skulle ha verkat konstigt om jag inte sa något. ”Jag åt middag hemma hos er.”

Grim fyllde glasen och sköt det ena mot mig. Jag drack lite, och efter det drack även han.

”Det är jävligt starkt. Jag tror att det är absint eller nåt.” Han drack ur sitt glas. ”Du var hemma hos oss?”

”Jag skulle låna en cd-skiva av er.”

”Vilken?”

Jag ryckte på axlarna.

”Jag minns inte längre.”

”Ah. Andra saker kom emellan.”

”Ja.”

”Pappa tvingade dig att äta middag.”

”Exakt.”

På avstånd smällde något till, kraschande, och ett billarm började tjuta.

”Det är”, började Grim, ”inte Julias fel, men mamma ... har jag sagt att hon har problem?”

Jag visste redan det här, men var osäker på om Grim visste att jag visste. För ögonblicket mindes jag inte vem som hade berättat det för mig, om det var han eller Julia. Allting hade blivit så invecklat.

”Jag minns inte. Kanske.”

”Hon har det, i alla fall. Det har hon haft så länge jag kan minnas. Det går i vågor, upp och ner. När jag skickades iväg till kollot blev det värre än det brukar, om jag fattat det rätt. Och pappa har omedvetet, åtminstone tror jag att det är omedvetet, lagt skulden på Julia. Det gör att allting handlar om ... jag vet inte, men jag hamnar utanför. Och jag har inget problem med det, jag trivs med det. Det är bättre att vara utanför när man har sett hur Julia har det. Men det gör det jävligt jobbigt att vara hemma." Han skrattade till. "Trots all skit på kollot, så var det skönt att vara hemifrån. Kan du fatta det? Jag antar att jag inte begrep hur illa det var, förrän jag insåg att jag kände så."

"Ni kan be om hjälp."

"Från vem då?"

"Jag vet inte. Soc."

"Soc kan dra åt helvete. De har redan varit inne och rotat hos oss."

"Nån annan, då."

"Vem?" Han såg genuint plågad ut. "Vem ber man om hjälp? Vem är det tänkt att man ska vända sig till? Och är det verkligen mitt ansvar?"

"Jag vet inte", sa jag.

"Sluta säg jag vet inte." Han lutade huvudet bakåt, vilade det mot vattentornets kropp, och slöt ögonen. "När jag kom upp för att lämna mina grejer nu var det kaos. Jag tror att mamma hade glömt ta sina tabletter, och att pappa hade druckit. Han har ju börjat jobba igen och då dricker han alltid mer än han brukar, antagligen för att hans jobb är så jävla hjärndött."

Vi sa inget på en stund. Jag ville ta mig därifrån för att se hur Julia mådde. Frustrationen var påtaglig och gjorde mina handflator kalla, fuktiga.

"Jag såg Vlad och Fred."

"Hm?" sa Grim.

”Vlad och Fred.”

”Idioterna som brukade vara på dig?”

”Ja. Jag såg dem tidigare idag. Tror du ...” Jag drack mer ur glaset. Det rev kraftigt i halsen, brände i magen. Jag ansträngde mig för att inte verka rädd. ”Tror du att de flyttat tillbaka?”

”Varför skulle nån flytta tillbaka hit? De var säkert bara på besök eller nåt.”

Han tog upp sin cd-freestyle ur ryggsäcken, gav mig en av hörsnäckorna och vi satt där och lyssnade på musik och drack tills batterierna dog, och det gjorde de inte förrän väldigt, väldigt sent och efter det stapplade jag hem, rädd att möta dem men gjorde det aldrig.

”Du verkar nedstämd, Leo.” Min pappa såg upp från tidningen och ställde kaffekoppen på bordet.

”Jag är trött, bara.” Det bultade i huvudet och varje gång jag blinkade sved det i ögonlocken. ”Jag var uppe sent igår.”

”Sent.” Han nickade eftertänksamt. ”Jag hörde inte när du kom hem.”

”Jag vet inte vad klockan var.”

”Med tanke på hur du luktar är det inte svårt att lista ut vad du gjorde, i alla fall”, sa han.

”Jag luktar inte.”

”Du stinker.”

Jag tuggade långsamt på en bit rostat bröd.

”Säg inget till mamma.”

”Var får ni spriten ifrån? Är det smuggel?”

”Nej, pappa”, sa jag och suckade.

”Jag kan inte hindra dig från att dricka. Vi hindrade aldrig Micke. Men ...”

”Det gjorde vi väl visst”, hördes mammas röst, och snart också hennes steg från badrummet ut till oss i köket. Hon såg på mig med sammanbiten min. ”Dricker du igen får du inte gå ut.”

”Annie”, började pappa, ”han är int...”

”Nej”, sa hon hårt och stirrade på honom. ”Nu räcker det. Han är ju aldrig hemma längre.”

”Annie, låt mig prata med honom.”

Hon såg från mig till pappa, till mig igen.

”Du skärper dig, från och med nu”, sa hon innan hon gick iväg.

Pappa såg trött ut, drack av kaffet och betraktade den halvätna brödskivan som låg på min tallrik.

”Ska du inte äta upp?”

”Jag är inte hungrig.”

”Du behöver äta.” Han tvekade. ”Både jag och din mamma skulle må mycket bättre om du bara skaffade ett jobb.”

”Pappa, för fa...”

”Ja, ja”, avbröt han och höll upp händerna, urskuldande. ”Jag vet.” Han lade underarmarna mot bordskanten och lutade sig framåt. ”Hon har rätt, Leo. Men det är något mer också, eller hur?”

”Vad menar du?” mumlade jag.

”Som jag sa, du ser nedstämd ut.” Han väntade, men när jag inte sa något lade han till: ”Du kan prata med mig om du behöver det.”

Jag såg upp, osäker.

”Hur väl känner du dem som bor i Triaden?”

Han höjde på ögonbrynen.

”Här känner väl egentligen inga varandra alls, knappt ens

de som bor innanför samma väggar. Så, jag kan inte säga att jag känner dem överhuvudtaget."

"Okej."

"Gäller det någon här i huset?"

"Nej." Jag nickade mot fönstret. "Nån i det huset."

Han följde min blick, mot huset familjen Grimberg bodde i.

"Jag förstår."

"Du känner ingen som bor där?"

Han skakade på huvudet, drack av kaffet.

"Det är en tjej", konstaterade han.

"Varför tror du det?"

"Pappor ser sånt."

Jag tog ett djupt andetag och pappa såg hoppfull ut. Han försökte, tänkte jag. Jag reste mig och gick därifrån utan att säga någonting, in på mitt rum. Stängde dörren och satte mig vid fönstret, såg mot huset de bodde i och studerade fönstren till deras lägenhet för att få en skymt av Julia.

Inget hände och jag började känna mig patetisk och pappa kom inte in, så istället lade jag mig på sängen och lyssnade på musik resten av dagen. Jag funderade på att ringa till dem, men var rädd att Grim skulle svara och han skulle höra att något var fel, det var jag säker på. Och om det var Julia som svarade skulle kanske Grim fråga vem hon pratat med, och då skulle hon behöva ljuga. Hon var inte bra på att ljuga och det var en av sakerna jag tyckte om med henne, men den här gången var oförmågan opraktisk.

Till slut ringde jag i alla fall.

"Diana Grimberg."

"Jag ...", började jag. "Det är Leo. Är d..."

”Vänta”, sa hon. ”Julia. Telefon.”

Det borde ha varit omöjligt att höra Dianas röst om man inte stod direkt intill henne, så tyst talade hon. Kanske utvecklar man någon sorts känslighet eller vidgad uppmärksamhet om man lever med en person som Diana Grimberg, för snart hörde jag steg komma gående mot telefonen.

”Vem är det?” mumlade Julia åt Diana, men fick inget svar. ”Hallå?” sa hon istället.

”Hej”, sa jag.

”Åh. Hej. Vänta.”

Steg, en dörr som öppnades och stängdes. Musik i bakgrunden som gled bort och försvann.

Vi pratade så länge vi kunde. Om några dagar skulle jag åka till Öland en vecka. Min farbror bodde där med sin familj och vi tillbringade alltid en vecka hos dem varje sommar, i slutet av semestern. Det var enda gången jag brukade lämna Stockholm. Min bror hade alltid följt med men den här gången kunde han inte, eftersom han behövde jobba.

”Varför har du inte sagt det?” frågade hon och lät sårad.

”Jag har inte ... jag tänkte först inte följa med.”

”Varför inte?”

”På grund av dig.”

”Okej”, sa hon, tvekande. ”Men nu tänker du det?”

”Jag tror det.”

”Vad är det som har förändrats?”

”Jag vet inte ... inget.”

”Nåt måste det ju vara.”

Jag låg länge och lyssnade på hennes andning. Jag undrade om Grim låg på andra sidan väggen och hörde oss prata.

Tiden på Öland kröp fram. Vi återvände en vecka senare och i Salem hade något hänt: jag träffade Grim utanför Ungdomens hus och hans ena öga var blålila och svullet. Han försökte dölja det bakom ett par Wayfarersolglasögon men lyckades inte. Blånaden var för stor. Vi satte oss på en bänk i solen. Han berättade att han gjort ett id-kort åt en kille som försökt ta sig in på en klubb med det.

”Det var inget fel på kortet”, sa Grim. ”Felet låg hos den här idioten. Han ville kunna komma in på ställen där man behöver vara arton, och jag fixade det åt honom. Tror du inte idioten går till ett ställe där gränsen är tjugo? Han blev nekad, givetvis, eftersom det var en fredag. Så vad gör han då? Åker ut till Salem med två polare för att hitta mig, eftersom han anser att jag har blåst honom. De kom till och med hem till oss. När pappa fick veta vad som hade hänt var han full och jagade mig ut ur lägenheten. Därute väntade killen och hans två polare och jag hann få en smäll över ögat innan jag kunde ta mig därifrån.” Han ryckte på axlarna. ”En skitsak.”

”Men varför jagade din pappa ut dig?”

”Han jagade inte ut mig, han jagade mig, bara. Men det var bättre att försöka ta sig ut än att låta sig fångas.”

Jag försökte föreställa mig Klas Grimberg jaga sin son. Under middagen hemma hos dem hade det funnits något i hans blick som avslöjade att han sannolikt var kapabel till det, även om det också hade vilat ett kontrollerat lugn över honom. Men då hade han varit nykter.

Grim tog upp ett dubbelvikt kuvert ur innerfickan på sin jacka, samtidigt som någon kom runt hörnet till Ungdomens hus. Han var i vår ålder, bar baggyjeans och breda Adidasskor, luvtröja och keps. Han gick inte på vår skola, det var jag ganska säker på.

”Allt som det ska?” sa Grim när han kom fram till oss på bänken.

”Jodå”, mumlade han och sneglade på mig.

”Han är okej.”

Killen såg sig om och nickade svagt. Luvtröjan hade en ficka över magen. Ur den tog han fram välvikta femhundrakronorssedlar och gav dem till Grim, i utbyte mot kuvertet. Det var över så fort att jag skulle ha missat det om jag blinkat.

”Har du fått stryk?” frågade han och såg på Grim.

”Det var en kille som hade missuppfattat en grej, bara.”

”Ska jag ta honom?”

”Nej.” Grim såg sig omkring. ”Vi ses.”

”Okej.”

Han vände sig om och gick lunkande iväg och vi återvände mot Triaden. Grim räknade pengarna.

”Femtonhundra”, sa jag.

”Jag blir dyrare och dyrare”, sa Grim.

Vi var olika när det gällde många saker, men det innebar snarare att vi kompletterade varandra än något annat. Numera tänkte vi ibland samma saker, sa samma ord. Vi hade börjat använda varandras uttryck. Omedvetet hade jag börjat köpa kläder som påminde om hans, och han ägde flera plagg som skulle ha kunnat vara tagna ur min egen garderob.

Jag antog att det här var förändringar som uppstår nästan automatiskt när två personer tillbringar mycket tid ihop, förstår varandra och delar mycket, men kanske fanns det också ett djupare band mellan oss. Jag var den ende som kände till Grims verksamhet med falska id-kort. Utom hans kunder, givetvis, men till majoriteten av dem sa han dessutom att han endast var en budbärare. Få personer skulle tro på att en sjuttonåring besatt de färdigheter han gjorde, hävdade han. Förmodligen hade han rätt. Det skulle leda till misstro och misstro var dåligt för verksamheten.

Jag var tillbaka i Salem, där högsommaren hade gett plats åt ett svalare slut på sommaren. Det var lovets sista tid och efter den skulle Julia börja på Rönningegymnasiet, där jag och Grim redan gick. Vi skulle gå i samma korridorer, kanske träffas på rasterna.

Dagen efter att jag återvänt ringde telefonen. Det var pappa som svarade och han knackade på min dörr, leende.

”Till dig. Julia.”

Jag knuffade ut pappa och stängde dörren.

”Hallå?” sa jag.

”Hej.”

”Hej.”

Jag hade saknat hennes röst.

”Hur är det?” frågade jag.

”Bra.” Hon harklade sig. ”Jag är ensam hemma idag.”

”Är du?”

”John är iväg. Mamma och pappa är hos morfar.”

Grim och Julias morfar bodde på ett äldreboende utanför Skarpnäck. Det var ett väntrum till döden, men i väntan på livet efter detta tillbringade man en kväll i månaden med att ha en gemensam middag för de äldre och deras familjer. Julia hade varit med en gång och sagt att det var en svåruthärdlig tillställning, en uppfattning som delats av både Grim och Klas. Den enda som hade varit road av middagen var tydligen Diana, som verkat särskilt angelägen om att göra stunden kring matbordet så obekväm som möjligt.

”Vill du komma över?” frågade hon.

”Ja.”

När jag gick ut den dagen var det med en känsla av att något avgörande skulle inträffa. Det kunde inte fortsätta så här. Dörren till Grimbergs lägenhet var olåst och jag klev in i hallen.

”Julia?”

”Kom in.”

Hon satt på sängkanten i sitt rum och tittade upp.

”Du har gjort nåt med håret”, sa jag.

”Jag har lockat det.” Hon tvekade. ”Tycker du inte om det?”

”Jag ...”

”Nej, förresten, säg inget. För det borde inte spela nån roll. Fattar du? Det borde inte spela nån roll vad min dumma brorsas dumma jävla kompis tycker om mitt hår. Det spelar ingen roll. Så säg inget.”

Jag satte mig på sängkanten och sa:

”Fint.”

”Va?”

”Jag tycker att det är fint.”

Julia suckade, tungt. Hennes rum var i oordning. Det verkade inte ha blivit städat sedan senast jag var där.

”Det här var bara på lek”, sa hon. ”För mig, i alla fall.” Hon undvek att se på mig. ”En grej jag drogs till, kanske för att det är förbjudet. Min brors bästa kompis, liksom. Det är ju sånt man bara ser i dåliga komedier.” Hon skrattade till, men det fanns ingen glädje i skrattet. ”Jag kanske alltid har dragits till såna här grejer. Alltså, saker som är tveksamma på ett moraliskt plan. Som det där med jackan och marijuanan, som jag berättade om. Den jag stal på skolan?”

Jag nickade. Jag mindes.

”Jag har inte tänkt på det förrän nu, under veckan som du har varit borta, men kanske är det mitt fel. Meningen var aldrig att det skulle bli allvar.”

”Men det blev det?” frågade jag, osäker på hur jag borde känna mig.

”Jag tror det.”

Sedan kysste hon mig, våldsamt, innan hon sträckte sig efter fjärrkontrollen till sin stereo och tryckte igång den.

”Julia, vi borde prata. Vi borde prata mer.”

Julia höjde volymen. Det tog ett par sekunder innan jag hörde att det var ”Dancing Barefoot”, och det visste jag bara därför att Julia någon gång – jag mindes inte längre när – hade sagt att det var en av hennes favoritlåtar.

Volymen gjorde det svårt att urskilja ord och ljud och musiken blev bara till en pulserande ljudvägg som, tyckte jag just då, slog i takt med mitt hjärta. Hennes halsband dinglade ovanför mitt ansikte och i ett märkligt ögonblick lyfte jag på huvudet och kysste hennes hals, tog smycket i munnen och kände hur kallt det var mot min tunga. Jag blundade.

Någonting fick Julia att stanna upp. Jag öppnade ögonen och hon sträckte ut sin hand mot fjärrkontrollen och allting blev väldigt tyst. Låsvredet klickade till och någon öppnade lägenhetsdörren.

”Det är John”, viskade Julia i mitt öra och klev hastigt av mig, fick sängen att knaka till under oss. ”Ligg still.”

När hon reste sig såg hon irriterad ut. Hon drog på sig ett par jeansshorts och öppnade fönstret.

Jag låg kvar i sängen, osäker på vad jag skulle göra. En blinkning innan det knackade på dörren drog hon täcket över huvudet på mig och viskade:

”Rör dig inte.”

”Är du hemma?” hörde jag Grims förvånade röst när han öppnade.

”Har inte du också sommarlov, eller?” frågade Julia.

”Jo, men ...”

Jag undrade vad hans blick var riktad på.

”Är allt okej?” sa han.

”Ja?”

Jag var ganska säker på att jag hörde honom sniffa efter någonting i luften.

”Du borde städa. Och bädda din säng.”

”Ja, pappa.”

Han försvann från dörren och Julia stängde den, satte sig på sängen med en djup suck.

”Fan”, viskade hon och jag drog försiktigt bort täcket från mitt huvud. ”Det var nära.”

”Ja.”

”Sch.”

”Jag viskar ju.”

”Du viskar högt.”

”Hur kan ma...”

”Sch.”

Utanför fönstret hördes två, tre, fyra smällar. Ljudet av knallpulver. En svag vind svepte in i rummet, fick gardinen i rummet att fladdra till. Det var eftermiddag och den här sommaren hade vuxit sig onaturligt lång. Julia vände sig om och såg på mig. Hon hade handen om sitt smycke, drog lite i det från sida till sida i sin lilla kedja.

”Det här går inte längre”, viskade hon och jag insåg att hon hade rätt.

”Jag tar en dusch”, hördes Grims röst utanför hennes dörr en liten stund senare. ”Vad håller du på med?”

”Låt mig vara ifred”, försökte Julia.

”Är du ensam därinne?”

”Det är väl klart att jag är.”

Han stod kvar därute, det hörde jag, men han sa inget mer. Julia såg på sina händer och jag insåg att jag höll andan. Snart öppnades och stängdes en dörr och Julia nickade åt mig.

”Han är i badrummet nu, ut härifrån.”

Jag öppnade munnen för att säga något men visste inte vad och Julia sänkte blicken och jag förstod att det inte var någon idé att försöka komma på något att säga, så jag reste mig försiktigt och gick ut ur hennes rum. Bakom badrumsdörren hörde jag Grim, som vred på vattnet.

XVII

Morgonen gryr och staden vaknar. Jag står på balkongen och ser avspärrningsbanden tas bort av en ung polisassistent. Han verkar ta uppgiften som delegerats honom på stort allvar och virar noggrant det blåvita bandet runt sin hand. Det svider bakom ögonen och en plötslig hunger faller över mig och jag går in, äter någon sorts smörgås gjord på rester av kött och grönsaker medan jag stirrar på en osynlig punkt någonstans framför mig.

Förfalskare. Det är egentligen fel ord men inom polisen kallas de ändå det eftersom de allra flesta börjar precis som Grim en gång gjorde, med att förfalska obetydliga id-kort åt sextonåringar som vill kunna komma in på krogar och klubbar. Förfalskare existerar, alla vet det. Deras uppgift är svår och de som inte håller måttet försvinner, på ett eller annat sätt. Men de finns, och de få som gör det har stora resurser eftersom deras tjänst är så dyr. I den här staden kan allting köpas för pengar och i en tid då det är omöjligt att försvinna är det få saker som är mer värdefulla än en ny identitet.

Eftersom John Grimberg sedan tio år tillbaka inte finns registrerad i något aktuellt register men lever och verkar livnära sig på att ge människor nya identiteter, innebär det nog att också han själv har en andra identitet. Kanske har han till och med fler än så. Jo, sannolikt har han det, slår jag fast. Den ursprungliga använder han sig bevisligen inte av, och det verkar olikt Grim att begränsa sig till en alternativ identitet.

Min telefon ringer. Det är Levins nummer.

”Hallå?”

”Leo. God morgon.”

”God morgon.”

”Jag har förstått att du söker en John Grimberg.”

”Hur vet du det?”

”Min sekreterare sa det.”

”Åh.” Jag hade glömt det. ”Ja, det stämmer.”

”Jag vet inte mycket”, säger Levin, ”men jag ska berätta det jag vet.”

”Kan vi träffas?”

”Det var det mitt samtal gällde. Om du skyndar dig. Jag är snart på väg härifrån.”

Utanför porten till Chapmansgatan slår något ljust mig i ansiktet och jag bländas tillfälligt. Ljuden omkring mig, sorlet av röster, kommer från journalister. En svart TV4-mikrofon knuffas upp under min haka och jag blinkar igen och igen för att få bort de vita prickarna som sveper över mitt synfält.

”Polisen har dig som potentiell misstänkt för mordet på Rebecca Salomonsson, har du någon kommentar till det?”

”Du var hemma när hon dog, eller hur?”

”Är det här en hämndaktion för din avstängning?”

Frågorna faller smattrande. Jag ser efter den unge polisassistenten för hjälp, men han verkar lämpligt nog ha huvudet vänt åt ett annat håll, märkligt intresserad av avspärrningsbandet. Den sista frågan fångar min uppmärksamhet och jag söker efter ansiktet den kommit ifrån.

”Jag känner igen dig”, säger jag.

”Annika Ljungmark, Expressen. Vad har du att säga om uppgifterna?”

”Jag har inte gjort något.”

Frågorna börjar på nytt men de blir till ett ordlöst sorl och pulsen stiger och jag gör det enda man absolut inte borde göra: jag tränger mig ut mellan två av reportrarna och börjar springa.

De följer efter en bit men med sina kameror, väskor och små diktafoner i händerna ger de snart upp. Jag tar mig upp till Hantverkargatan, andfådd, och ner i tunnelbanans mörker.

Jag står utanför Köpmangatan 8 i Gamla stan. Inga reportrar. Det är fortfarande tidig morgon.

Det surrar till i den tunga porten och jag trycker upp den, tar mig in i det svala trapphuset och först då märker jag hur varm jag är. Jag kan ha feber. Jag tror att jag har det. I hissen börjar allting snurra och jag mår illa och viker mig dubbel, övertygad om att jag kommer att kräkas upp frukosten. Ingenting händer, jag står bara där och flämtar och hissdörren öppnas och väntar på att jag ska stiga ut. Något är fel på mig.

”Leo”, säger Levin och bakom de små glasögonen blir hans ögon stora och runda när han ser mig stå utanför dörren. ”Hur är det fatt?”

Han tar mig i armen för jag ser tydligen ut att behöva det, och antagligen gör jag det för jag vacklar till innanför dörren och måste stödja mig mot klädhängaren medan jag försöker kliva ur mina skor.

”Det är okej. Hissen gjorde mig yr.”

Jag får av mig skorna och viftar bort Levins hand. Han ber mig sätta mig i köket och jag går in, sjunker ihop på en av stolarna som står kring det runda lilla bordet. Stolen knakar men är märkbart bekväm och med ens känner jag mig redo att somna. Levin tar ut ett glas ur köksskåpet, tar fram ett rör med en märkning jag inte känner igen, skakar ut en brustablett och släpper den i glaset, fyller det med vatten. Det börjar fräsa och susa på ett angenämt sätt.

”Jag har inte sovit så mycket”, mumlar jag och stirrar på glaset. ”Vad är det?”

”Mot tröttheten.”

”Men vad är det?” envisas jag.

”Som tjugo koppar kaffe. Militären använder dem. Jag fick dem av en god vän, som är major. Jag har aldrig tagit någon själv.”

Jag drar till mig glaset. Levin rättar till glasögonen och ser på det.

”Drick.”

Jag tar en klunk av det och det är strävare än jag trodde, som läsk med en alldeles för hög andel kolsyra. Det bränner i gommen, tungan, på tänderna, överallt.

”Smakar det bra?” frågar Levin och det rycker lätt i hans ena mungipa.

”Inte direkt.”

”John Grimberg”, säger Levin. ”Hur kommer det sig, om jag får fråga, att du letar efter honom?”

Jag tar ett djupt andetag och samtidigt avtar obehaget i min mun och en lenhet sprider sig inom mig. Den är subtil, men tydlig. En värme bildas i magen och rör sig upp i bröstet, ut i mina fingertoppar. Min blick känns mer fokuserad, mina rörelser mer exakta. Vad det än är Levin har gett mig, måste jag se till att skaffa ett eget rör.

"Nå?" säger Levin.

Jag berättar om Julia och hennes död, men inte allt. Det klarar jag inte av. Jag berättar på nytt om Rebecca Salomonsson, om halsbandet hon hade i sin hand. Om hur Grim besökte Sam en gång. För varje ord som faller ur min mun blir jag än mer sårbar. Levins blick glider från mig till glaset i min hand, till någonting utanför fönstret, mönstret i köksbordets träskiva, tiden på hans armbandsur. Han verkar bestämma sig för att vrida tillbaka klockan någon minut och ser på sina händer. Han skulle kunna vara uttråkad, men i själva verket lyssnar han uppmärksamt. Jag dricker mer ur glaset och oroskänslan dämpas, men finns kvar.

"Så", säger jag, till slut. "Därför behöver jag veta vad du vet."

"Jag förstår", säger Levin. "Jag är rädd att du behöver göra mig sällskap till Kungsholmsgatan."

I ett ögonblick är jag övertygad om att jag begått ett grovt misstag.

"Nej, nej", tillägger han fort. "Inte så. Inte av den anledningen. Men jag är sen. Min taxi väntar nere vid Slottsbacken. Jag får berätta på vägen."

Jag ser på glaset.

"Vad är det här, egentligen?"

"Om jag inte missminner mig är det amfetamin."

Jag stirrar på honom.

"Du har gjort mig hög."

"Bara lite." Han reser sig. "Kom nu."

XVIII

Levin rör sig intill mig ner mot Slottsbacken, rangligt lång i dystert grå kavaj och svarta jeans och den kala skallen blek och rund. En vind kommer någonstans ifrån och i ett gathörn, halvt dold bakom en container, sitter någon – kanske en hemlös, men kanske inte – och skramlar med en myntburk i ena handen och en mobiltelefon i den andra.

”Señor, please.”

Levin skakar på huvudet åt honom och jag höjer handen, avvärjande och utan att stanna.

”Vilken jävla stad”, muttrar Levin.

”De finns i mindre städer också.”

”Inte som här.”

Taxin står och väntar med motorn på tomgång. Bakom den reser sig det kungliga slottet. En pojke står intill sina turistande föräldrar och stirrar uttryckslöst på det. Slottet stirrar tillbaka, lika uttryckslöst. Vi säger inget på en stund och Levin ser med ens tyngd ut, med blicken på något utanför rutan.

”Jag arbetade extra en tid”, säger han sedan, medan taxin långsamt vänder ner på Myntgatan, mot Vasabron.

På avstånd vilar riksdagshuset och stadshuset sträcker på

sig, med de tre kronorna som blekgula skimmerfläckar mot den vita himlen någonstans däruppe.

”De ville att jag skulle vara en del av rekryteringsenheten. Åka ut på skolor och informera om vad det innebar att söka till polis, vilka krav som ställdes, och så vidare. Ett ganska trevligt uppdrag, som omväxling. Så jag tog det, gjorde det när arbetsbördan var låg. Lite senare tillfrågades jag om uppgiften att besöka barn och unga på ungdomshem, inte direkt för att rekrytera dem utan snarare för att informera och visa en annan sida av myndigheten än den de vanligen kom i kontakt med. Det var ett ganska otacksamt arbete, men vem kunde klandra dem för att ha något emot polisen? Majoriteten av kåren har ju något emot de unga, en förvånansvärt stor andel av kåren tillbringar dessutom större delen av sin arbetstid med att jaga dem för deras småstölder och skadegörelser som om de vore häxor. Varför skulle inte de unga också ha något emot polisen?”

”Jag kommer från Salem”, säger jag. ”Jag vet hur det är.”

”Såklart”, säger Levin. ”Givetvis. I alla fall, en höst, jag tror att det var för elva eller tolv år sedan, besökte jag Jumkils ungdomshem. Det berömda stället där bland annat en grabb försökte ha ihjäl en annan genom att välta ett stort torkskåp över honom. Vis av tidigare erfarenheter hade personalen sett till att fästa skåpet i väggen, så försöket blev inte mer än så. Men ändå. Händelsen hade inträffat under upploppsliknande former bara någon vecka innan jag skulle göra mitt besök där, så du förstår, till och med jag kände mig lätt olustig inför det hela. Det var inte det att jag var rädd, men jag misstänkte att de skulle uppfatta det som ett hot eller ett hån. Det skulle jag ha gjort, om jag varit i deras situation. Jag försökte få besöket flyttat till ett senare datum, men Benny, du vet den gamle polismästaren Skacke, vägrade. Han sa att det var nu, om någonsin, som vi behövde visa oss där. Kanske hade han rätt, jag vet inte. Så jag hade inte direkt något val. Jag åkte dit."

Taxin svänger ut på Vasabron, där trafiken är tätare än förut. Det är ännu så tidigt att jag kan se diset stiga kring Centralstationens tunga, vita kropp. Värmen från den märkliga drycken dröjer sig kvar i mig och jag känner mig pigg, alert. Jag tänker på tiden Levin berättar om. Grim måste ha varit runt tjugo då.

"Jag höll först någon sorts introduktion och presentation i en av salarna där, och efter den följde jag med dem under deras dagliga verksamhet i ett par timmar. Den delen, att följa med, var inte planerad och jag tror inte att Skacke skulle ha uppskattat det om han fått veta, men föreståndaren för Jumkil erbjöd mig, och jag kände att det var det minsta jag kunde göra för att i alla fall minska avståndet mellan mig och ungdomarna. Så jag gjorde det, och såg också till att vara tillgänglig ifall någon ville prata. Det fanns fientlighet där, det gjorde det, men inte i den utsträckning jag hade befarat. Flera av dem verkade intresserade av polisyrket. En av dem som inte sa någonting till mig, vare sig under presentationen eller senare, var John Grimberg. Han satt längst bak under presentationen, och höll sig ganska mycket för sig själv senare under dagen. Jag lade märke till honom, men tänkte inte så mycket mer på det. Före lunchen hade jag ett kort möte med institutionschefen, Per Westin, på hans kontor i huvudbyggnaden. Vi skulle ha haft det redan på morgonen, men det hade inte hunnits med. De höll på med efterarbetet från upploppet. Vi satt där och pratade en stund och Westin berättade om problemen på Jumkil, om klienterna – det var så han benämnde dem – och brotten de begick därinne. Han var givetvis orolig över antalet misshandelsfall, antalet hot och stölder. Ingen visste med säkerhet hur mycket skit som pågick där, men det som kom till personalens kännedom var garanterat bara, som det heter, toppen av ett isberg."

Taxin stannar till vid Vasabrons slut och jag betraktar Rosenbadkvarteret och Fredsgatan som löper iväg till höger, fönstren som är upplysta i de stumma byggnaderna. Jag minns att jag en gång jagat en man där, som misstänktes ha rånat Forex. Det hade han inte. Rånaren hade varit hans femtonårige son. Mannen jag jagade hade bara försett sonen med vapen.

"På Westins skrivbord låg en liten låda", fortsätter Levin. "Jag kikade ner i den och såg att den innehöll en samling identitetshandlingar. 'Vad är det här?' frågade jag. 'Saker vi beslagtagit', sa han. 'Jaha', sa jag, 'från vem då?' Och så tog jag lådan, ögnade igenom innehållet. 'John Grimberg', sa Westin. Enligt Westin hävdade Grimberg att han inte tänkte göra något med dem, att han tillverkat dem för tidsfördrivets och övningens skull. De var ..." Levin tystnar. "De var enastående. Verkligen enastående. Det var inte bara identitetshandlingar, utan olika former av fakturor, intyg och begäran om understöd från Försäkringskassan, skisser över hur Skatteverkets arbetsgång fungerar vid registrering och avregistrering av medborgare, listor över de register som alla automatiskt matas in i när vi föds, listor över andra register och under vilka omständigheter man hamnar i dem. Han hade till och med kopior av faktiska FU-handlingar där han hade gjort svårtydda anteckningar i marginalen, kanske för att avgöra vilka uppgifter som kom ifrån yttre span och vilka som kom från inre. Internet upptog en stor del av anteckningarna, det var ju ganska nytt då, kom ihåg det. Han insåg faran i det, det märktes tydligt. Han verkade ha försökt avgöra vilka uppgifter som går att få tag på, och på hur många olika ställen. Och jag lovar dig, Leo, att döma av det jag såg hade han redan nästan tillräckligt med färdigheter för att kunna få anställning på bedrägeriroteln. Jag frågade Westin om Grimberg även gjort sig skyldig till annat under sin tid på Jumkil. 'Inget alls', svarade han. Det här var allt. Jag kunde inte låta bli att le, vilket jag skäms lite över nu i efterhand. Men jag sa till honom att de där strulputtarna som slog varandra eller stal cd-spelare behövde han inte oroa sig över. De allra flesta kommer att ha hederliga arbeten och förmodligen också vara föräldrar innan de fyller trettio. Det är såna som John Grimberg de borde vara försiktiga med. Westin såg givetvis ut som ett frågetecken och begrep inte vad jag yrade om. Vilket var förståeligt, antar jag, även om det är just den här sortens inställning som gjort att det gång efter gång inträffat händelser som skulle ha kunnat förhindras."

Taxin vrider upp på Hantverkargatan, förbi de gator där jag för bara en timme sedan lyckats undkomma reportrarna som väntat utanför min dörr. Jag söker efter dem, förväntar mig att de ska stå kvar i gathörnen, men det enda som syns är morgontrötta stockholmare som står vid övergångsställena med blickarna fästa mot rödljusen, mot marken, mot osynliga punkter någonstans i luften strax framför dem. De första caféerna öppnar. Larmet från staden stiger långsamt.

"Jag frågade om det fanns möjlighet att få träffa John och tala med honom i enrum. Westin såg lite konfunderad ut, men nickade och bad mig följa med till hans rum. Den långa korridoren av stängda dörrar påminde oroväckande mycket om en anstalt, och när Westin låste upp och öppnade dörren var John inte där. Han bad mig gå in och vänta, och jag frågade om det verkligen var okej för vem som helst att gå in i någons rum bara sådär, utan klientens – jag använde det ordet – vetskap. 'Självklart', sa Westin igen." Levin skakar på huvudet. "Det finns ingen respekt för integritet på de där hemmen. Jag tror att det är ännu värre nu, jag har hört att vissa rum till och med har installerade övervakningskameror. Jag gick hur som helst in och satte mig på en stol vid skrivbordet, med ryggen mot det, medan Westin hämtade John."

"Hur var hans rum?" frågar jag.

"Spartanskt. Jämfört med en ung mans vanliga rum är varje rum på ett sånt hem spartanskt, men till och med jämfört med de andra rummen där kändes Johns ovanligt enkelt. Han hade lite kläder. Sängen var obäddad, trots att det var emot reglerna. Mitt intresse drogs mot skrivbordet, men det kändes för privat att studera det utan att John var där. I ögonvrån såg jag att det låg en del saker där, men jag antog att inget av det var av egentligt värde vare sig för John eller någon som jag. Han var för smart för det. Om han fortfarande höll på med någonting, hade han gömt undan det. Lådan med grejer Westin visat mig förut hade de hittat i en ihålighet bakom garderoben. Av en slump, hävdade han, och jag var ganska säker på att det var sant. John satt LSU:ad på Jumkil för grov misshandel, men det var bara huvudbrottet. Bibrotten i samma lagföring rörde olaga hot, brott mot knivlagen, urkundsförfalskning och försök till grovt bedrägeri. Om jag förstod saken rätt hade han försökt sälja identitetshandlingar till någon. Handgemäng hade uppstått och John hade hotat köparen med kniv. Det hade varit en enkel dom, mängder med teknisk bevisning och ett flertal vittnen. Som jag förstod det bodde han inte längre i Salem. Hans syster Julia, som du nämnde, hade dött några år tidigare och även om det funnits problem i familjen tidigare, hade hennes död tydligen slitit isär familjen totalt. Han var folkbokförd som inneboende hos någon i Hagsätra. Det var också där, på gatan utanför huset, brottet hade begåtts."

Han tystnar en kort stund, medan taxin stannar till vid korsningen Bergsgatan och Polhemsgatan. Den stora Kronobergsparken är väldigt, väldigt grön men jag tror att drycken jag fått i mig hemma hos Levin har gjort alla färger onaturligt starka. Allting har ett skimmer över sig och får världen att kännas som en något mer hoppfull plats.

"John kom in i rummet, ledsagad av någon av hemmets assistenter. Han blev förvånad när han såg att det var jag, det märktes tydligt, men lika fort återfick han fattningen och nickade bara svagt åt mig. 'Är det okej om jag sitter här?' frågade jag. 'Ja, visst', sa han och satte sig på sängkanten, som om han var beredd att hastigt resa sig igen. Han var spänd och osäker. 'Hur länge har du varit här?' frågade jag och John svarade att han inte visste. 'Tiden flyter ihop härinne', sa han. Men han trodde att det var drygt ett och ett halvt år. I själva verket hade han suttit i exakt ett och ett halvt år då jag kom dit, nästan på dagen. Han hade betydligt bättre koll än han ville ge sken av. Bara det är lite anmärkningsvärt, med majoriteten av kriminella i hans ålder är det ju tvärtom. De vill få oss att tro att de är smartare, mer medvetna än de faktiskt är. Jag frågade vad han satt för, och han frågade om jag inte redan visste det. 'Jo', sa jag, 'jag beklagar, det var en dum fråga.' Istället tog jag upp polislegitimationen och höll upp den framför honom. 'Har du sett en i verkligheten, på nära håll?' frågade jag. 'Bara polisassistenters', svarade han. 'Aldrig en kommissaries.' Han tog den ifrån mig och granskade den noggrant. Baksidan, kanterna, mönstret i plasten, det lilla chipet. Höll upp den mot ljuset. Han visste exakt var han skulle leta i kortet för att finna de viktiga detaljerna. 'Du skulle kunna göra en sån här, eller hur?' frågade jag. 'Polislegitimationer är svåra', svarade han. 'De har ett annat mönster. Och chipet blir bara en värdelös liten plastbit. Det går inte att lagra den nödvändiga informationen på den.' 'Hur har du lärt dig det här?' 'Jag har övat', svarade han bara. 'Och vad tänker du göra med dina färdigheter?' 'Vem vet', sa han."

Taxin har stannat utanför entrén på Kungsholmsgatan.

"Ursäkta", säger taxiföraren och söker efter Levins blick i backspegeln. "Framme."

"Hm?" säger Levin och ser upp.

"Vi är framme", säger jag.

"Ah."

Levin öppnar dörren och kliver ut medan föraren matar ut kvittot och ger det till mig, som ger det till Levin, som tittar på det med outgrundlig blick.

"Just det. Tack." Han tar ett par steg uppför trappan och sätter sig på ett av stegen, kliar sig på den blanka skallen och rättar till glasögonen, som glidit ner en bit längs näsryggen. "John visste mycket väl vad han tänkte göra med sina färdigheter. Det märktes tydligt. Jag frågade honom varifrån han hade fått FU-handlingarna. Det kunde vara en läcka, tänkte jag, och visst fan var det så. Men vem läckan var fick jag aldrig veta. Han sa ingenting, givetvis. 'Är du intresserad av polisarbete?' frågade jag istället. 'Ja', sa han. 'Du har aldrig funderat på att bli polis?' Det här var första gången han visade något slags känsla. Min fråga fick honom att skratta. Jag ignorerade det och sa att med hans bakgrund, framförallt hans brottsregister, skulle det visserligen krävas ordentliga prov och tester och jag skulle behöva dra i alla möjliga trådar ute i Solna, men det var långt ifrån en omöjlighet. 'Skulle du vara beredd att göra det?' frågade han. Jag sa att det jag sett i Westins låda var tecken på skicklighet. Som jag sa, han skulle i stort sett redan platsa på bedrägeriroteln. Tyvärr behöver man gå den traditionella vägen men folk har klättrat väldigt fort. Inom sex, sju år skulle han med vidareutbildning kunna arbeta med det han redan gjorde. Jag erbjöd honom till och med att parallellt med utbildningen få möjlighet att hålla sig uppdaterad på området han var intresserad av. Åren kring millennieskiftet hände det ju så otroligt mycket med Sveriges register och allt som hade med människors identitetshandlingar att göra och det var viktigt att han hängde med i utvecklingen."

En av de anställda i NOVA-gruppen, sektionen inom Stockholmspolisen som arbetar med grov organiserad brottslighet, stiger ur en svart bil med tonade rutor och går uppför trappan, förbi oss. Han nickar åt Levin och ser frågande på mig, men utan att säga något.

"Trodde jag att jag hade en chans? tänker du. Ja, det trodde jag, för det hade jag, jag kunde se det på John. Han övervägde det. Han skulle komma ut precis när ansökningstidens slut närmade sig. Han skulle ha tid att förbereda och skicka in ansökan. 'Men', tillade jag, 'se till att ansökan och alla uppgifter är äkta.' Det fick honom också att skratta. Såna som John Grimberg ... jag hade träffat ett fåtal före honom, någon enstaka efteråt. Fem, sex personer under mina fyrtio år som polis. Och anledningen till att jag försökte få honom till polisen var egentligen tudelad. Det är alltid synd när en talang används i fel syfte. Som kriminell var risken stor att han inte skulle bli långvarig, det är den sortens värld. Jag ville ge honom en andra chans. Det har alltid varit min svaghet, och styrka, tror jag, som polis. Men anledningen var också rent brottspreventiv. En sån som John skulle kunna åstadkomma stor skada, och kräva stora polisiära resurser."

"Sa du det till honom?"

"Den första anledningen. Inte den andra."

"Hur reagerade han?"

"Inte alls. Han sa ingenting. Det var dags för mig att gå och jag gav honom mitt kort, bad honom ringa när han hade bestämt sig. Han ringde aldrig."

Ett äldre par passerar på andra sidan gatan och Levin följer dem med blicken. De ser trötta men trofasta, nästan lyckliga ut.

"Något år senare", fortsätter han, "dök han upp i en utredning. Ett bankrån hade misslyckats. Problemet var att gärningsmännen var maskerade, så vi visste inte vilka de var. Men vi hade våra vanliga misstänkta, givetvis, och satte span på dem. En av killarna syntes tillsammans med någon som spanaren inte kände igen. Jag fick se bilden och, mycket riktigt, det var John Grimberg. Kort därefter försvann vår misstänkte, gick upp i rök. John förhördes men det resulterade inte i någonting. Han gick fri och efter det hörde jag aldrig talas om Grimberg förrän Alice nämnde att du frågat om honom."

"Han bytte identitet", säger jag. "Sedan tio år finns han bara i Obefintlighetsregistret."

"Hm", säger Levin.

"Du låter inte förvånad."

”Nej”, säger han. ”Det är något med vissa människor, som om de redan börjat försvinna framför en. Som om de ständigt spelar en roll, bär en mask, inte bara inför andra men också för sig själva. Att vara identitetslös på det sättet gör något med en människa. Det är farligt, givetvis, men den som förändrar sig själv så drastiskt gör det ofta för att skydda sig ifrån något som kanske är ännu farligare. Vad det var i fallet med John Grimberg vet jag inte, när det gäller den saken vet du säkert mer än jag. I sig är rollspelet inget märkvärdigt, utan en fråga om övning och kompetens, en förmåga de flesta av oss kan träna oss till. Det är en del av det här jobbet, till och med, både för dig och för mig. Men till skillnad från oss, till skillnad från polisen som ibland utger sig för att vara någon annan eller den tillfällige bedragaren som visar upp ett falskt id-kort, och kan återgå till sitt vanliga jag efteråt, har såna som John Grimberg inte den möjligheten, och vill heller inte ha den. Det är något med den tomheten en människa kan se till att skaffa sig som gör mig illa till mods. Så här, retrospektivt, önskar jag att jag kunde säga att jag var säker på min sak redan då, men det var jag inte. Det var inte mer än en aning, ett ögonblick av insikt om hur det riskerade att falla ut för honom. Och det ögonblicket kom då, när det var som om han mitt under vårt samtal nästan började bli som transparent för mig. Det fanns ingenting bakom ansiktsuttrycken eller blicken, bara andra ansiktsuttryck och andra blickar, ingen mer falsk eller äkta än den andra.” Levin tystnar och sitter så en stund, innan han skakar på huvudet, reser sig och borstar av sina byxor med ena handflatan. ”Beklagar detta mumlande, Leo”, säger han, till synes generad. ”Jag börjar bli gammal.”

”Såg du någonting i lådan på Westins rum som skulle kunna ge någon fingervisning om var ... eller vem han är idag?”

Levin skakar på huvudet.

”Jag är osäker, mitt minne sviker, Leo. Men jag tvivlar på det.”

”Ingen namnteckning, inga initialer, ingenting?”

”Ingenting. Såvitt jag minns.” Han harklar sig. ”Jag minns hans språk.”

”Hans språk?”

”Jag minns att han formulerade sig mycket väl. Det är ovanligt bland unga i förorten.” Han blinkar till. ”Jo, just det. En sak till minns jag, men den har kanske inte med John Grimberg att göra. Bankrånet jag nämnde, det som misslyckades, där han dök upp i utredningen.”

”Ja?”

”Utredarna misstänkte att rånet var kopplat till knark, som det mesta är i den här staden. Orsaken till rånet skulle ha varit att ett eller ett par kilo heroin hade försvunnit och att de som blivit bestulna på det behövde betala skulden till sin leverantör. De var väl desperata, vilket kanske inte är så konstigt. När desperata människor behöver komma över mycket pengar på kort tid resulterar det ofta i rån. Heroinet hittades senare hemma hos en kvinna, jag har för mig att hon hette Anja. Hon såg inte mycket ut för världen, som det brukar heta, men hon hade flinka fingrar och hade kontakt med en av dem som dömdes för rånet. Det var så de hittade henne, via deras kontaktnät. Anja hade på något sätt lyckats ta partiet för att använda delar av det själv och sälja resten, hoppa upp ett par steg i hierarkin. Hon greps för grovt narkotikabrott och dömdes till fängelse, jag minns inte om det var två eller tre år hon skulle avtjäna på Hinsan.”

”När var det här? Du sa ’något år senare’ förut.”

”Åh”, säger Levin. ”Det måste ha varit ... kanske 2002 eller

2003, jag minns faktiskt inte. Hur som helst, i anslutning till det så misstänkte utredarna att hon hade någon mer, kanske inte en medbrottsling i just det här fallet men någon som stod henne nära och som befann sig i samma värld. För Anja hade ingen annan, hennes föräldrar var döda och någon egen familj hade hon inte. Och när de gick igenom hennes mobiltelefon, som var stulen, givetvis, hittade de ett nummer de inte kunde spåra."

"Du misstänker att det var han."

"Det stämmer. I Anjas mapp hade någon gjort en lista över kända kontakter och i den stod det 'JG?'. Det fanns många relevanta personer med de initialerna på den tiden, både män och kvinnor. Johan Granberg, Juno Gomez, Jannicke Gretchen. Men jag hade en känsla av att det kunde vara han."

"Vad gav dig den känslan?"

"Det har jag svårt att svara på. Intuition, kanske."

"Var finns hon idag?"

"På Skogskyrkogården." Levin sänker blicken. "Hon hängde sig i sin cell på Hinsan. Det stod om det i tidningarna."

"Jag började inte läsa tidningar förrän jag fyllde trettio."

Det här får Levin att skratta till. Sedan ser han på mig.

"Du borde berätta det här, allt, för Gabriel."

"Birck?"

"Ja."

"Kanske det."

"Leo." Levin ser sammanbiten ut. "Du kan vara i fara. På mer än ett sätt."

"Ja, kanske."

Levin höjer blicken och studerar en reklamaffisch som sitter på en av husväggarna: OROAR DU DIG FÖR VAD DIN HUND GÖR? HÅLL KOLL PÅ HUNDEN I MOBILEN!

”Hålla koll”, säger Levin tankfullt. ”Inte konstigt att folk vill försvinna. Inte konstigt att folk i ett samhälle som vårt hatar poliser, inte litar på oss. Tiotusen eller tjugotusen poliser kommer inte att ha någon betydelse. Det är fel jobb, i fel tid. I fel system, i fel del av världen.” Han andas ut, tungt. ”Så hans syster dog ung”, säger han med lägre röst. ”Ni kände varandra, hon och du?”

”Ja. Han trodde att hon dog på grund av mig.”

”Gjorde hon det?” frågar Levin, till synes oberörd och bara professionellt intresserad av svaret.

XIX

Någon gång mot slutet av sommarlovet sprayades en av portarna i Salems centrum ner med svart sprayfärg. JÄVLA BLATTAR ÅK HEM löd texten, skriven i spretiga och ojämna versaler och omringad av hakkors. Dagen därpå misshandlades en känd skinnskalle grovt i närheten av Rönningegymnasiet. Ingen av de två gärningsmännen var svenskar. Jag visste det, eftersom det var så det fungerade. Händelsen nådde media men tonade bort ganska fort. Det fanns inget som talade för att skinnskallen som blivit misshandlad också var skyldig till texten på porten, men det hade mindre betydelse. Tre dagar senare sparkades en kille svårt i ansiktet. Han hette Mikael Persson, var född i Sverige men hade en pappa som var från Egypten. Ytterligare några dagar senare misshandlades ännu en skinnskalle i närheten av vattentornet i Salem. Offret hade rakat huvud, jeansjacka och militärgröna byxor, och var medlem i Ung Vänster och flera antirasistiska organisationer. Det visste inte gärningsmännen. De trodde att han var nazist, för han såg ut som en.

Händelserna färgade sommarens slut, men mig berörde de inte mer än i förbigående. Jag och Julia bröt med varandra efter den gången då Grim kommit hem medan vi låg i hennes säng. Det var ingenting vi diskuterade och sedan beslutade oss för. Avslutet bara utkristalliserade sig självt, outtalat men ändå definitivt.

Jag drog mig inledningsvis även undan Grim, eftersom bara tanken på honom fick mig att tänka på Julia, som gjorde mig förkrossad. Jag hade aldrig upplevt en sådan smärta förut, och under fyra dagar pratade jag inte med någon, inte ens mina föräldrar. De blev oroliga och tog hem min bror, som bara gjorde allting värre. På den femte dagen insåg jag att jag inte kunde hantera det här själv. Jag behövde ha någon, och den enda jag kunde tänka mig var Grim. Honom kunde jag inte berätta för, men han kunde distrahera mig. När jag ringde honom lät han orolig.

”Jag har försökt få tag på dig”, sa han. ”Varför svarar du inte? Har det hänt nåt?”

”Förlåt. Inget. Jag har varit sjuk.”

”Sjuk?”

”Nån influensa, bara. Men idag är första dagen jag inte har feber.” Jag tvekade. ”Ska vi ses?”

Grim märkte att något var fel, jag visste det. Vi behövde inte göra någonting, det enda jag kände var ett behov av att ha honom i närheten. Att inte vara ensam. Han förstod det. Vi tillbringade långa stunder i undanskymda parker eller på bortglömda bänkar, jag med en bok eller musik och Grim med sina id-kort. Han övade, oupphörligt, men efter tiden på kollot hade Klas hårdare kontroll över vad han hade för sig på sitt rum, så han fick öva på andra ställen. Flera gånger satt vi hemma hos mig, och ett tag var mitt skrivbord mer Grims än mitt eget, tills pappa märkte det och med nervös röst undrade vad vi höll på med. Vi använde våra falska id-kort och gick på en onsdagsklubb på Södermalm, drack oss fulla på drinkar och fnissade åt det förbjudna när bartendern hade blicken åt annat håll.

Jag undrade hur Julia hade det. Om hon ens berördes av det här. Efter ett tag, förmodligen för att kunna hantera allting, intalade jag mig att det här var enkelt för henne. Men min vänskap med Grim var räddad. Allt skulle kanske bli bra, till slut. Jag tänkte på det Julia hade sagt en gång, att om hon kunde resa i tiden skulle hon välja att resa framåt, för att se hur allting i slutändan föll ut. Jag började förstå vad hon menade nu. Ovissheten, känslan av att ha förlorat något och kanske ha gjort det förgäves, var nästan det värsta.

En dag hade jag fönstret i mitt rum öppet. Det hade någon annan i närheten också, för jag hörde N.W.A. ropa *I just want to celebrate! I just want to celebrate!* ur distade högtalare. Jag gick fram till fönstret och kände värmen från solen. Därnere promenerade Julia förbi med en kompis, en blond tjej som hette Bella. Jag hade träffat henne ett par gånger under sommaren, tillsammans med Julia. De skrattade åt något och Julia verkade glad.

Jag försökte tänka att jag hade fått tillbaka Grim, men det enda jag kände var att jag hade förlorat Julia.

Något långt, långt inuti mig kokade.

Det var då, under sommarlovets sista dagar, som jag noterade att Tim hade återvänt till Salem.

Tim Nordin var ett år yngre än jag och första gången jag såg honom satt han ensam vid en lekplats i utkanten av Salem. Jag var tretton år då och nära att börja gråta av ilska. Snart övergick ilskan i skam och jag ville inte gå hem. Vlad och Fred hade varit mer aggressiva och hotfulla än de brukade. Det var en av få gånger då jag försökte slå tillbaka, och det resulterade i att en av dem satte ett knä i min mage. Det, förnedringen i att försöka göra motstånd men misslyckas, var värre än att inte göra någonting alls, fick allting att kännas än mer hopplöst. Det blev som en bekräftelse på att jag var svagare. De gånger jag inte gjorde motstånd kunde jag i alla fall inbilla mig att jag hade kunnat slå tillbaka om jag velat, hur barnslig den inbillningen än var.

Jag tog mig därifrån och efter att ha kämpat med att återfå luft i mina lungor, började jag planlöst vandra omkring. När jag såg Tim sitta vid lekplatsen brände det inombords. Någonting tvingade sig ut ur mig, behovet av att göra motstånd mot maktlösheten, mot nedvärderingen.

Jag gick fram till Tim, som inte verkade ha hört mig. Han var en tanig liten kille, bar en keps med skärmen bakåt och för stora, säckiga kläder för att verka kraftigare än han var.

”Hallå”, sa jag när jag stod ett par steg ifrån honom.

Han reagerade inte.

”Hallå.”

Tim tittade fortfarande inte upp. Ilskan brann till i mig och jag såg mig omkring. Vi var ensamma. Jag tog de sista stegen fram till Tim och smällde av honom kepsen. Det fick honom att rycka till och ta ur hörsnäckorna.

”Varför svarar du inte när jag pratar med dig?”

”Förlåt”, sa han och viftade menande med hörsnäckorna. ”Jag hörde inte.”

Han var rädd. Jag kunde se det i hans blick, vaken och mörkt, mörkt brun. Det smala ansiktet med vass, liten haka och tunna läppar gjorde ögonen runda och onaturligt stora.

Han är faktiskt rädd för mig, tänkte jag igen.

"Vad gör du här?" sa jag.

"Inget", sa han och böjde sig bakåt.

"Vad håller du på med?"

Tim stannade upp.

"Min keps."

Jag log.

"Det är inte din keps."

"Jag har fått den av ...", började han, men fullföljde inte meningen.

"Av din mamma?" hånade jag. "Har du fått den av din lilla mamma?"

Han såg på mig, utan att reagera.

"Svara!" skrek jag.

Tim nickade stumt och sänkte blicken. Jag tog upp kepsen, tryckte ihop den och stoppade den i bakfickan på mina jeans. På bänken intill honom låg ett orangegult skal och jag stod så nära honom att jag kunde känna lukten av clementin eller apelsin från hans fingrar.

"En lila keps", sa jag. "Lila. Är du bög, eller?"

"Va?"

"Är du bög, frågade jag. Hör du dåligt?"

Han skakade på huvudet.

"Vad skakar du på huvudet åt?"

"Jag hör inte dåligt", sa Tim lågt.

"Svara, då. Är du bög, eller?"

Han skakade på huvudet, igen.

"Va?" sa jag och lutade mig framåt. "Tala högre."

"Jag är tolv", viskade han. "Jag vet inte vad jag är."

Jag skrattade åt honom.

Jag slog honom inte den gången. Det skulle komma senare. På väg därifrån passerade jag en byggarbetsplats. Jag slängde den lila kepsen i en öppen container, såg till att den hamnade så långt ner att Tim inte skulle kunna nå den om han mot förmodan skulle råka lägga märke till den.

Jag kände mig lättad, som om jag hade förtjänat upprättelse och nu hade fått det, och kanske var det på grund av det som mitt samvete aldrig reagerade.

Under två års tid hade jag Tim Nordin som ett medel för att avreagera mig, för att känna mig överlägsen, precis som Vlad och Fred använde mig, antar jag. Det kanske var så det var, att allting bara var en reaktion på något som inträffat tidigare. Någon hamnade alltid i skottlinjen, alla vände sig till någon annan och jag var varken sämre eller bättre än någon av dem. Jag bara var.

Sedan hände någonting som gjorde att Tim Nordin flyttade från Salem. Kanske var det på grund av hans familj, jag vet inte. Han försvann, och jag tänkte inte särskilt mycket på honom. Jag sa ingenting till någon om vad jag hade gjort, och jag tvivlade på att Tim gjorde det heller. Efter det hörde jag ingenting om honom, förrän Julia nämnde hans namn där vi satt uppe i vattentornet.

Nu var han tillbaka, längre men lika tanig. Han kom gående förbi Triaden och jag satt i köket och åt frukost. Jag kände först inte igen honom på så långt håll, men när jag följde honom med blicken var det tydligt att jag såg på någon som inte ville bli sedd. Tim gick alltid så. Problemet med att anstränga sig för att inte vara synlig, är att ansträngningarna märks. De syns.

”Leo”, sa pappa, på väg ut för att gå till jobbet. ”Är allt okej? Du har verkat ... annorlunda den senaste veckan.”

”Ja”, sa jag. ”Allt är okej.”

”Säkert?”

”Säkert.”

Han nickade, besviken, och tog sina nycklar, gick ut och låste efter sig. En timme senare upprepades sekvensen, men nu med min mamma. Jag satt kvar vid köksfönstret och väntade på att Grim skulle ringa. Den här gången skulle jag fråga honom hur det var med Julia. Jag behövde veta hur hon mådde. Människor kan skratta av många anledningar, och att jag hade sett Julia göra det betydde inte att hon var okej.

En timme senare ringde han och vi tog en fotboll och sparkade den framför oss på väg mot idrottsplatsen. Grim tyckte inte om sport, det enda han visade något intresse för var att se skytte på tv, men han hävdade att det var en skön känsla att sparka en boll så hårt han kunde. Jag höll med om det.

Idrottsplatsen låg öde och väntade på oss. Jag tog ut bollen som Grim just sparkat i mål.

”Du vet vem Tim Nordin är, eller hur?” frågade jag.

”Tim ...”, sa Grim och rynkade ögonbrynen. ”Ja. Han var Julias barndomskompis, men jag har för mig att han flyttade härifrån. Ingen, inte ens Julia vet varför.” Han släppte bollen till marken. ”Hurså?”

”Jag tyckte jag såg honom idag.”

”Vadå, känner du honom?”

”Nej, nej. Men en kompis till mig gick på dagis med honom, så jag vet vem han är.”

Jag frågade honom aldrig om Julia, kunde inte. Från och med imorgon skulle hon gå på samma skola som jag.

Första skoldagen såg jag inte Julia alls. Jag såg inte Grim heller. Istället umgicks jag med mina klasskamrater, och det var en märklig känsla. Det var inte det att jag inte tyckte om dem, det var bara det att jag knappt träffat någon av dem under sommaren, som varit så lång och innehållit så mycket. Jag hade levt i en annan dimension under de långa månaderna.

Andra dagen hade jag mattelektion i en av salarna längst bort i den fabriksliknande byggnaden. När jag vek runt ett hörn var den stora korridoren tom. Jag var några minuter sen och lektionerna hade redan börjat. Rader av skåp täckte väggarna, flera av dem hade redan hunnit bli nedklottrade av graffititaggar. På ett av skåpen lyste ett stort, svart hakkors.

Dörren till en av toaletterna öppnades och stängdes och Julia kom gående mot mig. Hon hade en pärm och en trave böcker under armen, blicken fäst på ett papper som fladdrade i takt med hennes steg. När hon tittade upp stelnade hon till och det var det – hennes blick – som fick det att gunga under mina fötter.

”Hej”, sa hon, utan att stanna.

”Hej”, sa jag, och stannade. ”Hur är det?”

”Förvirrat”, sa hon, sänkte blicken till schemat och fortsatte förbi mig.

Jag såg efter henne, i hopp om att hon skulle vrida på huvudet och göra detsamma, men det gjorde hon inte. Det var den detaljen som fick mig att känna mig fånig, lurad. Tillintetgjord. Jag ville gråta eftersom det var så här det skulle vara från och med nu och det verkade inte finnas något slut.

Senare den dagen hörde jag av någon att Tim Nordin hade återvänt till Salem eftersom hans föräldrar hade skilt sig och

Tims pappa inte direkt var den sortens person som kunde uppfostra ett barn. Istället fick Tim bo med sin mamma, och hon saknade Salem så de flyttade tillbaka. Bara en sådan sak, tänkte jag. Han borde ju ha vägrat flytta tillbaka.

Den helgen hölls en stor utomhusfest på idrottsplatsen där jag och Grim varit en vecka tidigare. Ryktet om den spreds via lappar som placerades i skåp och skickades runt under lektionerna. Jag och Grim gick dit med varsin PET-flaska halvfull med sprit vi hade hällt över från våra föräldrars spritskåp. Jag hade bara lyckats få med mig ett par deciliter vodka, så jag tvingades blanda ut det med läsk. Kolsyran fick det att smaka värre än det vanligtvis gjorde.

”Vet du om Julia kommer?” frågade jag.

”Jag vet inte”, sa Grim. ”Jag sa inget till henne, så jag hoppas att hon inte gör det. Jag orkar inte hålla koll på henne.”

”Varför behöver du göra det?”

”Det är fan min syster. Och hon har verkat konstig på sista tiden.”

”Jag fattar inte vad grejen är”, sa jag och kände hur min puls steg. Jag skruvade av flaskans kork och tog en djup, brännande klunk. ”Du kan ju inte vara hur överbeskyddande som helst. Hon är fan snart sexton. Hon kan ta hand om sig själv”, fortsatte jag och tillade utan att jag kunde hejda mig: ”Sluta behandla henne som ett barn.”

Grim undvek min blick.

”Du fattar inte, eller hur?”

”Vad är det jag ska fatta?”

”Det är bara hon som gör att vi håller ihop, att vår familj fungerar. Och mamma och pappa kan inte skydda henne.”

”Men varför måste hon skyddas? Och varför måste det vara du som skyddar henne? Socialen k...”

”Det var ju för fan på grund av dem som jag hamnade på Jumkil. Om de tar mig eller Julia så är det kört.”

Jag drack mer ur min flaska. Jag minns att jag tänkte att problemet kanske inte låg hos någon av dem utan istället formades mellan dem, i själva familjekonstellationen. Att problemet inte låg i att de riskerade att slitas isär, utan i att de ansträngde sig så mycket för att vara en familj. Jag hade svårt att sätta ord på tanken.

”Men är det så viktigt, då? Att ni, öh, ska hålla ihop? Alltså, jag menar bara att det kanske finns nåt dåligt i det också.”

Jag visste inte hur jag skulle uttrycka det.

”Man har bara en familj”, var allt Grim sa. ”Det är bara i bra familjer som man tänker att man skulle ha det bättre utan dem.” Han höjde blicken och såg på mig. ”Så håll käften. Du har ingen aning om vad du snackar om.”

För första gången blev jag rädd för Grim, utan att jag kunde förklara varför. Kanske var det att jag hade börjat bli full men det var något med hans blick. En olycksbådande rädsla som när man föreställer sig hur det skulle vara att utsättas för stark smärta, den sortens rädsla som får det att darra till i en och man känner sig otrygg utan anledning.

Idrottsplatsen var full med folk som satt i klungor och skrattade och drack. Tunga bergsprängare spelade musik och några roade sig med att klättra upp i fotbollsmålen och sitta däruppe. Jag och Grim satte oss med några han kände. De frågade honom om tiden på kollot och killen som blivit knivskuren. Grim ryckte på axlarna, ville inte prata om det. De frågade vad han hade gjort med sitt hår och Grim sa att han tyckte att det varit för långt, så han hade klippt av det. Det var då jag såg Julia komma gående, klädd i mörka jeans och en vit t-shirt med JUMPER skrivet över bröstet. Hon hade en PET-flaska i handen och verkade söka efter någon.

Jag såg på flaskan i min hand. Mörkret hade fallit och för att kunna avgöra hur mycket jag hade druckit tvingades jag hålla upp den ovanför mitt huvud, mot himlen. Rörelsen fick Julia att vrida på huvudet. Hon höjde försiktigt sin egen flaska mot mig, och jag blev generad. Hon trodde att jag vinkade. Julia log på det där sättet hon brukade göra när hon var lite full.

Grim fick syn på henne och suckade.

”Jag visste det.”

Han vinkade åt henne att komma, sätta sig bredvid oss.

”Vad gör du?” sa jag.

”Om hon nu ska vara här är det bättre att hon sitter med oss”, sluddrade Grim.

Hon kom fram till oss och sjönk ner på knä.

”Vad pratar ni om?”

Bakom oss tjöt en tjej till när en av killarna som suttit på fotbollsmålets ribba ramlade ner. Allt utom musiken tystnade, tills vi hörde killen skratta, liggande på rygg med ölburken fortfarande i handen. Vi skrattade också, allihop.

Julias knä rörde vid mitt och jag hade svårt att kontrollera mina händer. Scener från sommaren, bra scener, svepte förbi mig och jag längtade tillbaka. Hon drack en klunk av innehållet i sin flaska och grimaserade. Intill oss, ur en av bergsprängarna, sjöng någon *just for a minute there, I lost myself* och fler anlände till idrottsplatsen. Stora delar av planen var full med folk från skolan. Äldre killar anslöt, men gav sig snart av igen.

De ville bara ha pengar för alkoholen de köpt åt någon. Några började bråka, men det löste sig snart. Jag undrade vad Julia tänkte, undrade om hon visste att Tim Nordin hade flyttat tillbaka, om den nyheten skulle göra henne glad, om hon hade ångrat att vi bröt med varandra. Mitt huvud hade börjat snurra och tankarna ledde ingenstans, bara runt.

”Jag måste pissa”, sa Grim, reste sig och såg på mig. ”Följer du med?”

”Nej”, sa jag.

Hans blick pendlade mellan mig och Julia.

”Okej”, sa han och gick mot buskarna.

Först nu såg jag att Julia var nervös. Hon drack fort och skrattade lite för mycket åt saker som de vi satt med sa.

”Bra fest”, sa jag.

”Mm.”

”Kom du hit med nån?”

”Ja.” Hon såg sig omkring. ”Men jag vet inte var de är.”

”Jag gillar din tröja”, sa jag.

”Gör du?”

”Alla gillar väl Jumper?”

Julia svarade inte, hon drack. Istället fortsatte jag:

”I skolan, när vi gick förbi varann. Du sa att du var förvirrad. Du menade att du var förvirrad av skolan.” Jag såg på henne. ”Eller?”

”Visst”, sa hon och log svagt. ”Om du säger det, så.”

”Jag säger inte det, jag frågar.”

”Och jag svarar.”

Jag lutade mig mot henne för att säga något, men avbröts av Grim, som var tillbaka och sjönk ner bredvid oss.

En stund senare började allting snurra omkring mig och

när jag reste mig för att gå till buskarna och pissa var det som om idrottsplatsen lutade. Alla skuggor som satt där med flaskor och burkar blev suddiga i kanterna och jag snubblade till på något men tog mig upp igen.

När jag vaknade gjorde jag det liggande på tvären i en säng. Jag hade fortfarande kläder på mig. Jag rörde på huvudet för att se vad klockan var och det värkte till kraftigt, fick mig att blunda. Jag var i alla fall hemma.

Min hand grep efter någonting, vatten, men flaskan på mitt nattduksbord stod för långt bort. Jag vände på mig och fick tag i den. Den var tom. Det var då, när jag såg på den tomma flaskan, som jag lade märke till det: min hand. Den var rödfläckig.

Jag mindes att jag reste mig för att gå till buskarna och pissa. Jag mindes rädslan jag känt, den jag inte kunde förklara. Därifrån och framåt låg allting som i dimma tills jag vaknade. Jag såg på min hand och försökte minnas om jag hade ätit någonting innan jag tog mig hem. Det röda kanske var ketchupfläckar eller tomatsås. Jag förde upp handen till näsan för att lukta på det, men kände inget utom den svaga lukten av cigarettrök som dröjde sig kvar i huden. Jag reste mig ur sängen och försökte avgöra om jag hade ont någon annanstans än i huvudet. Det hade jag inte.

När jag återvände från buskarna var inte Grim och Julia längre där. Just det. Jag frågade en av dem vi suttit med vart de hade tagit vägen och han mumlade något om att de hade blivit ovänner.

”Varför blev de ovänner?”

”Inte fan vet jag.”

Jag hade gått iväg för att leta efter dem, nervös. Jag mindes låten som spelades gång efter gång den kvällen, *I just want to celebrate! I just want to celebrate!*, och att illamåendet vred till inom mig och jag stapplade bort från idrottsplatsen med ljusfläckar som svepte fram och tillbaka framför ögonen och jag undrade om någon hade lagt något i min flaska.

Jag duschade nu. I mitt rum hade jag ställt upp fönstret för att vädra. Jag undrade var mina föräldrar var någonstans, men så påmindes jag om lappen jag sett ligga på köksbordet, något om en augustiloppmarknad i Rönninge. Jag var ensam hemma och skrubbade händerna för att bli av med det röda. Långsamt började det gå upp för mig: det måste vara blod. Under vattnet löstes det fort upp och strimmor av rött rann ner och blev rosa mot det vita badkaret. När jag tvättade ansiktet sprängde det till i min överläpp. Den var öm och lätt svullen och det var så det kom tillbaka till mig.

Jag hade avbrutit sökandet efter Grim och Julia och istället försökt hitta någon, vem som helst. En tjej stod lutad mot en lyktstolpe inte långt ifrån idrottsplatsen och jag gick fram till henne. Jag mindes inte vad jag frågade men jag kunde fortfarande känna hennes kropp mot min. Hon var liten och smal, som Julia. Jag måste ha tryckt mig mot henne. Hon knuffade undan mig och jag försökte igen, men den här gången fick jag en smäll i ansiktet. Kanske av henne, kanske av någon annan, den sekvensen var oklar. Jag föll till marken, tror jag, inte av slaget men av min dåliga balans. Sedan: någon som skrattade, hånfullt. Förnedringen, hur den vred sig i mig.

Jag låg skamset kvar tills de hade gått undan och efter det gav jag mig av, hemåt. Någonstans längs vägen mötte jag Tim. Han verkade också vara på väg hem. Hade han varit på idrottsplatsen? Jag hade inte sett honom.

Jag stoppade honom.

"Så du är tillbaka", sluddrade jag.

Vi stod på trottoaren, i dunklet som uppstod mellan två gatlyktor. Tim verkade nykter. Han luktade friskt, som sköljmedel.

"Ja."

"Vart är du på väg?"

"Hem." Han kisade. "Vad har hänt med din läpp?"

"Inget."

"Du ser ut att ha blivit slagen."

"Inget", skrek jag och han stirrade på mig. "Du kände Julia, eller hur? Julia Grimberg."

Att höra namnet förvånade honom. Något flackade till i hans blick.

"Ja. Hurså?"

Jag visste inte vad jag skulle svara på det. Istället satte jag en hand hårt mot hans axel och knuffade honom bakåt, fick honom att ta ett steg tillbaka.

"Låt mig gå", sa han. Och sedan, lägre: "Du kommer att ångra dig om du inte gör det."

"Gör vad?"

"Om du inte låter mig gå."

Jag skrattade, mindes jag. Inte åt honom, utan åt allt annat. Hur absurt allting var, hur invecklat det hade blivit. Jag skrattade åt rädslan jag kände, skrattade åt Grim. Åt Julia. Och så slog jag Tim, gång på gång. I ansiktet en gång, i magen, mellan benen. Han gjorde inte motstånd, bara låg där och stirrade på mig med blank blick och det var det som fick mig att bli ännu mer provocerad. Hans blick påminde om Grims och det var något obehagligt över alltihop.

Kanske var det bakfyllan eller Julia och Grim, kanske var det Tims tomma blick och lika tomma, meningslösa hot. Förmodligen alltihop och jag vek mig dubbel i duschen, började kippa efter luft.

Det är 2000. Mamma har varit död i ett år. Jag är tjugoett och har lämnat Jumkils ungdomshem, lever i tunnlarna under staden, tillsammans med de andra. De litar inte på mig och jag litar inte på dem. Jag vågar inte sova, rädd att de ska ta mina saker. För att hålla mig vaken går jag på tjack, precis som de andra. Jag vistas sällan i dagsljus och det påverkar mina ögon, gör blicken grumlig. Jag livnär mig på att stjäla mobiltelefoner, springer runt med ryggsäcken full. När jag till slut somnar vaknar jag utan tillhörigheter, utan mobiler. Jag får börja om medan jag tänder av från pulvret. Det går inte så bra. En man vägrar släppa sin väska och jag är nära att slå ihjäl honom. Efteråt minns jag inget, inte förrän långt senare kommer bilderna tillbaka.

Jag tar mig upp ur tunnlarna och blir inneboende hos en vän i Alby. Frank heter han, är torsk på heroin och ger mig jungfrusilen. Jag älskar det och lämnar tjacket, sover på en madrass. Han har en tjej hos sig och hon är snygg och snäll mot mig. När han inte är hemma har vi sex. Av någon anledning behöver hon lämna landet efter några månader och jag hjälper henne, tillverkar ett id-kort hon kan använda.

Hon kliver på ett tåg och jag ser henne aldrig igen.

Dagen innan hon åker ligger jag hög på golvet i köket, halvt lutad mot ett av skåpen. Jag är borta och kan inte fixera blicken, märker bara att Frank har något i sin hand och sjunker ner på huk framför mig. Han frågar om jag har gjort det här förut.

"Gjort vad?"

"Såna här." Han viftar med ett av korten framför mig.

"Några gånger."

Frank säger att jag är bra. Han frågar om jag kan göra det igen, i utbyte mot heroin. Jag säger ja, men behöver material och verktyg och jag är lyst för ett rån och vågar inte ge mig ut. Frank fixar det jag behöver, stjäl det från varulager. Flera gånger återvänder han med fel material och tvingas lämna tillbaka det. Han säger att det känns bakvänt.

Senare presenterar han mig för en som kallas för Mannen utan röst, Josef Abel. Han gör att jag lär känna en du säkert känner till. Silver. Han är lika gammal som jag men långt mäktigare. Silver ber mig hjälpa honom med en kille som behöver ligga lågt ett tag. Jag gör det i utbyte mot heroin. Snart berättar Silver att han har en vän som driver ett företag, och att företaget är på väg att konka. Han frågar om jag kan tänka mig ta över det i utbyte mot en summa pengar. Det är mycket pengar, som jag kan knarka rätt hårt för. Så jag säger ja till pengarna och företaget, i utbyte mot att det eventuellt kommer att komma lite, som han säger, folk och ställa frågor.

Jag blir en målvakt utan att fatta vad det innebär. Aktiebolagslagen är ju skriven så att det är den som sitter på aktierna som är ansvarig för dem. Jag har inte ett piss med det att göra men det är jag som är ansvarig när företaget väl går i konkurs några månader senare. En halv miljon är skulden och mitt knark är slut. Det är första gången jag överväger att ta livet av mig. Det är också någon gång då som jag inser att det vore lämpligt att genomföra det ultimata tricket, den främsta illusionen: att försvinna.

XX

Tid, jag har ont om tid. Känslan är påtaglig men jag vet inte vad jag ska göra av den. Levin har försvunnit in i Huset och jag går omkring på Kungsholmen med händerna i fickorna. Jag försöker tänka.

Minnet från i morse – reportrarna utanför min port – återvänder och av någon anledning har jag svårt att skaka av mig det. Känslan av att vara iakttagen och eftersökt växer i mig och jag vänder mig om, gång på gång, övertygad om att någon följer efter. Jag dyker in på ett café, ett hål i väggen på en tvärgata till Kungsholms torg, och sätter mig på en plats med uppsikt mot dörren och fönstren. Längs gatan släpar en äldre dam med sig en lika gammal man, som om hon hade bråttom någonstans. Mannen verkar motsträvig, tills jag inser att han bara inte orkar gå fortare.

Min telefon ringer. Jag känner igen numret. Det är från Salem. Jag sätter telefonen till örat.

”Hallå?”

”Leo, det är mamma. Jag ... Hur är det?”

”Bra. Har det hänt något med pappa?”

”Nej, nej.” Hon harklar sig. ”Nej, allt är som vanligt. Vi bara undrade, vi läste om det som hänt och ... jag undrar bara om allt är bra."

Jag sluter ögonen.

"Allt är bra."

"Är det det? För ..."

"Det är ingen fara. Det är ett missförstånd, bara."

"För jag tänker, efter det som hände i våras och sådär."

Jag har inte berättat några detaljer för dem, de få gånger jag varit i Salem. I själva verket har jag hållit mig därifrån så mycket som möjligt för att slippa det.

"Micke är också orolig."

"Hälsa honom att allt är okej."

Hon suckar.

"Mamma, det är okej. På riktigt."

"Jaja, säger du det, så. Det var fint att träffa dig häromdagen", säger hon istället.

Jag anstränger mig för att prata med henne en stund till, men snart faller känslan av stress över mina axlar igen och jag avslutar samtalet. Jag dricker av mitt vatten och det hamnar fel, får mig att hosta till.

Rebecca Salomonsson blev rånad. Hon gick till Chapmansgården för att sova, och där satte någon stopp för livet genom att ta sig in och skjuta henne. Hon hade Julias halsband i handen. Jag försöker avgöra om rånet och hennes död hänger samman, men jag lyckas inte komma fram till något. Jag föreställer mig Grim som gärningsmannen, men det går inte. Han skulle aldrig vara så oförsiktig.

Min telefon vibrerar.

har du börjat fatta än?

Jag tvekar.

grim?

ja?

Min puls rusar.

vi behöver träffas, skriver jag.

ja

var är du?

snart

vad betyder det?

Jag stirrar på min telefon. Den är stum och svart, tills den lyser upp och ringsignalen vibrerar fram. Det är Birck. Jag låter bli att svara, fortsätter vänta. När inget händer skriver jag igen.

hallå?

Fortfarande ingenting, tills Birck ringer igen. Jag ignorerar det och dricker mer vatten. En buss bromsar in och stannar vid busshållplatsen. En stor reklambild täcker bussens ena sida, en bild på en medelålders kvinna och en lika medelålders man, båda fläckfritt vackra, och texten DET DU HYLLADES FÖR IGÅR GÖR DIG MINDRE VÄRDEFULL IMORGON – FORTSÄTT UTVECKLA DIN KOMPETENS. I ett hörn av caféet sitter en far med sitt barn, en pojke. Pojken säger något som får honom att skratta. Jag sänker blicken. Han är lika gammal som Viktor skulle ha varit.

Telefonen ringer en tredje gång och jag ger upp, svarar.

”Vad är det?”

”Varför i helvete svarar du inte?” säger Birck. ”Jag är tre sekunder ifrån att skicka ut en efterlysning.”

”Vad vill du?”

Totalt har femhundratrettiosex tips rörande mordet på Rebecca Salomonsson rapporterats in och registrerats. Det tar ofta alldeles för lång tid för polisen att gå igenom tips av den här mängden, och det har förståeliga orsaker. Människor är opålitliga. Deras uppgifter måste verifieras, antingen mot varandra eller mot kalla, objektiva fakta som teknisk bevisning. Jag har själv arbetat med det en gång, en kort period under slutet av min utbildning. När det gäller dödligt våld prioriteras tipsen men arbetet är ändå tidskrävande. Målet är att ta sig igenom vittnesuppgifterna inom den kritiska sjuttiotvåtimmarsramen.

Det är först nu, drygt sextio timmar efter brottet, som de är klara i fallet Rebecca Salomonsson, och ett fåtal av dem har visat sig vara av värde.

"Mer exakta vittnesuppgifter beskrev en man som liknade ... ja, dig."

Birck harklar sig.

"Någon försöker sätta dit mig", säger jag. "Jag tror jag börjar fatta vem d..."

"Ta det lugnt."

"Va?"

"Den här gången hade vi tur. Det visade sig att ett av vittnena till och med kände igen honom. Hon är en före detta tjackhora som numera försörjer sig som bartender, av en händelse arbetar hon ofta på den bar där en viss Peter Koll tycker om att dricka dyr, spansk likör."

"Koll? Stavas Koll som i ..."

"Som i Kollberg. Ja. I övrigt är de inte särskilt lika." Birck harklar sig, igen. "Vi är ganska säkra på att det är han. Vi har bara ett problem."

"Jaha?"

"Han vill inte prata med oss."

"Så ovanligt."

”Du förstår inte vad jag menar. Jag ... fan, vänta.” Jag hör hur Birck krånglar med någonting, hur han klickar på sin dator. ”Så. Nu ska det funka. Lyssna. Det här är för en timme sedan.”

Någonting raspar till, och ljud spelas upp, det svaga bruset från en mikrofon. Jag trycker luren hårdare mot örat.

En röst med svag och svårdefinierbar brytning:

”Jag vill inte snacka med dig.”

Och så Bircks röst:

”Vem vill du snacka med då?”

”...”

Birck igen, hårdare:

”Vem vill du snacka med då?”

”Jag har blivit instruerad att bara snacka med en.”

”Och det är?”

”...”

”Ska jag behöva ställa varje fråga två gånger?”

”Junker.”

”Leo Junker?”

”Ja.”

”Och vem har instruerat dig?”

”...”

”Vem har instruerat dig?”

”...”

Birck klickar på musknappen och brusandet upphör.

”Vi har en del att prata om, du och jag”, säger han.

Det är bara en kort promenad till Huset men när jag stiger ut på gatan stannar en taxi just till i korsningen och släpper av en kund. Jag höjer handen, tar mig in i kupén och försöker samla tankarna under den två minuter långa färden.

Numera är jag mer van vid att svara på frågor än att ställa dem, men det finns en subtil elegans i ett väl genomfört förhör. I näst intill samtliga fall handlar ett förhör om att servera förundersökningsledaren en byråkratiskt korrekt pusselbit inför en rättegång. Protokoll ska följas, allt ska spelas in, skrivas ner och godkännas av uppgiftslämnaren. Det ska märkas, föras till handlingarna och arkiveras. I det digitala arkivet finns det sammanlagt åtskilliga år av ljudupptagningar med människor som bara pratar. Att lyssna igenom dem alla skulle kräva livslängder av tid.

”Peter Zoran Koll”, säger Birck efter att ha mött mig nere på gatan och rör sig genom Huset ett halvt steg före mig. ”Trettiosex år, född i det som då var Jugoslavien men uppvuxen i Tyskland. Hans föräldrar flydde under kriget. Han kom till Sverige 2003, dömdes för första gången i maj 2004, för olaga vapeninnehav. Efter det misstänkt för drygt tjugo brott, i princip allt utom våldtäkt och landsförräderi, men aldrig dömd för annat än småsaker som gett villkorlig dom eller fotboja. Han ...”

Birck stannar upp och flackar med blicken över mig. Han har sitt ansikte så nära mitt att jag känner hans andedräkt, en sur blandning av mint och kaffe.

”Är du hög, Leo?”

”Jag, öh, inte nu längre.” Jag blinkar. ”Tror jag. Nej.”

Birck andas ut mellan sammanbitna käkar.

”Jag kan inte ha en hög person i ett förhör.”

”Jag är inte hög, säger jag ju.”

Birck betraktar mig, tvivlande.

”Du kan inte ha en avstängd polis i förhör heller”, påminner jag. ”I strikt mening, alltså.”

”Du sitter med”, säger han kyligt. ”Du sitter med, men du håller käften.”

Jag rycker på axlarna. Han fortsätter gå och jag följer efter.

”Känner du till honom?” frågar han med ryggen mot mig.

”Inte direkt, nej.”

”Koll är den sortens brottsling som gör det man ber honom om. Förutsatt att man har råd att betala vad det kostar.”

”Så han är ... konsult?”

”Något åt det hållet.”

Birck trycker fram hissen och väntar. Han ser sliten ut, de klara ögonen är omgärdade av röda strimmor och hans hud är blekare än igår.

”Så”, säger han. ”Om du inte vet vem han är, varför vill han då prata med bara dig?”

”Han hade ju blivit instruerad.”

”Jo”, säger Birck otåligt, ”men av vem?”

Hissen anländer. En av polismästarens sekreterare stiger ut, professionellt ointresserad och med en allvarlig uppsyn.

”Jag tror att jag vet varför hon dog”, säger jag.

Birck ser på mig, medan hissdörrarna stängs och den kalla metallgrå kuben börjar röra sig uppåt.

”Jag lyssnar. Varför?”

”På grund av mig.”

Birck fortsätter stirra. Jag tror att han försöker avgöra om jag skämtar.

”En närmare analys av fingeravtrycken på halsbandet”, säger Birck långsamt, ”visade att ditt avtryck var väldigt gammalt.”

Jag minns att jag hade en lärare i forensisk vetenskap under polisutbildningen. Han inledde sin föreläsning med en historia om Babylon och Kina, där fingeravtryck användes som signaturer flera hundra år före vår tideräkning. Användningen av fingeravtryck är gammal och omfattande, men det dröjde innan den började användas inom polisen. En skotsk läkare, jag tror att han hette Faulds eller något, publicerade en artikel om dem i slutet av artonhundratalet och vände sig till Londonpolisen, eftersom han ansåg att de kunde utnyttja hans metod. Londonpolisen tyckte att hans metod var idiotisk och avfärdade honom. Jag tror att det är den detaljen som gör att jag minns det här, för redan då verkade ordningsmakten vara en ytterst konservativ och skeptisk aktör.

Det fick hur som helst Faulds att vända sig till Charles Darwin, som var för gammal och berömd för att arbeta vidare med Faulds observationer. Men Darwin gissade antagligen att Faulds var något på spåren, för han gav informationen till sin kusin, Galton, som var antropolog och förmodligen inte hade så mycket att göra, för Galton studerade sedan fingeravtryck i tio år, innan han publicerade sitt mästerverk. Fingeravtryck fastnade nästan överallt och Galton hade räknat ut att de var statistiskt unika. Ingen människa hade likadana fingeravtryck och den forensiska världen vändes uppochner. Under min utbildning läste vi fortfarande korta utdrag ur Galtons *Finger Prints*, minns jag.

Det minns jag, och det här: fingeravtryck är bedrägliga ting. Hur lång tid ett avtryck finns kvar på en yta beror på en mängd faktorer: vilken sorts yta det är, hur mycket den exponeras för elementen, hur salt, oljigt och fett avtrycket är, och så vidare. Men det finns ingen fast hållpunkt för när ett avtryck förstörs. Ett fingeravtryck kan överleva oss under anmärkningsvärda omständigheter.

Jag ser på Birck.

"Svara", säger han.

Avtrycket måste vara över femton år gammalt. Om det stämmer, om det sitter kvar, måste halsbandet ha förvarats oerhört skyddat. Jag vet inte vad jag ska säga.

"Jag vet inte om jag har rätt", säger jag. "Koll kanske kan hjälpa o..."

Hissdörrarna öppnas. Jag går ut före Birck. Han suckar.

Peter Zoran Koll sitter i förhörsrum 3, i samma rum och på samma stol som jag satt för drygt ett dygn sedan. Han är kortare än jag väntat mig, har fyrkantigt ansikte och mörkt hår klippt i den sortens frisyr man bara ser i amerikanska militärfilmer. Axlarna och bröstkorgen är breda. Han är klädd i ljusa jeans, t-shirt och en uppknäppt, kortärmad skjorta. En assistent i ljusblå skjorta och slips står innanför dörren och betraktar honom. Koll har en road glimt i ögonen. Runt handlederna sitter handklovar som skrapar mot bordsskivan när han rör sig.

Birck har hämtat en pärm och diktafon från sitt rum, och nickar stumt åt assistenten, som lämnar rummet utan att se på mig. Koll följer henne med blicken.

"Något som intresserar dig, Koll?" frågar Birck och drar ut stolen, sätter sig.

"Jag är van vid att inte ta blicken från folk." Han ser på mig. "Leo Junker."

"Just det", säger Birck och öppnar pärmen medan jag tvekande drar ut stolen intill Birck. "Nu är Leo här. Låt oss prata."

Koll skrattar, ett kort och hånfullt skratt.

”Du har missuppfattat.”

”Vad har jag missuppfattat?”

”Jag snackar inte med dig. Bara med han.”

”Det är inte du som bestämmer härinne”, säger Birck lugnt.

”Jo, jag gör det.”

”Och vad får dig att tro det?”

”Jag vet nåt ni inte vet.”

”Och vad skulle det vara?”

Koll ler. Han har rena, vita tänder.

”Jag har fått instruktionen att bara snacka med han. Ensam.” Han försöker lägga armarna i kors men lyckas inte. Handklovarna hindrar honom. Han ser förvånad ut, som om han glömt bort att de satt där. ”Ingen ljudupptagning.”

”Av vem har du blivit instruerad?” försöker Birck.

”Jag pratar bara med han.”

Birck betraktar honom länge, innan han ser på mig.

”Ett ögonblick, Peter. Vi kommer snart.”

Vi går ut och polisassistenten sveper förbi oss när hon åter går in i rummet för att hålla honom under uppsikt. Birck lutar sig mot väggen, nyper sig i näsryggen med tummen och pekfingret och blundar, hårt. Han öppnar ögonen, blinkar några gånger och drar handen genom håret.

”Okej”, säger han. ”Du kör. I utbyte mot det kräver vi att få göra om förhöret efteråt, med enbart mig.”

”Men jag är inte insatt i utredningen.”

”Det är därför det här stannar helt och hållet mellan oss. Du säger ingenting till någon om det här. Fattar du?”

”Ja.”

Han ser sammanbiten ut.

”Då så.”

”Okej”, säger jag. ”Berätta för mig.”

”Vad ska jag berätta?”

”Du har blivit instruerad att bara prata med mig. Vem har instruerat dig?”

”Du stressar”, säger Koll, irriterad. ”Lugna dig.”

”Okej”, säger jag. ”Vi börjar med något annat. Jag är inte helt klar över vad du sysslar med. Hur du försörjer dig.”

”Jag gör det folk ber om, du vet.”

”Och det är?”

”Allt möjligt.”

”Som att döda människor för pengar?”

”Egentligen inte”, säger Koll. ”Jag tycker inte om det.”

”Men du gjorde det den här gången?”

”Ja.”

”Varför?”

”Min familj är i Turkiet. Jag har kontakt med en polischef där. Han kan få dem till Sverige, för pengar.”

”Du har alltså mutat en turkisk polischef? Är det det du säger? Har jag förstått dig rätt då?”

Något dystert faller över Kolls blick.

”Inte direkt. Jag kontaktade han för några år sen och frågade vad som skulle krävas för att få dem till Sverige.” Han harklar sig. ”Fyra miljoner. Per person.”

”Kommer inte du från Jugoslavien?”

”Vad har det med saken att göra?”

”Jag undrar bara hur det kommer sig att dina anhöriga är i Turkiet.”

”De tog sig dit. De har vänner där. Men min bror begick ett brott och hamnade på kåken.”

”Och de andra? Sitter de också inne?”

”Nej.”

”Kan inte de hjälpa din bror?”

”De kan inte göra det som krävs, du vet. De har inte, vad heter det, resurser.”

”Så du håller på och samlar ihop pengar?”

”Ja.”

”Genom brott.”

”Ja.”

”I Sverige finns det enklare sätt att samla pengar än att begå brott.”

”Gör det?” frågar Koll med höjda ögonbryn. ”Som vadå?”

Jag inser att jag inte har något bra svar på det.

”Hur mycket har du?” frågar jag istället.

”Nu har jag tillräckligt. Det var därför jag sa ja.”

”Kände din uppdragsgivare till din situation, alltså?”

”Tror det, men vet inte säkert.”

”Vad får dig att tro det?” frågar jag.

”Det verkar konstigt att nån kommer och erbjuder mig precis det jag behöver. Eller?”

Det gör det, onekligen.

”Så”, säger jag. ”En gång till tar vi det. Du tar ett uppdrag av någon, som ger dig exakt den summa pengar du behöver för att få din familj till Sverige. Stämmer det?”

”Det stämmer.”

”Och du har blivit instruerad att bara prata med mig.”

”Det stämmer.”

”Hade du blivit instruerad att åka fast också?”

Koll skrattar, ett hånfullt skratt.

”Nej. Men om det hände skulle jag få extra pengar, och kräva att bara få prata med dig.”

”Det ingick i er affär?”

”Ja.”

”Du verkar inte särskilt upprörd över att ha åkt fast.”

”Det är jag, men jag vet att jag kommer att, vad heter det, kompenseras.” Han tvekar, innan han höjer blicken med ett uppriktigt uttryck i det fyrkantiga ansiktet. ”Jag gillar faktiskt inte att döda folk.”

Han är mjukare nu, jag kan känna det, men det är för tidigt att fråga om uppdragsgivaren. Det är inte uttalat men det vilar mellan oss, som en tyst överenskommelse.

”Den du fick i uppdrag att döda var Rebecca Salomonsson på Chapmansgården.”

Koll ser tomt på mig.

”Jag hör ingen fråga.”

”Stämmer det?” säger jag.

”Dog det fler där den kvällen?” frågar han.

”Det dog ingen mer på Chapmansgården den kvällen.”

”Då var det väl hon.”

Där är erkännandet. Det var längesedan jag satt i ett förhör med en gärningsman, alltför längesedan, men känslan av att få det ur honom är förvånande bekant, tillfredsställande.

”Berätta om det”, säger jag.

”Vad ska jag berätta?”

”Rebecca Salomonsson dog strax efter midnatt, eller hur?”

”Jag kontrollerade inte om hon var död, om du nu undrar det. Jag gillar inte att döda folk, men jag vet hur man gör.”

Han ler. Jag har lust att slå honom i ansiktet.

”Berätta vad du gjorde den kvällen”, säger jag.

”Jag tog mig till ett ställe på andra sidan gatan, en lägenhet, från elvatiden på kvällen. Jag visste att hon brukade vara bland de första, så jag såg till att vara där i tid. Lägenheten låg på andra våningen, två fönster mot gatan, inga gardiner. Jag satt där och väntade, kollade genom Chapmansgårdens fönster. Jag kunde se sovsalen, och lite av de andra rummen. Jag väntade på att hon skulle komma och lägga sig i nån av sängarna."

"Vems var lägenheten?"

"Jag vet inte. Inga möbler, så nån hade väl precis flyttat. Men det satt fortfarande ett namn på dörren."

"Vilket namn?"

Koll kisar, studerar bordsskivan mellan oss.

"Wigren. C. Wigren."

"Med V eller W?"

"W."

"Hur fick du tag på lägenheten?"

"Det ingick i uppdraget. Jag fick nyckeln, och pengar."

"Hur fick du det?"

"En postbox. Jag använder alltid postboxar."

"Hur länge satt du där?"

"Tills jag såg att hon kom, tills hon gick in och lade sig."

"Hade hon något med sig? En väska eller så?"

Han skakar på huvudet.

"Jag kollade personerna som kom och gick i porten. Det var inte särskilt svårt att lista ut när det kom nån som skulle dit. Man ser ju vilka som hör hemma där, de har ofta ... de är ju knarkare och horor. Jag hade rekat dagarna innan, så jag visste att hon brukade sova där och att dörren stod olåst, att fönstret gick att öppna inifrån, bara av med den där, vad heter det, haspen. Och att hon tanten som sköter stället börjar kvällen med att diska. Det var bra, det skulle dölja ljuden. Hon kom gående jättemycket tidigare än jag hade trott, du vet, klockan

kan inte ha varit mer än midnatt. Hon var hög som ett hus, kunde knappt stå upp. Jag tror att hon mådde illa, för hon gjorde såna där, vad heter det, hulkande rörelser med överkroppen, höll sig för munnen. Hon tog sig in och lade sig i en av sängarna. Jag väntade en stund, men jag ville inte vänta för länge, var rädd att det skulle hinna anlända fler, om du fattar?"

"Jag fattar."

"Det var bara att gå ut, gå över gatan, och gå in. Tanten stod i köket och diskade. Jag svepte förbi, in i salen, satte ett skott i tinningen och placerade smycket i handen, tog mig ut genom fönstret och ner på gatan igen."

"Smycket", säger jag. "Berätta om det."

"Det irriterade mig. Jag fick inte veta det i förväg. Det låg i postboxen samma dag, i ett kuvert med en sån där gul klisterlapp på. Det stod att jag skulle lägga det i tjejens hand."

"Har du kvar kuvertet?"

"Självklart inte."

"Vad var det för sorts smycke?"

"Ett halsband, typ. Jag brydde mig inte så mycket."

"När du lämnade Chapmansgården", säger jag. "Mötte du någon på vägen?"

"Det här är Stockholm. Det är klart jag gjorde."

"Vilka?"

"Ingen aning. Jag tittade inte upp, direkt."

"Hur var du klädd?"

"Va?"

"Vad hade du på dig?"

"Hurså?"

"Svara på frågan."

"Svarta jeans. En svart jacka. En mörkgrå skjorta."

Det stämmer överens med vittnesuppgifterna. Jag inser att jag nickar, och att Koll registrerar det. Jag slutar nicka.

"Vad gjorde du efter det, när du lämnat Chapmansgatan?"

"Tog mig hem."

"Och var är det?"

"Jag har en etta i Västra skogen."

"Så du var på Kungsholmen och bor i Västra skogen. Du åkte kollektivt hem? Tunnelbana?"

"Ja."

"Och vilken väg tog du från Chapmansgatan?"

"Är det viktigt?"

"Ja."

"Jag gick ner på Norr Mälarstrand, tog första vänster. Jag tror att det är Polhemsgatan?"

"Det stämmer."

"Sen in på en gata jag inte vet vad den heter, och upp på en ny gata, Pilgatan, som jag följde upp till Bergsgatan. Efter det tog jag höger till Rådhusets tunnelbana."

Enligt Birck hade det avgörande vittnet sett Koll i korsningen Bergsgatan och Pilgatan. Det stämmer.

"Baren Marcus på Pilgatan. Är det en plats du ofta besöker?"

"De har bra spanska likörer. Jag och pappa drack alltid spansk likör, det fanns en bar i min hemstad och de hade gott om dem, pappa köpte med sig hem. Jag gillar det fortfarande."

"Är det ett ja?"

"Det är ett ja."

"Och bartendern, känner du henne?"

"Nej."

"Hon kände i alla fall igen dig. Vad kan det ha berott på?"

"Vad fan tror du? Förmodligen för att jag besöker stället."

”Hon kände till ditt namn.”

Han rycker på axlarna.

”Jag betalar alltid med kontanter. Men jag har väl sagt det till henne nån gång.”

Det här är vad Birck behöver. I strikt mening är frågan om vem som dödade Rebecca Salomonsson besvarad polisiärt. Men frågan om anstiftan kvarstår. Jag brukar känna en fors av adrenalin och lättnad inom mig vid sådana här tillfällen. Den här gången känner jag bara förvirring.

”Den som gav dig instruktionen om det här halsbandet var också den som gav dig uppdraget att döda Rebecca Salomonsson.”

”Det stämmer.”

”Varför?”

”Vad menar du?”

”Varför skulle du göra det?”

Koll rynkar ögonbrynen och flackar med blicken, som om han tvekade.

”Jag brukar inte ställa den sortens frågor, du vet, det är därför folk anlitar mig. Men den här gången ... det var nåt skumt med alltihop. Jag tror att hon hade sett nåt hon inte skulle se, eller hört nåt hon inte skulle höra.”

”Vad får dig att tro det?”

”Jag frågade runt lite. Den här grejen verkade extremt diskret, om du fattar. Många hade ingen aning.”

”Din uppfattning är att hon visste någonting. Om vad?”

”Jag vet inte.”

”Jag köper inte det. Jag tror att du vet. Varför undanhåller du det?”

”Det är inget man snackar om, okej? Fattar du vad jag menar?”

”Nej.”

Koll suckar och skakar på huvudet.

”Jag tror att hon på nåt sätt fick tag på hans riktiga ... vem han är.”

”Din uppdragsgivare?”

”Ja. Ryktet jag hörde, och jag är ganska säker på att det är sant, är att en hon kände fick hans hjälp för inte så längesen. Och i samband med det, fråga mig inte hur, fick hon veta det. Och du vet hur hororna på Chapmansgården är, de har ju inget. Så jag tror att hon försökte pusha honom, hotade med att avslöja vem han var.”

”Hon hotade med att gå till polisen eller?”

”Vart fan skulle man annars gå?” Koll viftar med handen, avvärjande. ”Jag snackar för mycket, alltså, jag snackar för mycket, jag vill inte säga mer nu.”

”Bara en sak till”, säger jag. ”Innan vi slutar. Varför var du instruerad att enbart prata med mig?”

”Han sa att du skulle förstå det”, säger Koll.

”Jag gör inte det”, säger jag, men känner samtidigt en svag lättnad: om Koll har rätt, dog hon inte på grund av mig.

”Det är väl ditt problem, då.”

”Vad sa han att han hette?”

”Daniel Berggren.”

”Och det var det Salomonsson fick reda på?”

”Nej, nej. Berggren är bara ett, vad heter det, ett alias. Om jag fattat det rätt fick hon reda på hans riktiga identitet.”

Daniel Berggren. Det är lagom vanligt för att det ska finnas alldeles för många för att hitta den rätte, men inte så vanligt att det framstår som en medveten konstruktion för att gömma sig. Det är genomtänkt, nästan elegant. Det har Grims signatur.

”Hans riktiga identitet?” säger jag.

”Ja.”

”Och du vet inte vilken den är?”

”Ingen aning.”

Det kan inte vara John Grimberg. Den är orörd sedan så lång tid tillbaka. Han måste använda en tredje, en jag ännu inte känner till.

”Vad vet du om honom?”

”Inte mycket. Han rör sig under radarn. Gör jobb åt folk, ger dem nya identiteter.”

”Skulle han göra en ny åt dig?”

”Nej. Han erbjöd mig det, men jag ville ju ha pengarna, det var därför jag gjorde det.” Koll lutar sig framåt. ”Jag gillade inte han, alltså. Och du har nåt i din blick, en rädsla. Jag är bra på att se sånt, du vet. Jag gillar inte när saker inte går som planerat, när allt inte är klart i förväg. Det är oprofessionellt. Jag hade räknat ut det på minuten, och det där jävla smycket som plötsligt kom in i bilden ... det fördröjde mig. Hade det inte varit för det hade jag nog inte åkt fast. Så jag ska ge dig ett tips.”

Koll gör en konstpaus.

”Jaha?” säger jag.

”Du kommer aldrig att hitta han. Det finns för många Daniel Berggren. Så”, säger han och sänker rösten till en viskning. ”Du behöver hitta Josef Abel. En gammal man. Han kan hjälpa dig.” Kolls blick flackar över den stängda dörren bakom min rygg. ”Men det säger jag inte till din kollega. Det får inte komma på band.”

”Josef Abel”, säger jag. ”Hur hittar jag honom?”

”Åk till Alby. Fråga runt. Det finns bara en Josef Abel.

Mannen utan röst." Koll tvekar. "Det här säger jag bara för att jag inte gillar han. Fattar du?"

Jag studerar honom noggrant.

"Så du har inte blivit instruerad av honom, av Berggren, att säga precis det här till mig?" frågar jag. "Det är inte så att det här ingår, är en del av alltihop?"

Koll ler svagt.

"Du är inte dum, du."

"Så jag har rätt?"

"Man kan vara smart och ha fel, du vet."

"Har jag fel i det här fallet?"

"Är det viktigt?"

Ja, tänker jag. Det är något med det konstruerade, som om han ständigt betraktar mig, följer mig. Som om jag följer en osynlig, redan utstakad slinga på väg mot en fälla. Koll har rätt. Jag är rädd.

"Har jag fel?" försöker jag, igen, och anstränger mig för att dölja att mina händer börjat darra. "Anger du honom, eller är det här en del av uppdraget?"

"Vem vet", är det enda Koll svarar och vägrar säga något mer trots att jag fortsätter pressa honom. Till slut har jag slitit tag i Kolls tröja och höjer en knuten hand mot hans ansikte för att få honom att prata, men jag kommer inte längre än så. Bakom mig slängs dörren upp och Birck kommer inrusande och griper tag om mig och han är mycket starkare än jag.

XXI

Jag stod utanför grindarna till Rönningegymnasiet den måndagen, i slutet av augusti. Det var en vacker dag, minns jag. Jag väntade på Grim, som hade sagt att han skulle komma till den tidiga lektionen.

”Leo”, hörde jag en röst bakom mig, och när jag vred på huvudet kom Julia gående.

”Hej”, sa jag.

”Jag försökte ringa dig igår.”

”Gjorde du?” sa jag, förvånad.

”Det var ingen som svarade.”

Jag mindes inte att telefonen hade ringt, men å andra sidan tedde sig helgen som ett tjockt, vitt töcken.

”Vad konstigt”, var allt jag sa.

Vi började gå under tystnad. Så länge vi gjorde det kändes det som om jag hade allting under kontroll, som om allting var bra.

”Kommer du ihåg Tim?” sa hon. ”Jag har pratat om honom förut. Jag tyckte jag såg honom i fredags.”

”Var då?”

”Inne i Salem, när vi var på väg hem. Men det var på avstånd och jag var ganska full.”

"Jag ... Hur kändes det? Att se honom? Efter så lång tid, alltså."

"Bra", sa hon. "Tror jag. Det känns skönt att han är tillbaka, även om vi inte kände varann så bra mot slutet. Det känns ändå bra att ha honom här, på nåt sätt."

"Vad bra, då", fick jag ur mig.

"Vi behöver prata", sa hon och stannade upp, tog ett steg mot mig. "Jag ... Dels tror jag att John redan vet om oss. Inte misstänker, utan vet. Och dels, jag ..." Hon såg på sitt armbandsur. "Jag har engelska nu."

"Jag har religion." Jag tvekade. "Vi kan väl gå in tillsammans?"

Vi fortsatte gå, och i ögonvrån såg jag Tim gå före oss in genom en av entrédörrarna. Det måste ha varit hans första skoldag, tillbaka här. Han verkade nervös eller stressad, men antagligen var han bara sen. Att se honom fick det att sticka till i mig. Jag anade en blåtira kring hans ena öga, som ett avtryck. Men jag visste att det fanns mer: värken i magmusklerna från slagen där. De spinnande strålarna av ont i revbenen och den värkande smärtan mellan benen. Och den andra smärtan, den som inte syntes. Den som bara kändes i hjärtat.

Julia såg honom inte. Halvvägs över skolgården lade hon sin hand i min och höll den tills vi skiljdes åt i korridoren. Många såg oss och Grim var inte en av dem men just då hade jag nog inte brytt mig om ifall han hade gjort det heller.

Lunchrasten, ibland var den inte mer än fyrtiofem minuter men oftast var den nittio. En och en halv timme. Vi brukade tillbringa tiden med att äta, inte i skolan utan på gatuköket som låg ett kvarter bort, och röka cigaretter eller lyssna på musik.

Den här lunchen åt jag och Julia vid gatuköket. Vi pratade om festen på idrottsplatsen, och hon berättade att hon hade börjat må illa medan jag var iväg. Hon hade velat stanna kvar och vänta på mig, men Grim hade tvingat med henne tillbaka till Triaden. Hon hade kräkts i stort sett hela vägen hem.

”Du drack fort”, sa jag.

”Jag var nervös”, muttrade hon. ”Vad hände sen, efter att vi hade gått?”

”Inget”, sa jag och drack ur min läsk. ”Jag gick också hem.”

Vi hade våra skåp i olika ändar av skolan, och Julia visste fortfarande inte vilket som var mitt. Jag visste inte vilket som var hennes heller. Vi gick till mitt först.

Jag minns det här: det var lite folk i korridoren. Utomhus sken solen stark och vit och det var tjugo minuter kvar av rasten. Några stod vid sina skåp, andra satt på de slitna träbänkarna. Tv:n i uppehållsrummet var sönder. Rutan hade krossats under ett bråk sent i våras. Jag visade Julia mitt skåp och hon noterade numret, bad mig öppna det.

”Varför?” sa jag.

”Jag vill se vad du har i det.”

”Det är inte städat.”

”Det spelar väl ingen roll.”

Jag började öppna skåpet, tog av hänglåset. Just som jag öppnat det och såg in i det för att avgöra hur illa det var, skrek någon till och i samma blinkning hörde jag Julias röst.

”Leo, akta.”

Hon grep tag i min axel så hårt att jag vreds runt. Julia hamnade framför mig och jag hann möta hennes blick, klar och varm, samtidigt som det smällde till och greppet om min axel hårdnade innan Julias hand blev slapp och försvann.

”Aj”, viskade hon.

Fler skrik. Något metalliskt och hårt föll till golvet och jag höjde blicken. Tim Nordin stod fem, kanske sex skåp ifrån mig med händerna slappt hängande längs sidorna och en leksakspistol på golvet framför sig. Han stirrade på mig med blåtiran lysande i ansiktet. Sedan vände han sig om och rusade iväg, genom korridoren och nerför trappan. Jag såg mig omkring för att försöka avgöra vad som hade hänt, varifrån det smällande ljudet hade kommit. Jag kunde inte koppla ihop leksakspistolen med det jag såg framför mig: hur Julia föll ihop. Fler skrik. Allting stannade upp. Det började lukta bränt.

Jag kunde inte säga något. Jag visste inte ens vad jag skulle göra. Jag lyfte upp henne och lade mina armar om henne, tryckte så hårt jag kunde mot punkten på hennes rygg. Jag försökte stoppa blodflödet, men kände hur det rann mellan mina fingrar, hur det tvingade sig ut i vågor. Jag kunde känna hennes hjärta slå mot mitt bröst, först väldigt, väldigt hårt och fort men snart långsammare och långsammare, svagare och svagare. Jag tror inte att jag grät.

Vad som hände efter det minns jag inte. Jag vet inte ens hur jag tog mig till sjukhuset i Södertälje. Jag åkte inte med i ambulansen. Julia hade blivit träffad i ryggen, på vänster sida någonstans i trakten av hjärtat. Det såg i alla fall ut så, men allt blod gjorde det svårt att avgöra var hålet var. Ambulansen kom, har jag förstått i efterhand, efter bara några minuter. Det var det som ingav hopp, att det gick så fort. Det var i alla fall vad skolans sjuksyster Ulrika sa. Hon hann fram till oss innan ambulansen anlände.

När Ulrika kom tog hon Julia ifrån mig, och strax därefter

hördes ambulansens sirener. Julias panna var blank och huden blek, men hon andades. Andetagen var ansträngda, som om en osynlig tyngd låg på hennes bröst. Mina jeans var fläckade av rött.

Jag blinkade till och befann mig på sjukhuset. Grim var där, någonstans. Klas och Diana också. Julia opererades. Kulan hade missat hennes hjärta men slitit sönder flera av de centrala artärerna som transporterade ut blod i kroppen. De kämpade med att försöka laga dem, men hon hade förlorat så mycket blod att det var oklart om hon skulle klara av ansträngningen som operationen innebar.

En polis, en kvinna som sa att hon hette Jennifer Davidsson och var kriminalinspektör, ville prata med mig. Hon undrade om hon fick ställa några frågor. Jag minns bara detaljer ur samtalet, hur jag sa att det hade gått fort för polisen att komma dit. Inspektören berättade att Tim Nordin hade tagit sig från skolan, till poliskontoret i Rönninge och anmält sig själv. Han hade skjutit någon, erkände han. Men han hade träffat fel person.

”Han säger att han försökte träffa ...”, började hon och tvekade. ”Ja, dig. Har du någon aning om varför?”

”Jag brukade ... Han var ... Jag mobbade honom.”

Någonstans visste jag att jag hade gjort något som var värre än det, men för stunden klarade jag inte av att utveckla det.

”Det rättfärdigar inget av det han har gjort.” Hon lade handen på min axel, där Julia hade gripit tag i mig, och jag slog bort den. ”Jag ska se om jag kan hitta några nya kläder åt dig”, sa hon lågt.

Jag bar fortfarande mina fläckade jeans, min rödstänkta tröja. Jag nickade. Polisen såg länge på mig.

”Hon räddade kanske ditt liv. Och du kan ha räddat hennes.”

Sedan sa hon inget mer.

Jag har aldrig kunnat vänja mig vid ljuden och ljusen, alla intryck ett sjukhus innebär, efter den dagen. Där jag satt i ett av de många väntrummen och väntade på mina föräldrar, kändes det absurt att det här var en vanlig arbetsplats. Folk kom hit, bytte om, gjorde sitt jobb, bytte om igen och tog sig hem, lagade mat åt sina barn och såg på tv med sin familj. Som ett fabriksarbete. Absurt, att de har människors liv i sina händer.

Jag hade fått nya kläder, mjuka Adidasbyxor och en för stor t-shirt som polisen hade letat fram. Skolan hade stängts. Man oroade sig över att Tim Nordin kanske inte varit ensam gärningsman, att han hade bildat en pakt med någon annan, att fler riskerade att dö. Polisen försäkrade alla att det inte fanns några tecken på det, men skolan stängdes ändå.

En sköterska förde in mig i ett undersökningsrum, mätte mitt blodtryck och tog min puls, kontrollerade att jag mådde fysiskt bra. Sedan sa hon att en person snart skulle komma och prata med mig.

”Om vadå?”

”Han informerar dig om saker som kan underlätta tiden efter den här sortens ... efter det du har varit med om.”

”Jaha. Okej.”

Jag satt kvar på britsen. Hon lämnade mig ensam. Julia hade legat på operationsbordet i över två timmar. Dörren öppnades efter en stund och mina föräldrar och min bror rusade in. Jag sa inte så mycket. De frågade vad som hade hänt men just då öppnades dörren på nytt och en vithårig man kom in.

Han bad dem att för tillfället tala med polisen istället för med mig. Efter att ha förvissat sig om att jag inte var skadad, nickade de och gick ut.

Mannen var psykolog och ställde lågmälda frågor. Jag svarade så gott jag kunde, eftersom jag tyckte om honom. Han gav mig en samling informationsblad och broschyrer och sa att han skulle återkomma.

"Vet du hur det är med henne?" frågade jag.

"Nej."

Jag undrade om jag hade frågat honom förut. Jag frågade alla jag såg.

I väntrummet igen. Tre timmar sedan hon började opereras och ännu ingenting, från någon. Scenariot i korridoren spelades upp för min blick gång på gång. Skottet som ekade mellan tinningarna. Värmen från hennes blod på mina händer.

Någon sjönk ljudlöst ner i stolen bredvid mig. Jag vred på huvudet.

"Hej", sa Grim.

Hans röst lät frånvarande, hade en nästan mekanisk klang.

"Har du hört nåt?" frågade jag.

"Inte om Julia." Han höjde blicken och såg på klockan. "Hon opereras. Men jag har hört annat." Han undvek att se på mig. "Som att det var dig han var ute efter."

Jag sneglade på hans fingrar. De var hårt flätade i varandra, som om han stålsatte sig.

"Tim. Stämmer det?"

"Jag tror det."

"Varför var han det?"

Jag svarade inte.

”Om det bevisas att han gjorde det på grund av dig, och om hon dör ... jag kommer aldrig att förlåta dig.”

”Jag förstår det”, sa jag och såg på mina händer.

”Ni hade en ... ni var ihop, eller hur?” frågade han.

”Ja.”

Han nickade långsamt.

En och en halv timme senare dödförklarades Julia Grimberg på operationsbordet. Tiden fastställdes till tre minuter i halv sex på kvällen.

XXII

Eftersom Tim Nordin hade varit ute efter mig, och missat, dömdes han för försök till mord, grovt vållande till annans död och vapenbrott. Åklagaren yrkade på fängelsestraff, med tanke på det överlagda i brottet, men rätten dömde honom till vård inom socialtjänsten.

Jag minns dagarna i rätten som ett grått töcken. Som målsägande stod jag i försvararens skottlinje och till slut var jag övertygad om att jag skulle svimma. Eftersom vi var minderåriga och brottet var så pass allvarligt, hölls allting bakom lyckta dörrar, men innanför dem rullades det förflutna upp.

Det blev känt att jag under två års tid hade trakasserat Tim Nordin.

Det blev känt för alla, utom för Julia Grimberg. Hon var död.

Och jag hade förlorat min bäste vän.

Han förbjöd mig att närvara vid hennes begravning. Det togs inga fotografier under ceremonin, så jag fick inte ens se hur den gick till. Det var först då – flera veckor senare – som chocken började lägga sig och jag förstod att jag aldrig mer skulle få se henne.

Jag kunde inte stanna kvar i skolan. Det var omöjligt. Jag

bytte till en skola i Huddinge. Grim bytte också, men till en skola i Fittja. Kort därefter lämnade familjen Grimberg Triaden och Salem. Jag vet inte vart de flyttade. Kanske Hagsätra. Under tiden före deras flytt försökte jag återuppta kontakten med Grim, utan att lyckas. Den enda som pratade med mig när jag ringde var Diana.

”Du förstår”, sa hon. ”Hans hat mot dig är ... så starkt just nu.”

Hon lät förvånansvärt närvarande och normal, minns jag att jag tänkte. Kanske var det just det här som krävdes för att Diana skulle ryckas upp ur sin depression och kunna gå vidare. Det var en hemsk tanke.

Och fel. Senare hörde jag av någon i Triaden att Diana Grimberg begått ett misslyckat självmordsförsök och vårdades på ett psykcentrum i Södertälje. Där skulle hon sannolikt få stanna länge. Grims pappa drack mer än någonsin och fick sparken, blev arbetslös.

Strax efter det kom ilskan. Jag ville skada Tim Nordin. Jag ville skada Vlad och Fred som hade slagit mig, och fått mig att göra något liknande, och funnit Tim. Jag ville skada de som skadat dem. Efter ett tag insåg jag att det inte var någon idé, kedjan var till synes oändlig. Jag skulle aldrig kunna finna början till alltihop, aldrig finna utgångspunkten. Den ursprungliga kraft som satte allting i rörelse kanske inte ens existerade. Jag ville inte skada någon, insåg jag, jag ville skada alla.

Jag försökte ta reda på var Vlad och Fred bodde nu. Flera kvällar gick jag omkring med en kniv i jackan och sökte efter dem. Jag åkte planlöst från förort till förort utan att finna dem. Jag pendlade mellan att känna en outhärdlig skam och skuld, och att känna mig som utsatt för en oförrätt. Var det mitt fel? Låg ansvaret verkligen hos mig? Det var Tim som hållit i vapnet. Det var Julia som ställt sig framför mig. Jag gjorde ingenting, men var jag oskyldig? Det var jag som gett mig på Tim, hade jag inte gjort det skulle han aldrig ha gått så långt. Och det var mig Julia var kär i, det var mig hon velat skydda. Det var jag som var den enande länken. Men hade det inte varit för Vlad och Fred ... jag slog knut på mig själv, på mina egna tankar. Det tog aldrig slut.

Det var då jag insåg att jag behövde hjälp. Jag sökte upp den vithårige mannen som talat med mig på Södertälje sjukhus. Han hette Mark Levin, visade det sig – han hade tydligen sagt det första gången vi träffades – och insåg att jag omgående behövde påbörja behandling och terapi. Han tog själv ansvar för den. När Julia hade varit död i ett halvår började jag stegvis må bättre, men jag hade ännu inte besökt hennes grav. Enligt Mark Levin var det något jag behövde göra för att kunna gå vidare.

Jag drömde om henne, nästan varje natt. Det skulle inte sluta förrän efter flera år. Det förvånade mig, hur mycket jag klarade av att bära och ändå stå på benen. Tanken på vad vi är kapabla till att leva med gjorde mig rädd men kanske är det så att när det blir outhärdligt slår hjärnan av och sorgen tar sig uttryck i sömnen. Där är väggarna tunnare, murarna lägre. Att ha förlorat Julia kändes som att ha förlorat något grundläggande, något av elementen. Som om luften försvunnit och det enda som återstod var ett kippande efter något som inte fanns.

När jag för första gången tog mig mot Julias grav var det slutet av februari och kallt, så kallt att det varje dag kom rapporter om nya köldrekord. Runt om i Stockholm dog hemlösa djur och människor för att de inte klarade av påfrestningarna och inte hann inomhus i tid. Trots det låg endast ett tunt lager snö på marken när jag klev in genom grindarna och började leta mig fram till den del av kyrkogården där Julia vilade. Jag såg nygjorda skoavtryck i snön och upplevde en märklig trygghet i att inte vara ensam härinne. Det var mitt på dagen och ovanför mig var himlen vit och matt som papper. På avstånd såg jag en skugga stå framför en av gravarna. Det var en kvinna med hår i samma färg som svinto, klädd i en brun kappa. Jag gick förbi och längre in på kyrkogården stod det en person till. När jag sänkte blicken till marken såg jag att det ensamma spåret av skoavtryck i snön ledde fram till honom, också han en skugga, med rakat huvud och en tjock, svart jacka med luva som pryddes av en pälskant.

Han stod med händerna i fickorna och stirrade på graven. Jag hörde honom snörvla. Det var första och enda gången jag såg Grim gråta.

Jag vek av från grusgången, in bakom ett av träden, medan jag försökte bestämma mig för vad jag skulle göra. Jag var varm över ryggen och knäppte upp min jacka, kände kylan svepa in. Händerna darrade. Jag hade inte trott att jag skulle reagera så här. Medan jag fortfarande stod där såg jag honom passera, på väg ut. Han var svullen kring ögonen men verkade samlad.

Jag tog ett djupt andetag, väntade tills han var utom synhåll och klev ut på stigen, följde Grims spår i snön fram till graven.

Den var mindre än jag hade väntat mig, men det var inte förrän jag stod där som jag insåg att jag hade förväntat mig något överhuvudtaget.

Julia Marika Grimberg
1981 till 1997

Kring graven vilade sönderfrusna blommor, en släckt lykta. På den välvda toppen låg det tunna snöskiktet och jag böjde mig försiktigt framåt, kämpade mot motståndet som verkade finnas mellan min hand och stenen, innan jag lade handflatan på den och svepte bort snön.

Jag tror att jag viskade något. Jag kände hur mina läppar rörde sig men kunde inte avgöra vad jag sa. Att hon var borta, att hon inte längre fanns, var obegripligt. Det var ett trick, ett dåligt skämt, någon hade spelat oss alla ett spratt. I själva verket måste hon finnas kvar någonstans, bara alldeles utom räckhåll. Så kändes det.

Jag stod där en stund. Jag tror att jag sa förlåt. Att det var mitt fel. Efter det vände jag mig om, knäppte min jacka och började gå därifrån. Bakom träden och hustaken reste sig vattentornet, mörkgrått och stumt.

Han stod där med händerna i jackans fickor och blicken fäst på tornet, kanske avsatsen där vi hade träffats första gången för mindre än ett år sedan.

”Spionerar du på folk nu också?” sa han, utan att se på mig.

”Vad menar du?”

”På kyrkogården.”

”Jaha. Förlåt.”

”Det är okej.”

Hans röst var lugn och låg.

”Besöker du den ofta?” frågade jag.

”Graven?”

”Ja.”

”Så ofta jag kan. Det är en bit att åka från Hagsätra. Du, då?”

”Det var första gången.”

”För mig var det sista gången på ett tag.”

”Varför det?”

”Jag är dömd för misshandel. Och innehav. Jag LVU:as imorgon, till Hammargården på Ekerö.”

Hammargården var, liksom Jumkils ungdomshem, en av de många ungdomsinstitutioner som bedrevs under anstaltsliknande villkor. Hammargården var inte lika ökänd som Jumkil, men nära nog. Det ryktades om att aktivt kriminella arbetade extra där som vårdare, och på så vis kunde få in narkotika och vapen till de intagna i utbyte mot pengar.

Misshandel och innehav. Det var inte likt Grim.

”Vad var det du hade på dig?”

”LSD-tabletter. Jag behövde sälja dem för att ha råd att köpa mer verktyg.”

”Vadå för verktyg?”

”För att tillverka id-kort och sånt.”

”Men det vet de inte om att du gör?”

”Nej.” Han sänkte blicken. ”Det har de ingen aning om.”

”Hur är det i Hagsätra?”

”Efter vändan på Hammargården ska jag flytta.”

”Vart då?”

”Alby. Jag har en kompis där, han låter mig sova hos honom ibland. Jag kan lika gärna flytta in, sa han, så att jag har nånstans att bo när jag kommer ut. Jag orkar inte bo hemma längre. Pappa dricker större delen av dygnet. Jag försöker sköta räkningarna men det finns inte längre några pengar att betala dem med. Jag har till och med betalat vissa grejer själv. Och mamma ... bor inte hemma." Han höjde blicken mot tornet igen. "Du har förstört allting. Inte Tim. Det var inte han, det var du som drev honom till att göra det. Du är en jävla mobbare. Efter allt vi hade pratat om, om just sån skit, så visar det sig att du är precis likadan. Och det var du som fick Julia att ... hon var smart, Leo, hon skulle aldrig gå så långt."

"Fick henne att göra vad? Bli ihop med mig?"

"Och du sa inget", fortsatte Grim, som om han inte lyssnade på mig. "Varken om Tim eller om Julia. Du sa inget alls." Han skrattade till. "Herregud, du måste ha ljugit så mycket. Jag kan inte ens minnas alla gånger, eftersom det är för många."

"Hon sa inte heller nåt."

Jag kände ett slag i min bröstkorg, hur han grep tag om min jacka och benen försvann under mig. Min nacke slog i den frusna marken och smärtan strålade genom huvudet. Grim pressade sin underarm hårt mot min hals, hans ansikte en hårsmån från mitt och ögonen mörka. Jag kunde inte röra mig.

"Du lägger inte det här på henne", sa han. "Fattar du det?" Igen, skrikande: "Fattar du det?"

"Förlåt", fick jag ur mig med sprucken röst.

Grims arm gjorde det svårt att andas. Han stirrade på mig. Sedan blinkade han en gång, släppte taget och reste sig. Jag tog mig upp från marken. Det värkte i min nacke. Grim hade redan vänt ryggen åt mig och börjat gå därifrån. Han stannade upp och vände sig om igen, öppnade munnen för att säga något men ingenting kom och han släppte ut luften. Jag stod där andfådd och betraktade honom.

"Vi kanske ses, Leo", sa han till slut.

Det var sista gången jag träffade Grim. Jag hörde inte av honom mer, såg honom inte heller. Sommaren kom, och den här gången lyckades jag få ett deltidsarbete som städare åt en lokal firma i Salem. Mina föräldrar var nöjda, men sa ingenting. Jag fortsatte min terapi, fortsatte min behandling med Mark Levin. Jag lät andra komma nära mig igen. Det tog tid men det gick, och när jag förstod att det var möjligt att faktiskt gå vidare blev jag häpen. Jag drömde fortfarande om Julia, besökte ofta hennes grav. Varje gång jag klev in genom kyrkogårdens grindar förväntade jag mig att Grim skulle vara där, men det var han aldrig. På omvägar hörde jag att han hade blivit utstraffad från Hammargården och placerats på Jumkil. Inte kollot, den här gången, utan ungdomshemmet. Orsaken var tydligen att han knivskurit någon, och anledningen bakom det var ett gräl med en annan kille, som slutade med att killen bett Grim knulla sin syster.

När jag var tjugo lämnade jag Salem. Vintern därpå skar någon halsen av Daniel Wretström, en ung skinnskalle som var på besök i huvudstaden. Jag minns att jag undrade om det var en slump att det inträffade i Salem. Det kändes inte så. Jag kände igen flera av namnen på gärningsmännen. De var mina gamla vänners småsyskon.

Jag träffade aldrig mer Tim, trots att jag flera gånger planerade att besöka honom. Det jag hörde var att han försökte ta sitt liv. Det första försöket skedde natten efter domen. Han gjorde det med hjälp av tabletter. Andra gången var några veckor senare, då med ett rakblad han lyckats smuggla med sig in. Tredje försöket skedde efter ytterligare en månad eller så, men inte heller det lyckades. Han dog något år senare, tror jag, i en överdos.

Jag tänker på alla de som försvunnit, som Vlad och Fred. Jag vet inte var de är idag, om de ens lever. Samma sak är det med flera av de andra, de jag kände i Salem: de bara försvinner med tiden, som om jorden öppnar sig och slukar dem.

Ibland ser jag människor, par som går hand i hand. De ser lyckliga ut, skrattar som om det inte fanns några bekymmer i deras liv, som om de aldrig förlorat något och heller inte kommer att förlora varandra. Om de bara visste hur fort det kan gå. Jag vet. Och du vet, eller hur? Du minns. Men det handlade inte om dig den gången, inte egentligen.

När jag ser dem vill jag ibland göra något drastiskt, rycka bort dem från varandra. Kanske för att det fyller mig med avundsjuka, men kanske också för att de ska förstå att ingenting någonsin varar för evigt. Har jag rätt att göra det? Har jag, som vet att något kommer drabba andra förr eller senare, har jag rätt att berätta det för dem?

Det fanns en jag älskade en gång. Anja. Vi lärde känna varandra hemma hos en vän, inledningsvis på grund av ett bråk. Vi ville båda ha vår gemensamme väns sista gram horse. Det slutade med att hon slog mig i ansiktet och tog påsen, men fick så dåligt samvete att hon ville att vi skulle dela på det sista tillsammans. Det var fint, tyckte jag, och snart märkte jag att det var något med Anja som jag inte hade upplevt förut, något med hur hon verkade se rakt in i mig. Jag blev våldsamt förälskad, till den grad att vi höll det hemligt för att inte andra skulle komma emellan och förstöra det. Känner du igen det här? Jag tror att du gör det.

En dag när jag besökte hennes lägenhet var hon inte där. Det enda som fanns kvar var möbler och rester efter en husrannsakan. Hon satt häktad på Kronoberg och dömdes till två års fängelse på Hinseberg för grovt narkotikabrott. Jag vågade inte besöka henne, av rädsla för att de skulle få upp spåret efter mig. Vi försökte prata i telefon men det var svårt, dels på grund av mitt behov av försiktighet men framförallt på grund av att Anja blev mer och mer frånvarande. Jag vet inte varför, hon hade varit ostadig även när hon var ute men inte så här. Att sitta frihetsberövad tärde på henne.

Jag hörde att hon hade hängt sig i sin cell. Hon hade försökt skicka ett brev till mig men det hade stoppats av Hinseberg, av någon anledning. Det hade stoppats och bränts upp. Det var 2002 och jag fick aldrig veta vad hon ville säga till mig. Det var det som till slut fick mig att göra det, fick mig att ta risken det innebar att försvinna.

De lyckliga som går hand i hand, vissa gånger vill jag göra dem illa för att de har varandra, för att världen inte är rättvis. Jag undrar hur långt jag skulle kunna gå. Undrar du det också?

XXIII

Över Albys kolosser till höghus hänger himlen lågt, som om den ansträngde sig för att inte tappa taget och falla till marken. Det är sent på kvällen och i de små kuberna till fönster lyser det här och där. Jag rör mig ut genom tunnelbanespärrarna och ser mig omkring som om Josef Abel skulle uppenbara sig på min begäran.

Efter förhöret med Koll, efter att Birck släpat ut mig ur rummet, konfronterades jag av honom. Birck bad mig förklara vad fan det var som egentligen pågick därinne. Jag sa att jag inte hade tid att förklara, att jag måste gå.

”Du stannar här”, sa Birck med min axel i ett hårt grepp.

”Hur mycket hörde du?”

”Av vad?”

”Av det han sa.”

”Inte så mycket, men tillräckligt för att höra att du hotade honom.” Han såg på mig. ”Varför försökte du slå honom?”

”Jag vet inte”, mumlade jag. ”Tappade koncentrationen.”

”Det ser jävligt illa ut, Leo. Det, plus allt annat ...” Han skakade på huvudet. ”Jag vet inte hur vi ska göra.”

”Kan vi inte ta det här senare?”

Bircks blick var kall.

”Avtrycket på halsbandet, Leo. Jag måste få veta hur det kom dit.”

”Jag kan berätta imorgon. Du behöver hitta någon som heter Daniel Berggren. Du måste nog kontakta NOVA.”

”Säg inte till mig vad jag ska göra.” Han tog ett djupt andetag. ”Vi väntar till imorgon.”

”Varför det?”

”Om NOVA rullar igång kommer det inte att sluta bra. Dessutom har de inga resurser. De har fullt upp med värdetransportrånet i Länna.”

”Imorgon kan det vara för sent”, sa jag och började gå.

”Leo”, sa Birck hårt. ”Du åker hem och väntar medan jag går på Koll igen. Jag måste få aset att börja snacka. Jag vill egentligen ha dig kvar här men det kommer att bli för sent och jag måste följa reglerna. Imorgon kommer du hit och berättar vad du vet.” Han såg på sitt armbandsur. ”Jag sätter en bil utanför din dörr. Jag vill veta var jag har dig.”

”Gör inte det. Folket på Chapmansgatan har sett nog med polisbilar.”

”Och nog med lik”, sa Birck tonlöst. ”Jag vill gärna att de slipper se fler. Framförallt ditt.”

Jag åkte hem med huvudet snurrande. Det var först nu jag insåg det, att det måste vara han. Jag försökte bestämma mig för vad jag kände. Sorg? Något åt det hållet. Jag kände mig sorgsen, över att han gått så här långt för att skydda sin egen identitet. Men det förklarade fortfarande inte varför han låtit Koll placera halsbandet i handen på henne. Jag funderade på att skicka ett textmeddelande till honom, men jag blev plötsligt osäker. Han kändes mer oförutsägbar än någonsin.

Jag såg patrullbilen rulla upp och placera sig längs gatan. Ena hälften av patrullen klev ut och korsade gatan, kom in i huset. Jag gick till diskbänken och drack ett glas vatten, tog en Sobril och väntade tills det knackade på dörren.

”Allt okej här?” frågade han, en man med allvarlig uppsyn och ljusblå, vänlig blick.

Jag såg på gradbeteckningen, broderad över axeln.

”Är du inspektör?”

”Har varit det i två år. Hurså?”

”Det får mig att känna mig viktig.” Jag lyckades le. ”Allt är okej.”

Han nickade och gick iväg. Jag väntade en stund, åt mat och lämnade taklampan tänd innan jag tog mig ut via sidoingången, samma väg som jag tagit efter att Rebecca Salomonsson hittats död. Ingen verkade följa efter mig. Jag åkte till Södermalm och gick förbi Sams studio. Hon var där och ljuset var tänt. Jag såg mig omkring men noterade inget utöver det vanliga. Gatan var sömnig, och Sam var oskadd. Jag vände om, och passerade studion en gång till. Sam tittade inte upp. Istället satt hon med nålen i ena handen, böjd över en ung kvinnas ryggtavla. Jag brukade göra det här ofta, passera hennes studio, framförallt efter separationen och Viktor. Jag har inte sagt det till min psykolog, inte sagt det till någon. Jag undrar om Sam vet om det i alla fall. Förmodligen.

På avstånd blinkar en neonskylt med texten ALBY LIVS 24–7. Det ser inte öppet ut, men det kanske är det som är poängen.

Det är en liten affär, överfull med varor. Det luktar starkt, en blandning av krydda och rengöringsmedel. Någonstans därinne hör jag skratt och någon som pratar på ett språk jag inte förstår. En del av det är spanska, tror jag, men det blandas med något mer. Den lilla affären känns större än den är, eftersom hyllorna är uppställda i en labyrintliknande struktur och man måste ta sig igenom den för att komma till kassan. Där finns inget rullband, bara en disk som i en kiosk. Två unga män och två lika unga kvinnor står i en halvcirkel, som om de charmats av mannen som skymtar bakom disken. De verkar syna mig.

Han är gammal nog att vara deras farfar, med stora bruna ögon och markerade, tjocka ögonbryn, tovigt och krulligt hår som en gång varit svart men nu är gråsprängt. Skägget är tjockt och välvårdat.

”Hittar inget du vill ha?” frågar han när han ser mina tomma händer.

”Inte än”, säger jag.

Han ser från mig till de två männen, till mig igen.

”Är du polis?”

”Det beror på.”

”Beror på vad?” frågar en av de unga männen.

Han och hans vän är båda långa, slanka. Den ene bär en svart skinnjacka, den andre en mörkblå luvtröja med RATW skrivet på bröstet. Jag undrar vad bokstäverna står för.

”Räknas det om man är avstängd?”

Den äldre mannen kisar mot mig, innan han säger något snabbt och smattrande till dem. En av kvinnorna bär en starkt grön, kort kjol, strumpbyxor med hål i, tunga kängor och en kort jeansjacka full med säkerhetsnålar, kedjor och pins. Hon lägger armarna i kors och när jackan spänns över brösten glider en av männens blick dit.

”Oye, sluta stirra”, säger hon.

Hennes mun klickar när hon pratar, som om en piercing slog mot tänderna.

Männen skrattar åt henne.

"Jag söker Josef Abel", säger jag.

Det blir tystare än jag trodde.

"Varför, min vän", säger mannen bakom disken, till synes oberörd, "söker du honom? Och varför tror du att vi vet var han är?"

"Jag har fått höra att det bara finns en Josef Abel och att folk härute tenderar att känna honom."

"Tenderar?" Mannen bakom disken ser frågande på tjejen i jeansjacka, som säger något – *tender* – på spanska. "Aha, nästan samma", säger han. "Jo. Det ... tenderar folk att göra." Han ler, kanske glad över att ha lärt sig ett nytt ord. "Man kommer bara till Josef om man behöver hjälp."

"Jag behöver hjälp."

Mannen kisar mot mig, som om han försökte avgöra om jag ljuger.

"Är du beväpnad?"

Jag skakar på huvudet.

Mannen i skinnjacka kommer fram till mig och börjar visitera mig, mina axlar, över ryggen, höfterna, magen, benen. Han gör det noggrant och vant och när han rör sig känner jag lukten av billig parfym. När han är klar vänder han sig till mannen bakom disken.

"Han är ren, Papi."

"Otrevligt att störa gamla män så här sent", säger Papi och drar handen genom skägget. "Det måste vara viktigt, ditt ärende."

"Ja. Men det enda jag behöver är information, ett namn. Inget mer."

”Du dialogpolis, eh?”

”Nej, det är jag inte.”

”Hur vet du att Josef kan ge dig information?”

”Peter Koll sa det.”

Han sänker huvudet, betraktar diskens skiva – täckt med dekaler och reklam för cigaretter och snus – och verkar begrunda det en kort stund, innan han nickar åt kvinnan med jeansjacka.

”Karin. Ta med honom.”

Hon stirrar på mig och därefter på sin vän, som ännu inte har sagt något. Hennes ögon är uttryckslösa och bruna, som om de sett för mycket av vad världen egentligen är kapabel till.

”Okej”, säger hon och ser på mig, tar upp något ur sin jackficka.

”Du behöver inte ha den där framme”, försöker jag och ser på kniven.

”Jo”, säger hon. ”Det behöver jag.”

Utanför affären, på väg mot höghusen, rör sig Karin intill mig med kniven i ena handen, den andra nedtryckt i jeansjackans ficka. Det är en bra kniv, den sorten man köper i jaktaffärer, mjukt formad efter handen med en liten, rund trigger som skickar ut bladet. Jag undrar om hon har använt den någon gång. Något säger mig att hon har det. Jag undrar hur gammal hon är. Definitivt inte äldre än tjugo, kanske inte ens arton, men hon är lång och jag har alltid haft svårt att avgöra åldern på långa kvinnor. Karins kängor dunkar tungt mot asfalten. När hon går rasslar det lätt i hennes kläder.

”Hur känner du Josef?” frågar jag.

”Han är egentligen den som kallas Papi. Det är bara Dino

och Lehel som kallar Goran för Papi, eftersom de är släkt på riktigt."

"Och Papi betyder vadå? Pappa?"

"Typ. Josef är som en pappa. Eller, numera är han väl mer som en farfar. Han är gammal, men han är fortfarande Papi. Våra pappor, du vet, våra egna pappor, de berättar historier om honom."

"Stämmer det att han kallas för mannen utan röst?"

"Ja."

"Varför?"

"Han kan inte prata."

"Och varför inte?"

"Oye. Du ställer för mycket frågor."

"Ska vi ringa på dörren?"

Karin skakar på huvudet. Vi är på översta våningen i ett av husen.

"Han vet redan", säger hon och öppnar dörren. Den är enkel i trä med ett brevinkast och ABEL skrivet i svart på en remsa som en gång varit vit.

Hallen är prydlig och stor, och en matta i rött och brunt med ett intrikat mönster dämpar stegen. Rakt fram i korridoren delar sig lägenheten med ett rum åt varje håll. Till höger, vad som ser ut att vara ett stort kök med matbord och stolar. Till vänster, något som liknar ett vardagsrum. Karin tar av sig sina kängor och visar åt mig att göra detsamma. Hon går in i rummet till vänster, säger något på spanska till två unga män som sitter i fåtöljer med varsin spelkontroll i händerna. Framför dem, en tv där två fotbollslag möts. På ett litet bord mellan dem ligger två svartlackade pistoler. En av männen pausar spelet och tittar upp, säger Karins namn och sedan Papi, och något mer.

"Vad säger han?" frågar jag.

"Att du får gå in", säger hon. "Men bara om jag följer med."

Bakom männen väntar två dörrar till, båda stängda. Mannen gestikulerar slött mot den ena och följer oss med blicken.

Dörren öppnas av ännu en man, i Karins ålder. Han har tjockt, mörkt hår och blek hy, intensivt blå ögon och en markerad, vass näsa som skjuter ut över läppen. Han ser på Karin.

"Det är sent", säger han.

"Vi vet. Tack", säger Karin.

Rummet består av en enkelsäng, en fåtölj, tv och en bokhylla. Golvet täcks av en matta. I fåtöljen sitter någon, en man med gulaktig hud och en vit gloria av hår runt huvudet, blicken koncentrerad på en bok. Han är klädd i en vit skjorta och grå kostymbyxor som hålls uppe av svarta, enkla hängslen. Skjortan är uppknäppt, visar ett linne och buskigt, vitt hår över bröstkorgen. Näsan är benig och låg, ögonbrynen tjocka och raka. Hans axlar är avslappnade, lutade över boken. Det är axlar som en gång tillhörde en brottare eller någon som arbetade med att flytta pianon.

"Josef Abel?" frågar jag, stående någon meter framför honom.

Abel tittar upp, tar fram ett svart block klätt i skinnfodral ur sin bröstficka och letar fram en penna. Hans andetag kommer i ljudliga pysanden. Medan han skriver ser jag ärret som sitter likt ett smycke kring hans hals: ljusrosa, ojämnt och grovt från ena sidan till den andra, strax ovanför nyckelbenen. Han håller fram blocket åt mig.

känner jag dig

Sedan vaknar hans blick, och han lägger huvudet lätt åt ena

sidan, sveper med blicken över mina ben, mina händer, axlar. Han lägger till två ord:

känner jag dig herr polis

"Leo Junker", säger jag och en viss förvåning syns i den gamle mannens ansikte.

du var inblandad i den skit som var på gotland

"Ja, tyvärr. Jag behöver hjälp. Daniel Berggren, säger det namnet dig någonting?"

Mannen höjer ett finger och vänder sig om. Han ser sig omkring, lyfter en bok som legat på golvet intill honom, drar ut ett kuvert ur den och visar mig. Det är vitt, stort som ett vykort, och mjukt, som om det innehåller flera pappersark. *leo*, är allt som står på kuvertet, skrivet i en handstil jag inte känner igen.

"Det är från honom, alltså? Från Daniel?"

Abel nickar och det får kuvertet att kännas varmt mot mina fingrar.

"När lämnade han det här?"

kom med ombud vet inget mer

"Jag tror inte riktigt på det."

misstänksam, eh?

Den gamle mannen skrattar, hånfullt och pysande.

"Du har alltså kontakt med Daniel Berggren?"

har det hänt något

"Hur väl känner du honom?"

Hans ansikte blir spänt, dystert.

ganska väl snälla säg att du inte kommer med dåliga nyheter

"Återigen", säger jag. "Jo, tyvärr."

Den gamle mannen blinkar. Om han är chockad eller förvånad märks det inte på honom; kanske finns det en glimt av skakighet i nästa ord han skriver i sitt block:

självmord?

"Nästan", säger jag. "Mord."

offer eller gm

"Gärningsman", säger jag och ser mig omkring, drar till mig en stol och sätter mig på den.

du ljuger det kan inte vara sant

"Tyvärr är det det."

Abel sjunker ihop, som om han punkterades på luft. När han vänder blad i sitt block upptäcker han att han just fyllt den sista sidan. Den gamle mannen öppnar munnen och talar, andas in orden, rösten som ett sprucket spöke. Det är ett fruktansvärt ljud, ljudet av någon som talar med glassplitter i stämbanden. Ett ögonblick efter att han tystnat landar hans ord hos mig:

"Nytt block."

Mannen som stått intill Karin lämnar rummet och återvänder med ett nytt block. Under tiden går Karin fram, sjunker ner på huk och småpratar med Abel. Han är glad över att se henne. Hans ögon lyser upp och han ler, klappar henne på kinden när hon berättar något. Karin håller hans hand mellan sina. Jag håller kuvertet i handen. Handsvetten gör kuvertet fuktigt.

D är ingen mördare, skriver han.

"Inte direkt, kanske", säger jag. "Men indirekt. Jag behöver veta vad du vet. Han var min vän, en gång. Nu är jag rädd att han kommer skada folk."

vad vill du veta

"Hur lärde du känna honom?"

han kom till mig

Abel anstränger sig för att minnas, innan han fortsätter:

efter Jumkil

Han ser frågande på mig.

"Jag känner till Jumkil", säger jag.

hans vän introducerade oss

"Vännen han bodde hos just då, här i Alby?"

"Hm", väser Abel ur sig, nickande. Ljudet är ihåligt och rosslande, får mig att tänka på reptiler.

D hade vissa färdigheter

"Jag vet."

jag såg till att han utnyttjade dem han hjälpte många

"Han hjälpte många att försvinna?"

och många att komma hit från sina hemland

Abel tvekar, innan han lägger till: *mot pengar*

"Och du hade pengar", säger jag.

Det får den gamle mannen att sära på läpparna i ett leende, visa en sorglig ursäkt till mun där många tänder saknas och de som sitter kvar är sneda, felformade och ohälsosamt gula.

underdrift, skriver mannen.

"Jag förstår. Narkotika?"

Abel stelnar till i sin fåtölj och betraktar mig länge, som om det här var ett avgörande ögonblick.

bland annat men det var då jag är gammal nu

"Du var knappast ung för tolv år sedan."

jag var yngre herr polis

"Visste du att Daniel egentligen hette något annat? Att han hette John?"

minns inte

"John Grimberg."

Abel knackar på orden han just skrivit, som för att förtydliga dem, och så tillägger han: *vi kallade honom den osynlige*

”Varför?”

Den gamle skriver ett längre svar.

han hamnade i trubbel efter en grej med S, då försvann han, såg honom inte på ett tag, sen kom han tillbaka, som en uppenbarelse

”När träffade du Daniel senast?”

för ett par månader sen

”Under vilka omständigheter?”

”Oye”, hör jag Karins röst bakom mig, en hand som hårt griper om min axel. ”Är det här ett förhör, eller?”

”Nej.”

”Du tar det lugnt, fattar du”, säger hon. ”Luta dig bakåt.” Hon släpper taget om min axel. ”Han mår inte bra av att bli hetsad.”

”Jag hetsar inte.”

”Det är inte du som avgör det.”

Abel ler ursäktande och blinkar åt Karin. På tv:n, i bakgrunden, flimrar en musikvideo. En stor val svävar genom rymden och ser ut att vara på väg att svälja jorden. Det ser välkomnande ut.

”För ett par månader sedan träffade du Daniel”, säger jag. ”I vilket ärende då?”

han kom hit för affärer

”Någon skulle försvinna?”

Abel nickar.

”Använder han fortfarande namnet Daniel Berggren?”

det är namnet han alltid haft med mig

”Hur kontaktar du Daniel om du behöver få tag på honom?”

skickar ett brev

”Till vilken adress?”

Han skriver ner något och river av pappret, ger det till mig. Det är en postboxadress.

”Det här är ingen riktig adress.”

det är den jag har

”Så vad händer när du har kontaktat honom via brev?”

han kommer hit

”Efter hur lång tid?”

2–4 dagar

Jag ser på adressen i min hand och reser mig ur stolen. Jag undrar var postboxen finns. Var den än finns är det sannolikt nära Grims hem. Den postboxen måste vara viktig för honom.

”Tack”, säger jag.

du vill inte tacka mig du vill låsa in mig för knark och våld, skriver han, *för det du tror att jag har gjort mot barnen i Alby*

”Ja”, säger jag.

Jag är nära att säga någonting, men vet inte riktigt vad. Jag stirrar på Abel, försöker bestämma mig för om det finns något jag kan hota honom med. Det gör det inte. Jag tar ett par steg ifrån honom, på väg ut. Han skriver något mer i sitt block och viftar fram mig igen.

tror du att du gör världen bättre?

”En gång trodde jag nog det”, säger jag. ”Men det var då. Jag har förändrats.”

människor förändras inte herr polis, skriver han, *de anpassar sig*

XXIV

Sittande på tunnelbanan öppnar jag kuvertet. Vagnen är nästan tom, bara några resenärer här och där som sitter på sätena med sina huvuden lutade mot rutan. Belysningen är blekt gul, får min hud att se sjuk ut.

Det verkar vara någon sorts dagbok, flera sidor lång, skriven med den sortens handstil Grim troligen inte använder längre. I andra sammanhang skriver han annorlunda, modifierat och förvrängt för att dölja sig själv. Det märks, som om han för första gången på länge provade gamla kläder och var osäker på hur han skulle bära dem, osäker på vilken roll och hållning de förde med sig.

Den sista tiden innan jag försvinner går jag hos en psykolog. Hon blir mer och mer nonchalant och jag begriper inte varför. Jag minns en eftermiddag på hennes kontor, hon frågar mig vad som är fel. Jag säger att jag inte vet, att det kanske har med min familj att göra men kanske inte, eller mina vänner, jag vet inte. Anja är död, kanske är det det? Kanske är det knarket. Hon frågar hur det är med min familj numera. Jag säger att det är bra, att allt är bra. Det är ju bara pappa kvar och med honom är det bra.

"Men jag, då?" frågar jag.

"Vad menar du?" säger hon.

Jag vet inte vad jag ska säga, jag känner mig så desorienterad.

"Ja, men jag då?" upprepar jag och känner mig hjälplös.

"Det kommer bli bra", säger hon, "när du blir äldre kommer det bli bra. Man växer ur saker."

"Jag vet inte", säger jag, "jag tror inte det."

Hon lägger huvudet på sned. Hon ser ner på mig, säger det inte men jag vet att det är sant. Jag har träffat så många som hon vid det här laget, och de är alla likadana.

Jag lyckas försvinna. Det tar tid. Det är en sak att ge någon ett id-kort och en klapp på axeln, men att verkligen försvinna är en annan. Framförallt om man, som jag, varit registrerad i en mängd ovanliga register. Jag lyckas inte med alla, vissa uppgifter är för gamla för att kunna modifieras, begravda djupt i myndighetssverige. Jag mutar alla jag kan, hotar tjänstemän via omvägar och uppger falska ändringar av adresser och konton. Jag försöker dödförklara mig själv men det krävs ett lik för att lyckas med det och så långt kan jag inte gå. 2003 är allt annat färdigt. Jag väljer namnet med omsorg och tjugofyra år gammal blir John Grimberg en man som går upp i rök.

Jag tar mig över till en lättare drog för jag behöver vara klar i huvudet nu. Det går inte och till slut faller jag tillbaka på horse. För att kunna funka börjar jag gå på underhållsmediciner som jag köper på svarta marknaden, ingen klinik skulle ge subs till någon som mig. Jag går på dem än idag, men det är ingen som vet om det, utom du, då. Två gånger om dagen tar jag metadon, ibland oftare. Senaste tiden har det blivit oftare.

Efter ett tag, när jag väl har lyckats bli någon annan, rullar saker och ting på av sig själva. Genom Abel hjälper jag folk att skaffa nya identitetshandlingar, börjar undersöka om det verkligen går att radera någon ur systemet helt och hållet. Det är en sak att radera sig själv, men någon annan är mycket svårare.

Snart far jag kors och tvärs, hjälper folk till höger och vänster, och tjänar sjuka pengar. Om jag skulle säga hur mycket skulle du skratta, det är löjligt. Men under hela den här tiden, alla år, till och med när allting är som värst, inte ens då tänker jag på dig. Jag har inte förlåtit, men jag har gått vidare. Dessutom har jag ingen aning om vem du är, var du är, om du ens lever. Den ovissheten känns bra.

Och så, för bara tre veckor sedan, rasar allting. Tänk att det kunde gå så lång tid! Sedan dess skriver jag det här till dig, Leo.

Lyssnar du? Hör du mig? Jag ska se till att du lyssnar.

Pappa blev sjuk och efter en tid dog han. Jag hade försökt träffa honom så mycket som möjligt redan innan han tvingades in på sjukhus.

Vi visste nog båda att vi var på väg utför, men ingen av oss sa någonting om det. Jag tror att han visste vad jag höll på med, men han sa ingenting om det heller. Vi spelade kort, såg på film, gick ut och kastade pil på någon bar ibland, den sortens grejer. Jag vet inte om det var så för honom, men jag upplevde att vi hade en outtalad överenskommelse. Vi såg till att ha varandra, bara. Vi behövde båda det.

Sedan behövde han läggas in och jag besökte honom på sjukhuset. Jag använde ett falskt namn och pappa hörde det, tror jag, för han tilltalade mig med det en gång, och log. Sista gången vi sågs var han riktigt svag och det tog en stund innan han kände igen mig. Det var då jag fångades av någonting, när jag såg hans ansikte.

Jag hade tagit så mycket avstånd från allt annat som hade med Salem att göra. Jag behövde det för att klara mig. Så när jag såg honom där var det en chock, som att allting kom tillbaka till mig. Helt plötsligt hade det inte gått någon tid alls, trots att det nästan hade gått sexton år. Han var den enda jag hade kvar. Och så dog han. Jag visste inte vart jag skulle ta vägen. Jag började drömma och drömmen bestod bara av en sak: färgen röd, hur jag blev insnärjd i den och inte kunde ta mig loss. Jag gled genom begravningen som i dimma.

Det var bara jag som fanns kvar och kunde ta hand om dödsboet. Julias och mammas död hade pappa tagit hand om. Han hävdade att han hade slängt allt och jag hade inte varit nere i förrådet, så när jag gick ner dit fick jag en chock. Allt fanns kvar. Han hade inte ens slängt mina gamla kläder. Nu när jag skriver det här fattar jag inte varför han inte sa det, varför han hävdade att han hade slängt allt. Men när jag stod där var det enda jag undrade hur allt kunde få plats. Till och med möblerna från Julias rum fanns kvar. Hennes säng, skrivbord, hyllor, allting. Sängen var fortfarande bäddad. Kan du fatta? Den var fortfarande bäddad! Sängkläderna var fuktskadade och fulla av mögel, men man kunde se mönstret, de små färgglada prickarna. Av någon anledning lyfte jag bort kartongerna som stod på sängen och drog undan täcket. Där låg lite av hennes kläder. De var halvt förstörda, såklart, precis som sängkläderna, men jag kände ändå igen dem.

Du anar inte hur det finns små detaljer i vardagen som kan få det förflutna att komma tillbaka så starkt, att bli som ett svart hål i en där man sugs in. Det var första gången jag tog ett återfall på heroin, därinne. Jag gick ut och köpte och satte mig bland grejerna och bara slog i mig.

När jag började gå igenom lådorna hittade jag kläder som jag inte sett på länge. De tillhörde dig. Den mörkblå luvtröjan med Championtryck på, kommer du ihåg den? Förmodligen gör du väl inte det. Jag hittade till och med Julias kollegieblock, där hon och du hade skrivit varandras namn. Jag hittade mammas gamla fotoalbum, det hon hade satt ihop i sina mer glada stunder. Jag minns att hon var extremt noggrann med ordningsföljden, vilket kort som skulle följa på vilket. Det började när bara hon och pappa var ihop, sedan dök jag upp här och där och så småningom Julia också. På flera av bilderna bar hon sitt halsband.

Förrådet var som att kliva in i en annan tid. Allting virvlade omkring mig. Minnet av mamma, pappa, och alla andra. Det blev precis som jag sa, kommer du ihåg att jag sa det flera gånger? Att om något hände Julia så skulle vi inte klara av att hålla ihop längre. Precis så blev det, bit för bit. Jag tror inte att jag grät. Under flera dagar bodde jag därnere (det är ingen idé att du letar där, jag är inte där längre), gjorde inget annat än gå igenom allt som fanns där. Jag tittade på de gamla filmerna vi gjorde, de vi spelade in själva. Jag började med en som hette "LOVE KILLER". Kommer du ihåg den?

Jag eldade upp allting i en tunna på innergården. Allting, utom det som var för stort för att få plats. Det körde jag till en soptipp. Men allt annat, vartenda jävla minne, eldade jag upp. Jag är ingen. Har ingenting. På ytan är allting okej efter pappas död, men på insidan är det som om jag förfaller. Jag känner mig makalöst ensam. Osynlig. För första gången gör jag det.

Kanske är det att jag håller på att bli äldre. När jag var tjugo gick det att leva så här, man tänkte inte att man saknade något. Att man gled längs med tiden. De här tankarna håller mig vaken om nätterna. Isoleringen har blivit total. Jag känner mig identitetslös, plötsligt är det som om allt hunnit ikapp mig. Jag har börjat hallucinera. Ibland lyckas jag sova men det kan gå flera dagar utan att jag gör det. Metadonet hjälper inte längre, jag känner hela tiden ett sug tillbaka till horset. Vad är det för liv jag lever, egentligen? Jag har ingen kontakt med någon, har inget som binder mig till någon.

Hur jag hittar dig efter så lång tid? Det är det som är det fantastiska, hur bitarna faller på plats trots att allting ligger i spillror efter pappas död. Det börjar redan ett par veckor innan han dör, då jag avslutar ett jobb åt en jag inte litar på, men jag behöver pengarna. Han har en bekant, en tjej, jag litar ännu mindre på. Rebecca. På något sätt får hon reda på den identitet jag vanligtvis lever under. Man måste ju bära dem med sig, id-handlingar, och en kväll, vid ett möte, har jag inte hunnit byta till den identitet jag annars använder. Hon måste ha snokat i min jacka eller något, trots att jag är nästan säker på att jag håller den under uppsikt hela tiden. Jag vet inte för jag är skakig och har tagit en stark dos metadon. Världen är lite grumlig och jag känner mig otrygg. Kanske hinner någon av dem, Rebecca eller hennes vän, se mitt namn.

Hon börjar utpressa mig, säger att hon kommer gå till polisen om jag inte ger henne pengar för att hålla tyst. Till en början gör jag som hon säger men det eskalerar, blir värre och värre. Mer och mer pengar kräver hon av mig och hon kommer till och med på pappas begravning, ställer till med en scen under mottagningen. Jag är ständigt rädd, ser mig ständigt om. Allting jag har byggt upp kring mig själv riskerar att falla. Jag börjar planera för en ny identitet men klarar inte av det i det skick jag är. Jag måste göra mig av med henne, på något sätt. Jag börjar följa efter henne. En kväll dyker hon in genom porten på Chapmansgatan, och jag stannar kvar därute, i bilen. En man lämnar porten några minuter senare och den som kommer ut är du.

Min värld står stilla. Det är det, min reaktion när jag ser dig, som får mig att förstå vad jag måste göra.

Jag vet vad du tänker: jag har blivit galen. Det kanske är sant. Men alla har någonting som kan ta dem till gränsen, och bortom den. De flesta vet inte ens vad det är, men jag vet. Jag vet var det började gå fel.

Jag höll dig under uppsikt så snart jag hade hittat dig. Det är din tur att åka in i spiralen nu.

XXV

När jag tar mig ut ur tunnelbanan och upp ur underjorden drar jag in djupa andetag, försöker samla mig efter att ha läst hela dagboken.

Daniel Berggrens postbox finns i en lokal vid Rådmansgatan. Det tar en stund att komma fram till det, men inte så lång tid som jag trott. I innerstaden finns postboxar samlade på ett antal adresser, och vid en dator på ett dygnetruntöppet Seven Eleven söker jag mig fram till den specifika adressen med hjälp av internets sökmotorer och uteslutningsmetoden. Det rör sig om ett fåtal adresser, en i Nacka, en i Karlberg, en i Vasastan och en nära T-Centralen, men den sista ser endast ut att vara för större företag.

När jag går ut från Seven Eleven har klockan passerat midnatt. Stockholm känns inte som en huvudstad längre. Gatorna är nästan tomma, pulsen lägre. Mina händer darrar.

Jag tar mig till Rådmansgatan och stannar utanför lokalens dörr. Stängt mellan midnatt och fem på morgonen. Jag trycker ansiktet mot dörrens glas – på insidan är glaset täckt och säkrat med tunga galler – och ser rad efter rad med postboxar stora som vanliga brevinkast, staplade på varandra i oändlighet. Post- och telestyrelsens logotyp sitter på en av väggarna.

I takets hörn blinkar vad som måste vara övervakningskameror. En bil stannar till bakom mig och reflekteras i det mörka skyltfönstret, med ordet SECURITAS skrivet över huven. En bulldogg till man kliver ur och börjar gå mot mig.

”Allt okej?” frågar bulldoggen.

”Allt okej”, säger jag. ”Bara nyfiken.”

Utanför Chapmansgatan står den blåvita patrullbilen kvar. Därinne är ena hälften av patrullen vaken och med ansiktet blekt upplyst av skärmen från en mobiltelefon, den andre ser ut att sova mycket djupt.

Kvart över fem. Det är vad klockan är när jag öppnar dörren till postboxarna vid Rådmansgatan. Mina ögon svider av trötthet och jag är ganska säker på att jag blivit sjuk under sömnlösheten. Jag pendlar mellan att svettas och att frysa, innan jag inser att jag inte tagit Sobril på alldeles för länge. Det kan vara abstinenssymptom. Stående innanför dörren rotar jag runt i jackans innerficka tills jag hittar en tablett och sväljer den, känner hur den glider ner i mig medan jag tar fram lappen med adressen. Postbox 4746.

Postboxarna ligger i kolumner om tio. Rad efter rad täcker den stora lokalen. Längs väggarna större boxar, vissa tillräckligt stora för att svälja ett par skolådor, andra så rejäla att man skulle kunna gömma möbler i dem.

Jag hittar postbox 4746 någonstans mitt i det labyrintliknande landskapet och studerar den, noggrann med att inte röra vid den. Det ser ut som vilken box som helst. Med en penna gläntar jag på det lilla locket, och sticker försiktigt ner fingret i boxen. Där ligger post. Det betyder att han behöver hämta den, att han behöver komma hit. Jag ser mig omkring efter en lämplig plats att hålla uppsikt vid. Jag kan behöva stå här ett tag. Jag väljer en plats långt in i lokalen där jag både har uppsikt över postboxen och entrén. Tid går, utanför entrén skymtar Rådmansgatan och därute vaknar staden till liv. Människor passerar med väskor och barn i händerna, bussar rullar förbi. Solen stiger och gör gatan ljus.

Morgontidiga kvinnor och män kommer in i lokalen, går med hastiga steg fram till den box som är deras, hämtar posten, trycker ner den i sin väska och försvinner igen. Jag följer dem med blicken. De är sannolikt egenföretagare av något slag, majoriteten av posten ser ut att vara företagspost. Det är ett effektivt kamouflage av Grim. Här är han bara en av många välklädda och självständiga som hämtar sin post på morgonen. Jag börjar bli törstig och få ont i benen. När lokalen är tom går jag ett par varv mellan boxarna, och försöker att inte låtsas om övervakningskamerorna i taket.

Kvart över åtta, efter tre timmars väntan, passerar någon utanför fönstret. Jag ser det i ögonvrån: en lång, svartklädd man med rågblont hår. Jag kan inte se hans ansikte. Han korsar gatan och rör sig mot entrédörren och i en blinkning försvinner han ur mitt synfält och jag håller andan tills dörren öppnas och han kliver in i lokalen. Han är klädd i svarta jeans och en lika svart jacka. Under den bär han en enkel blå t-shirt. Det rågblonda håret är välkammat, det kantiga ansiktet avslappnat men blekt och hålögt, urgröpt. Till en början undrar jag om det är han, men så gör han en rörelse – sveper med blicken åt vänster och huvudet följer med, en svag nickning – som övertygar mig. Jag känner igen honom. Det är Grim, men så mycket äldre, och känslan är överväldigande och overklig, som om jag för en stund tagit steget över till andra sidan och iakttog de döda.

Hans ansikte får mig fortfarande att tänka på Julia. Jag undrar hur hon hade sett ut idag.

Grim går med händerna i jackans fickor. Han kan redan ha sett eller hört mig, men jag tror inte det. Jag står gömd bakom en rad boxar och ser Grim genom en glipa mellan dem.

Han öppnar postboxen, tar ut någonting men jag kan inte se vad det är, och går mot utgången. Men han går inte ut. Istället går han mellan raderna av boxar, tvingar mig att flytta på mig för att kunna se vad han gör. Mina steg är hetsiga och i öronen slår pulsen hårt och snabbt och jag lägger huvudet på sned, kikar fram och håller andan. Grim har stannat vid en ny box, öppnar den och tar ut vad som ser ut att vara ett cigarettetui i metall. Han tar upp något litet och svart ur innerfickan på sin jacka och placerar det i boxen. Därefter låser han och går mot utgången. Jag borde kliva fram, konfrontera honom, kanske slå honom medvetslös, jag vet inte, men någonting borde jag göra och trots det kan jag inte röra mig. Det enda jag gör är att hålla ögonen på postboxen för att memorera vilken det är, medan jag tar upp min telefon.

Han går ut genom dörren, försvinner runt husknuten.

Mina ben är ostadiga när jag går fram till postboxen Grim just lämnat och noterar dess nummer. Sedan ringer jag telefonnumret jag fått av Levin, det som går till någon som kallar sig Alice. Hon svarar, uttryckslöst ointresserad, som om hon satt vid telefonen dygnet runt. Det kanske hon gör. Jag ber om hennes hjälp, säger att jag behöver veta namnet på den som är skriven på en postbox vid Rådmansgatan.

”Du, hur står det till, egentligen?” frågar hon.

”Vad menar du?”

”Du låter som om du precis har gråtit.”

”Kan du ge mig namnet, bara?”

”Nummer?” säger hon och jag hör smattrandet av tangenter.

”Femtiosex fyrtiosex.” Jag tvekar. ”Är det Skatteverkets register du sitter i nu?”

”Mm.”

”Kan du kolla en andra postbox också?”

”En sak i taget, Junker.” Hon harklar sig. ”På postbox femtiosex fyrtiosex, jag gissar att du står framför den nu?”

”Ja, det gör jag.”

”Det finns inget enskilt namn registrerat på den. Det finns två. De ser ut att driva en firma av något slag. Tobias Fredriksson och Jonathan Granlund.” Hon klickar och klickar igen. ”Födda sjuttionio och åttio. Båda ostraffade. Båda ensamstående. En bor i Hammarbyhöjden, en vid Telefonplan. Deras arbetslokal ser ut att vara vid Telefonplan, men det är inte samma adress som Granlunds.”

Hon hostar till. Jag undrar om hon röker.

”Och den andra boxen?” frågar hon.

”Fyrtiosju fyrtiosex.”

”Samma adress i övrigt?”

”Ja.”

En kort tystnad.

”Daniel Berggren. Den enda koppling jag hittar är till folkbokföringsregistret. Daniel Berggren, född sjuttionio, tolv, femton, då registrerad i Bandhagen.” Hon fortsätter klicka. ”Öh, har han en postbox som hemadress? Jag har varit med om det förut. De brukar vara kulisser.”

”Har du några kontaktuppgifter, utom adresserna, till Fredriksson och Granlund?”

”Nej. Inte ens ett telefonnummer. Vill du ha adresserna?”

Hon läser upp dem för mig och jag antecknar dem, häpen. Grims identitet är höljd i ett dunkel av villospår.

”Tack, Alice”, säger jag.

”Mm”, mumlar hon och avslutar samtalet.

Birck ringer när jag är på väg ner i underjorden vid Rådmansgatans tunnelbanestation. Han flåsar i luren och frågar var fan jag håller hus.

”Du skulle vara här. Vi kom överens. Jag behöver dig, dina uppgifter.”

”Hur gick det med Koll igår?”

”Kom hit. Nu.”

”Om du svarar på hur det gick med Koll.”

En djup suck.

”Han säger i stort sett ingenting, hävdar att han fått i uppgift att bara snacka med dig. Det enda jag fick var enstaka detaljer som inte betyder någonting i sig själva, men de skulle kunna stämma överens med de tekniska uppgifter vi har. Och så hävdar han att han gjorde det för pengar, på uppdrag. Jag pressade honom på namnet du sa, Daniel Berggren, men han såg bara ut som ett jävligt nöjt frågetecken och vägrade säga något. Så, kom hit nu.”

”Kan vi inte ta det på telefon?”

”Definitivt inte.”

Jag går genom tunneln under Sveavägen, passerar den hotfullt röda målningen av August Strindberg som täcker väggen.

”Han gjorde det på uppdrag av Daniel Berggren, men det är bara en front för två andra namn”, säger jag. ”En Tobias Fredriksson i Hammarbyhöjden och en Jonathan Granlund vid Telefonplan. Båda är i rätt ålder. På pappret driver de en firma av något slag men jag är säker på att det bara är en kuliss. Han hette från början John Grimberg, men Grimberg finns bara noterad i Obefintlighetsregistret. Jag tror varken Granlund, Fredriksson eller Berggren är den identitet han använder numera. Han kallar sig något annat. Och jag tror att det var därför hon dog, hon fick reda på det."

"Hon fick nys om hans identitet?"

"Precis. Jag hade tur och hittade rätt Daniel Berggren, så jag ä..."

"Hur kunde du göra det", säger Birck kyligt, "inifrån din lägenhet, där du vistats på min order?"

"Jag hade tur. Och du kan inte bestämma över någon som är avstängd."

"Jag fattar inte hur du är inblandad i det här. Det är dags att prata nu, Leo", försöker han, nästan bedjande.

"Daniel Berggren, eller John Grimberg som han hette då, var min vän en gång." Nere på perrongen forsar tåget ut ur tunneln med bromsarna skrikande. "Innan han började hata mig."

"För att?"

"Det spelar ingen roll."

"Så var halsbandets placering där en varning till dig? Eller ett hot?"

"Jag vet inte", säger jag, och tänker på dagboksbladen som ännu ligger i min innerficka. Det är sant. Jag vet verkligen inte. Jag går på tåget, ser mig omkring i vagnen, övertygad om att någon iakttar mig. "Hans pappa dog för tre veckor sedan. Sedan dess har det nog gått utför och jag tror att han agerar extremt irrationellt just nu. Och jag tror att han är farlig."

"Hur länge har du misstänkt det här?" frågar han.

”Någon dag, bara.”

”Någon dag, bara”, upprepar Birck, och så suckar han. ”Jag ska informera Pettersén och sedan tar vi Granlund.”

”Nej”, säger jag. ”Fredriksson. Jag tror att Granlund är ett villospår.”

”John Grimberg”, säger Birck. ”Jonathan Granlund. Folk som håller på med sånt här behöver något som inte gör dem personlighetskluvna och tokiga. De behöver något som visar en koppling till vilka de verkligen är. Initialer, till exempel.”

”Jag vet det”, säger jag. ”Och han vet det också. Jag tror att han har tänkt på den här sortens kopplingar.”

Det är tyst i luren, förvånansvärt länge.

”Du ska få fan för det här, när det är över.”

”Det skiter jag i.”

”Så du tror på Fredriksson?”

”Ja.”

Birck suckar, igen.

”Kolla Fredriksson, då. Jag tror på Granlund. Hittar vi honom, hittar vi hans riktiga identitet. Jag ska försöka få loss mer resurser. Vi tar Granlund. Ring när du är där.”

”Det där låter nästan som en uppgift för en polis i aktiv tjänstgöring”, säger jag.

Han bryter samtalet utan att säga någonting.

Jag går av i Hammarbyhöjden, ett par stationer söder om Södermalm. Solen skiner vit och varm och det rasslar om buskarna och träden. Medan jag letar efter lappen med Tobias Fredrikssons adress ringer telefonen från ett nummer jag inte känner igen.

”Är det Leo?” hörs en skärrad röst.

”Vem är det här?”

”Ja, jag, jag heter Ricky. Är det här Leo Junker?”

”Lugna ner dig. Ja, det är jag.”

”Jag är tillsammans med Sam. Sam Falk. Du känner henne, eller? Jag skulle ringa ditt nummer om något hände.”

”Va? Om vad hände?”

”Hon ... hon kom inte hem igår kväll. Jag trodde att hon jobbade sent, men ... när jag vaknade i morse var hon inte här. Jag tänkte att hon kanske sov över i studion, hon gör det ibland, men jag står utanför studion nu, den är tom och nedsläckt och stängd. Hon är inte här. Jag har försökt ringa henne och hennes telefon är avstängd och Sams telefon är aldrig avstängd. Jag tror ... jag är rädd att något har hänt.”

Mitt huvud börjar snurra. Jag tar stöd mot en husvägg av något slag. Fasadens yta är vass och ojämn mot min handflata. Jag blundar. Han låter mindre, svagare än jag hade väntat mig.

”Ring polisen. Säg att du vill prata med Gabriel Birck.”

”Kommer du hit?”

”Ja.” Jag börjar springa tillbaka, mot tunnelbanan. ”Jag kommer.”

På tunnelbanan tillbaka mot Södermalm står jag upp, kan inte sitta ner. Folk stirrar, men jag bryr mig inte. Min telefon mottar ett textmeddelande från Grim.

3 timmar, leo

till vad?

tills du måste ha hittat mig

Och så tillägger han:

tills hon dör

XXVI

Södermalmspolisen är där före mig. När jag tagit mig upp ur tunnelbanan och springande korsat mig fram över gatorna ser jag bilarna på håll. Trots att jag vet att Sam inte är där, är det ändå som om en av mina värsta farhågor besannas: blåljus som står och slår mot väggarna kring S TATTOO. Sam som ligger därinne, stilla och blek. När jag kommer fram till studion måste jag kika in, bara för att förvissa mig om att det inte är sant.

Ingen kropp. Istället går två poliser försiktigt omkring därinne. En kriminaltekniker i blå overall och latexlila handskar, samma person som varit ansvarig för undersökningen på Chapmansgatan, anländer just och skriker åt dem att flytta sig från hans brottsplats. Ordet brottsplats, att höra det och inse att det syftar på Sams studio, bara en sådan sak.

I hörnet, en bit innanför avspärrningen, står en uniformerad polis och talar med en kort man med stubb till hår och lika kort stubb till skägg. Han är blek och brunögd med piercingar i ögonbrynet, näsan och underläppen. Det måste vara Ricky. När han ser mig viftar han häftigt åt mig att komma fram och polisen, en ung kvinna jag inte känner igen, släpper förbi mig.

”Är det du som är Leo?”

"Ja."

"Jag tyckte väl att jag kände igen dig från bilderna", säger han men jag får inte veta vilka bilder han syftar på.

Ricky är skärrad, säger inte så mycket bortsett från det han redan berättat för mig i telefon. Inom mig växer frustrationen: jag var här för bara några timmar sedan. Jag gick förbi här. Jag såg henne då, allt var okej. Hon var oskadd. Jag stannade till och med och såg mig omkring. Väntade han här då, någonstans? Jag tar en Sobril till.

Kriminalteknikern går runt därinne och muttrar för sig själv. Efter en stund anländer Birck i en civil bil. Han verkar inte förvånad över att se mig.

"Det finns en del spår av tumult långt in i studion, på kontoret", säger teknikern. "Min gissning är att hon varit därinne, han har kommit in genom entrén och förmodligen neutraliserat henne på något vis."

"Med neutraliserat menar du att han har slagit henne", säger Birck lågt och sneglar mot mig. "Eller?"

"Snarare elchockat henne. Där finns tecken som tyder på att det gått ganska fort. Det är bara en gissning, givetvis", tillägger han.

"Givetvis", säger Birck svalt och vänder sig till mig. "Sam Falk. Ni var t..."

"Ja." Jag håller upp min mobiltelefon, visar honom meddelandet. "Tre timmar. Eller", säger jag och känner hur min puls stiger, "snarare två nu."

"Till vad?"

"Enligt honom, tills han dödar henne."

"Men varför?" Bircks ögon är uppspärrade. "Jag fattar inte."

Jag ser på telefonen i min hand, visar Birck det senaste

meddelandet igen, som om det skulle förklara någonting. Han ser outgrundligt på det.

”Jag efterlyser henne”, säger han och tar fram sin mobiltelefon. ”Ju fler som får se informationen, desto svårare för honom att hålla henne gömd. Desto större chans att vi hinn...” Han vänder sig om. ”Hallå? Det är Gabriel Birck.”

Hans röst tonar bort. Jag försöker hålla mig lugn men det är svårt. För första gången i mitt liv föreställer jag mig hur jag skadar John Grimberg fysiskt, och känslan som framkallas av tanken är varm och välkomnande.

Min telefon vibrerar till:

håll polisen utanför

Jag måste sätta mig, och sjunker ihop på motorhuven till en av polisbilarna. Huven är varm och under den hör jag motorn ticka. Han kan inte mena allvar. Det här är ett spel. Han kan inte mena allvar.

omöjligt, skriver jag, *det här är för stort för det*

”Leo”, säger någon och jag känner en hand på min axel. ”Leo.”

”Ja?”

Jag tittar upp, på Birck. Han ser genuint orolig ut, vilket förvånar mig.

”Behöver du något?” frågar han.

”Jag behöver hitta Tobias Fredriksson.”

Det är det enda jag kan tänka på nu. Om jag gör det, är jag ett steg närmare Grim. Birck sätter händerna i sidan. Håret är stramt bakåtkammat och den svarta slipsen fladdrar i vinden. Han verkar försöka tänka. Det ser smärtsamt ut.

”Du tar Fredriksson”, säger han. ”Vi tar Granlund. Vi hann inte dit innan ... ja, innan det här.”

”Jag behöver något att skydda mig med.”

”Du får åka med någon.”

”Det räcker inte”, försöker jag. ”Och vem ska jag åka med? Alla här är upptagna. Ska jag åka med en assistent från Västberga, eller?”

Han sänker blicken, rycker på axlarna.

”Jag vet inte.”

”Jag behöver något att skydda mig med”, försöker jag igen.

”Du får klara dig utan.”

”Det kan jag inte, det fattar du också.”

”Följ med till bilen.”

Vapnet är en enkel, svart Waltherpistol. Jag antar att Birck gömmer sin Sig Sauer någon annanstans. Jag väger pistolens tyngd i handen och känner fingrarna formas runt den. Det gör mig knäsvag. När jag vilar pekfingret mot avtryckaren och försiktigt klämmer åt, känner fjäderns motstånd därinne, blir det svart i utkanten av mitt synfält och jag får tunnelseende. Jag sjunker ihop på marken och hör ljudet av något skrapande och skavande, som när möbler släpas över ett golv. Det är molnen, molnen som rör sig ovanför mitt huvud, mot mig.

”Leo”, säger Birck.

Det är inte molnen som skaver och skrapar över himlen. Ljudet är mina egna andetag. Jag hyperventilerar. Det är första gången det händer. Psykologen hävdar att det är så här jag kommer att uppleva det när attackerna väl börjar komma.

”Ta den”, kväker jag och håller pistolen mot honom, men jag tappar den och den faller till marken.

Birck plockar lugnt upp den och lägger pistolen på förarsätet i sin bil, lutar sig mot den öppna bildörren och ser på mig.

”Fan heller att du åker med. Du stannar här. Jag skickar en patrull istället.”

”Det är okej. Ge mig något annat än en pistol, bara.” Min andning börjar långsamt återgå till en takt som tillåter mig att stå upp igen. Jag försöker resa mig. ”En kniv.”

Jag tar stöd mot huven och hostar till.

”Aldrig i livet”, säger Birck.

”Det är en kidnappning nu”, säger en av de uniformerade, unga männen. ”Eller hur?”

”Jag antar det”, säger Birck.

”Vad vill de ha, om man får fråga?” envisas polisen.

”Mig”, säger jag, fortfarande skakande. ”Han vill att ni ska hållas utanför.”

”Vi vet ju inte ens var fanskapet ligger och trycker”, säger Birck. ”Håll kontakt med honom.” Han håller fram handen. ”Ge mig telefonen.”

”Nej.”

”Jag ska skriva en sak.”

”Säg vad du vill ha skrivet, så skriver jag det.” Jag tillägger, trotsigt: ”Det är min telefon.”

Birck suckar, av förståeliga skäl. Jag känner mig som ett barn.

”Be honom skicka en bild. Så att vi har bevis på att hon lever. Och att det verkligen är han som har henne.”

Jag skriver till Grim och ber att få en bild. Birck går in i studion. Jag höjer blicken mot himlen, den starka solen som håller molnen ifrån sig. Det är mindre än två timmar kvar.

Min telefon vibrerar och mottar bilden. Det är ingen bild på Sam. Det är en bild på en av hennes tatueringar, en sorts medicinhjul med detaljerade ekrar och ett säreget mönster som sitter på hennes axel. Ingen utom Sam har en sådan tatuering.

Till slut får jag en uniformerad inspektör – Dansk, hävdar han att han heter – att ringa efter en bil åt mig. I väntan på att den ska anlända släpps jag förbi avspärrningsbanden och in i Sams studio. Jag passerar stolen, går förbi soffan och in i det som är hennes lilla kontor. Det känns konstigt att vara här. Lukten av henne dröjer sig kvar, som om hon bara lämnat rummet för en stund och snart kommer tillbaka. En osynlig hand kramar mitt hjärta.

Jag drar ut en av skrivbordslådorna och finner den, precis som jag mindes: kniven Sam förvarar där. Den påminner om den jag såg Karin ha igår, liten och med fällbart blad men betydligt billigare. Jag stoppar den i min jackficka och hoppas att ingen har sett mig.

Någon får äntligen loss en bil, en rödvinsfärgad, fyrkantig Volvo, den sorten som för tjugo år sedan blev utsedd till bilvärldens både säkraste och tråkigaste modell. Den kommer rullande från Södermalmspolisen och Dansk vinkar ut mig. Dansk försvinner, bilen stannar och en assistent stiger ur och ser sig nyfiket omkring. Jag sätter mig i bilen och lämnar Södermalm, åker mot Hammarbyhöjden ensam för att besöka Tobias Fredriksson. Birck har redan lämnat platsen för att ta sig till Telefonplan.

Hammarbyhöjden. En ensam bil, en vit BMW, passerar i korsningen. Färden hit har varit skakig. Jag är mer ovan vid att köra bil än jag först hade trott. Jag undrar om jag är förföljd, om Grim har någon som iakttar mig. Han skulle kunna ha det, men jag är osäker.

Huset i Hammarbyhöjden är fyra våningar högt och ligger alldeles vid foten av kullen. Porten är svartmålad, rutorna dovt tonade. KOD KRÄVS 21–06 upplyser en lapp mig. Jag öppnar den olåsta dörren. Fredriksson bor på tredje våningen. Jag trycker ner hissen och den börjar rassla till liv däruppe någonstans, stönar sig långsamt nedåt. Jag hinner inte vänta och tar trapporna.

Dörren är brun med FREDRIKSSON skrivet i vitt mot en svart bakgrund på brevinkastet. Jag känner på handtaget. Låst. Det är mindre än en och en halv timme kvar. Lägenhetsdörren är av den gamla sorten och jag inbillar mig att jag kan ta mig in. Jag börjar fippla med kniven i låset men det enda som händer är att jag rispar sår i träet kring låskolven. Jag får inte ens in bladets egg i nyckelskåran. Patetiskt. Någonstans ifrån kommer paniken och jag börjar slå och banka på dörren. Ljudet ekar och studsar omkring mig mellan trapphusets kalla, hårda väggar.

Jag stannar upp och andas.

Bakom mig vrids något av låsen om. Jag vänder mig om och ser en av dörrarna öppnas, långsamt och osäkert. En gammal mans ansikte kikar ut.

”Skjut inte”, säger han.

”Jag är inte beväpnad.”

Han stirrar på kniven i min hand. Jag viker försiktigt ihop bladet och lägger den i fickan, ser på dörren. MALMQVIST. Därinifrån sipprar lukten av cigarettrök ut.

”Jag är polis”, säger jag så långsamt jag kan. ”Och jag behöver ta mig in här. Heter du Malmqvist?”

”Lars-Petter Malmqvist. Vad är det som händer?”

”Vet du vem som bor här?”

”Han är aldrig hemma, den där.”

”Så du vet vem som bor här?”

”Fredriksson. Torbjörn eller något.” Lars-Petter Malmqvist håller krampaktigt om dörrens handtag, som om det var det enda som hindrade honom från att falla till marken. ”Tobias”, säger han. ”Tobias Fredriksson.” Hans ansiktsuttryck är stelt och sammanbitet. Han är rädd. ”Vad är det som har hänt?”

”Vad vet du mer om honom?”

”Han ... han bor ensam.” Han kisar. ”Är du verkligen polis?”

”Jag har ingen polislegitimation”, säger jag. ”Men jag kan visa min legitimation och ge dig ett nummer du kan ringa, som kan bekräfta att jag är polis.”

Mannen hostar till, rosslande och djupt.

”Jag är gammal major”, säger han. ”Flygvapnet. På min tid lärde vi oss att se vilka vi kan lita på och inte.”

”Det förstår jag”, säger jag, distraherad. Jag behöver någonting att bräcka upp dörren med. ”Har du en kofot?”

Malmqvist höjer på ögonbrynen. Att han inte gör mer än så, att han inte backar tillbaka in, slår igen dörren och låser om sig är förvånande. Jag undrar om jag är lika galen som jag låter.

”Nej. Men jag har en lista.”

”En lista?”

”Det här är en bostadsrättsförening”, säger han, som om jag förolämpat honom. ”Fredriksson har vägrat lämna några uppgifter om sig själv. Det har stört oss i föreningen. Det enda vi har är ett personnummer och ett telefonnummer. De två är ett måste, förstår du. Men personnumret stämmer inte, och vi har lämnat åtskilliga notiser om det till honom. Han måste ha fyllt i fel på blanketten eller något.” Han tvekar. ”Skulle du kun...”

”Har du telefonnumret?”

”Han svarar inte när man ringer”, säger mannen och börjar gå tillbaka in i lägenheten.

Jag följer efter honom, rådvill.

”Men du kan få det om jag bara får fram listan.” Han stannar upp. ”Han är misstänkt för något, eller hur?”

”Ja.”

”Det ante mig”, muttrar han.

Jag stannar i hallen, håller mobiltelefonen i handen. Den ringer. Det är Rickys nummer. Jag låter bli att svara, för det enda han vill veta har jag inget svar på. Lars-Petter Malmqvist går genom hallen, in till vänster och återvänder efter en liten stund med en pärm. Han rör sig ryckigt, som om han egentligen behöver en käpp men är för tjurig för att erkänna det.

”Här”, säger han och sveper med fingret över sidan i pärmen. ”Noll, sju, tre, noll, sex, fem, två, fem, sju, tre.”

Jag kontrollerar numret en gång, innan jag trycker in det i min telefon.

”Tack.”

”Be honom kontakta mig. Jag vill ha rätt personnummer.”

”Jag ska be honom ringa”, säger jag och tar mig ut i trapphuset igen.

”Och du, gå inte runt och vifta med den där.” Mannen ser på min jackficka. ”Folk kan undra.”

”Tack”, får jag ur mig och Lars-Petter Malmqvist stänger dörren utan att säga något mer.

Jag ringer telefonnumret, håller andan.

”Numret du har ringt har ingen abonnent eller är tillfälligt avstängt”, klingar en androgyn röst i mitt öra.

Det är, givetvis, ett villospår. Numret går förmodligen till ett kontantkort som kanske inte ens används längre, som kanske aldrig har varit aktivt överhuvudtaget.

Birck ringer.

”Granlund är en rökridå”, säger han. ”Vi har ingenting.”

En timme kvar. Jag står utanför huset där Tobias Fredriksson är mantalsskriven. Fredriksson är också en rökridå. Grim har dolt sig själv för väl. Han är osynlig. Det är över. Jag kommer aldrig att kunna röra vid honom, och jag inser att det är det – hjälplösheten – som är poängen. Den är förgörande. Avsikten har aldrig varit att jag ska finna honom, att jag ska hinna i tid. Avsikten har istället varit just det här.

du vinner, skickar jag till det skyddade numret.

vad ska det betyda? kommer svaret, som om han väntade på mig.

jag kan inte hitta dig, skriver jag.

så synd

Jag sluter ögonen. Grim kan befinna sig var som helst. Han behöver inte ens vara i en lägenhet, behöver inte ens befinna sig ovan jord. Han kan ha dragit ner Sam i någon av Stockholms otaliga tunnelgångar. Under staden löper de, långa och många och djupa, och Grim vet det. Han har själv levt därnere.

Han kan befinna sig i underjorden. Jag öppnar ögonen. Eller högt ovanför den.

Vattentornet.

Samtidigt mottar min telefon ett meddelande, en bild. Det är ett avhugget pekfinger. Sams finger.

XXVII

Det är någonstans längs motorvägen, strax efter Huddinge, som jag kommer att tänka på det. SVERIGE MÅSTE DÖ stod skrivet på en av Salems tunnelväggar när jag var där senast. Jag undrar om det har tagits bort nu. Klotter och graffiti har alltid tenderat att dröja sig kvar ovanligt länge i Salem.

Jag kör för fort, hastighetsmätarens röda nål darrar kring hundrafyrtio, hundrafemtio. Fortare vågar jag inte åka. Bilen skulle nog klara av det, men inte jag. Jag ser på klockan. Det är mer än tjugo minuter kvar. Jag kommer att hinna, och försöker sänka hastigheten.

Jag åker genom Rönninge och framför mig reser sig snart Salem, platsen där allt kanske en gång började. Någon minut senare sveper Triadens tre hus förbi. De ser orörda och oförändrade ut. Tiden rör sig oundvikligt och oupphörligt men vissa platser spelar oss ett spratt, får oss för ett ögonblick att tro att ingenting har förändrats. I ögonvrån ser jag fönstret som en gång tillhörde Julia, som låg mitt emot mitt. Jag minns hur många gånger jag stod vid fönstret bara för att få en skymt av henne, hur jag hukade mig de gånger det var Grim och jag inte ville att han skulle ana någonting.

På avstånd reser sig vattentornet mörkgrått mot den bleka

himlen. En kvart kvar. Jag försöker urskilja något ovanligt med tornet men ser ingenting. I en blinkning är jag rädd att jag tagit fel, att han fört henne någon helt annanstans. Men så, mellan träden som omgärdar platsen kring vattentornet, ser jag skymten av en mörk bil och det är så jag vet att jag hittat rätt. Den har stått utanför mitt hus, väntande i mörkret.

Bilen, en låg Volvo, står parkerad längs gatan och ser oskyldig ut. Jag parkerar och går fram till den, kikar in genom de tonade rutorna. Bilen skulle kunna vara fabriksny och sakna ägare, så tom på tillhörigheter ser kupén ut att vara. Min telefon ringer. Det är Birck.

”Hallå?”

”Var är du nu?”

”Salem, vid vattentornet. Jag tror att han är här.”

”Gör ingenting förrän vi är på plats.”

”Okej.”

”På riktigt, Leo, vänta tills vi kommer.”

”Okej, säger jag ju.”

Jag trycker bort samtalet. Ur innerfickan får jag fram en Sobril, och jag sväljer den men tabletten hamnar fel, på tvären, och jag tvingas vika mig dubbel och hosta våldsamt. Tabletten träffar min tand när den flyger ut och landar på asfalten framför mig, glansig av saliv. Jag lyfter upp den och känner hur hal den är mellan fingrarna när jag sväljer den. Sedan går jag mot vattentornet, min ena hand kramande kniven i jackfickan.

Grusplanen kring tornet är tom, stilla. Jag tar mig fram, från träd till träd, noga med att inte synas. Det enda som låter är surrandet från en fläkt, eller något, på tornets baksida. Det tar en stund innan jag hör det. Jag är fortfarande van vid ljudet, och det förvånar mig. Jag försöker minnas hur utsikten är däruppifrån, vad man ser och inte ser. Jag kisar upp mot tornets två avsatser, förväntar mig att se Grim däruppe. Han kan iaktta mig, just nu. Men avsatserna verkar tomma, och synen gör mig torr i munnen: jag hade fel, ändå. Volvon därute är ett villospår, eller så har den ingenting med Grim att göra. Den kanske står där av en slump. Grim och Sam är någon annanstans. Jag kramar kniven hårdare.

Det är då jag ser det: repet.

Vid den översta avsatsen börjar det, löper utåt och uppåt, först mot och sedan upp på tornets utskjutande tak tills det försvinner ur sikte. Han måste ha fäst det däruppe, på något vis. Jag undrar varför. Istället för att betrakta avsatserna studerar jag det svampliknande tornets tak, efter någon sorts rörelse. Det tar en kort stund innan skuggan av en siluett – ett huvud, ett axelparti – sveper förbi. Ena ögonblicket är den inte där, i nästa är den det, ögonblicket därpå är den borta igen. Jag börjar springa mot tornet, tar handen ur jackfickan. När jag kommer fram stannar jag till, lutar mig mot vattentornets kropp, och lyssnar. Ingenting.

Jag ser på den spiralliknande trappan som löper upp mot avsatserna. Jag minns hur varje steg, hur försiktig man än är, skramlar och dunkar genom hela trappan, upp i tornet. Hur jag än gör kommer jag att höras.

Med hastiga, lätta steg tar jag mig uppåt. Halvvägs upp får ansträngningen det att bränna i mina lår. Jag sänker takten tills jag stannar upp helt och lyssnar. Inget ljud hörs ännu.

Jag tar några steg till och hamnar snart på den första av de två avsatserna. För att komma upp till den övre avsatsen behöver jag ta mig upp på stegen och klättra utanför. Om jag tappar taget faller jag till marken. Jag är ovanför träden nu och minns hur man, när molnen hängde riktigt lågt om hösten, ibland inbillade sig att det gick att röra vid himlen. Jag tar ett steg ut och ställer mig på avsatsens räcke, griper om stegens järnpinnar med händerna. Jag sätter ena foten på stegpinnen, sedan den andra, och hänger i en gammal järnstege på utsidan av ett vattentorn. Inte förrän jag tagit två steg upp märker jag att jag håller andan, och släpper ut luften. Jag häver mig upp på den andra avsatsen och när jag gör det ligger jag på samma plats, i samma ställning, som jag gjorde när jag träffade Grim första gången. Först nu inser jag hur mycket modigare jag var när jag var sexton.

Jag reser mig upp, ser mig omkring och går fram till repet som hänger en bit utanför avsatsen. Jag lutar mig ut, över räcket och får tag i det, drar prövande i det. Repet är svart och tunt. Jag undrar om han tvingade Sam att klättra upp själv. Om han gjorde det innan han skadade henne.

För att ta mig upp på vattentornets tak måste jag klättra uppför repet, utan något skydd under mig. Jag ser på mina händer, som blivit röda av det krampaktiga greppet kring stegpinnarna. Det kanske inte håller. Grim kan ha skurit sönder repet, gjort så att det endast hänger kvar i små trådar. Jag rycker i repet, igen. Det ger inte vika. Jag tar ett djupt andetag och häver mig ut, över avsatsens kant.

Repet börjar knaka, först en gång och sedan en gång till och igen. Jag kämpar för att återfå fotfästet på avsatsens räcke men förgäves; jag är för långt ifrån. Jag når inte och sluter ögonen, förbereder mig på fallet och hoppas att jag inte möter marken med ansiktet före.

Jag faller inte. Tror jag. Jag öppnar ögonen och märker att jag istället hasar uppåt i omgångar. Någon drar upp mig. Snart är mitt ansikte i höjd med vattentornets tak, den rundade, tjocka skivan av betong. Jag hävs upp bit för bit, tills jag kan svinga upp ena benet och kravla mig upp på taket. Det blåser mer häruppe. Vinden är kall mot min kind.

”Så lätt ska du inte få det”, säger en röst ovanför mig och jag känner hur hans hand griper tag i mitt hår, så hårt att jag är övertygad om att greppet ska slita loss håret ur huden.

Jag hinner se hur någon ligger en bit bort, en röd pöl. Alldeles framför mitt ansikte, två ben och en hand i mitt hår som drar mig uppåt. Han försöker hjälpa mig att stå upp, tänker jag. Alldeles för fort för att jag ska hinna reagera smäller han ner mitt ansikte mot betongen igen. Något knäcks till, kanske min näsa, och mina ögon tåras. Det börjar snurra och mörkret, när det väl kommer, är hotfullt och onaturligt svart.

XXVIII

Ett sus i öronen, som rundgång. Jag tror att jag är blind. Mina ögon är öppna men jag ser ingenting. Jag blinkar men det enda som händer är att det skär och vibrerar i mina tinningar, som om någon borrade i dem. Smärtan får mig kanske att skrika, jag vet inte men jag tror det, för när den bedarrar något river det i min hals.

Jag är inte blind. Allting är en tunnel och någonstans långt borta finns en öppning som växer, trycker ut den svarta tunnelväggen i periferin. Jag vet inte hur lång tid som gått, men det kan inte vara alltför länge. Det är ljust omkring mig, ljust och suddigt men blicken skärps grad för grad. Det svider i mina ögon eftersom jag inte vill blinka. Till slut tvingas jag göra det och det blixtrar till igen, men inte lika våldsamt.

Grim står en bit ifrån mig och röker hetsigt på en cigarett, tar två steg, vänder sig om, tar två steg åt andra hållet, vänder sig igen, tar några steg. Strax bakom honom, Sam. Hon ligger inte ner längre, eller så gjorde hon inte det innan heller. Allt gick så fort, jag är osäker. Hon sitter och kramar sin hand, ett rött bylte. Hon är blek.

Jag lyckas sätta mig upp, vilket får honom att komma fram

och stirra ner på mig. I handen håller han en svart pistol. Hans blick flackar.

”Var är dina kollegor?” frågar han.

Jag försöker säga något men tror inte att jag lyckas, för han griper tag i min axel och trycker pistolen mot min tinning, frågar igen, skrikande nu, var de är. Saliv stänker i min panna och jag tror att jag skakar.

”De vet inte var jag är.”

Han släpper taget, backar ifrån mig. Jag rör huvudet från sida till sida, försöker avgöra om något har gått sönder. Det har det nog, men jag känner ingen smärta i nacken. Jag följer den tunna svarta ormen till rep som löper från mig till en liten hake som skjuter upp ur taket likt ett böjt finger. Repet är fastsurrat i en intrikat knut. En bit ifrån haken, noterar jag, återstår bara en tunn remsa. Resten har slitits sönder. Han måste ha varit häruppe förut, många gånger.

”Så du lydde, i alla fall.”

Jag rycker på axlarna, fingrar fumligt över min jacka, söker efter fickan.

”Jag är här nu. Du har fått som du vill.”

Min hand hittar jackfickan, griper efter kniven. Den finns inte där. Grim följer mig med blicken, men avslöjar ingenting. Han kan ha tagit den ifrån mig. Den kan ha fallit ur, kanske vilar den nere på marken. I den andra fickan ligger min telefon.

Sam höjer blicken från sin hand och ser på mig. Hennes hår är i oordning, lagt i en fläta som hon ibland har det när hon arbetar. Flätan ser sliten ut. Grim har dragit henne i den, kanske släpat på henne med den som handtag. En bit till höger ligger det som måste vara Sams finger, en liten stump omgiven av en pöl mörkt, mörkt röd färg. Hon undviker att se åt den. Jag för upp handen till mitt ansikte, osäker på om jag blöder. Jag gör det, ur pannan. Min näsa och hals känns svullna och rossliga. Jag torkar av blodet på mina jeans.

”Lägg fingret i din jackficka”, säger jag till Sam.

”Tyst på dig”, säger Grim.

Han svingar en öppen handflata mot min kind. Slaget känns dovt, smärtan avlägsen. Det blixtrar fortfarande i pannan. Jag tror att jag blöder inuti också, någonstans. Mitt huvud är svullet, bultande.

”Låt henne gå.”

”Nej.”

Grim är lika rågblond som i morse, men han är inte längre svartklädd. Istället bär han ljusa, blå jeans och en mörkgrön luvtröja. Det är han, min vän, men ändå inte. Han är ihåligare, tommare. Han sätter sig på huk kring haken och justerar repet, knyter snabbt upp knuten och spänner fast det på nytt.

Grim tar upp en liten tub ur sin ficka. Hans händer darrar våldsamt, får pillren att rassla omkring därinne. Han klickar av locket, tar en tablett, stänger locket och lägger tuben i fickan. Först nu noterar jag att han svettas, hur varm han är.

”Jag försökte”, säger han och ler, ursäktande. ”Jag försökte verkligen, Leo. Men det ...” Han skrattar till, för sig själv, som om tanken vore absurd. Hans blick har den galna glimten man bara ser hos folk som fallit in i psykoser. ”Det gick inte.”

”Jag förstår det.”

”Gör du det?”

”Ja. Jag fick dagboken”, säger jag.

Det mörka skynket sveper tillbaka över hans ansikte och jag förvånas över hur galen han faktiskt ser ut.

”Det är som om någonting i mig driver mig till det här”, säger han. ”Jag kan inte förklara det.”

”Du kan släppa det”, försöker jag. ”Du kan släppa allt det här. Jag såg bilen, Volvon därnere. Du kan bara åka härifrån. Ingen behöver veta någonting.”

”Sluta. Du vet vad som hände. Tror du att jag ville det här? Fattar du inte att jag känner mig helt ... Hur jävla illa allting har blivit? Och allting började med dig, att jag lärde känna dig.”

Jag måste få tiden att gå. Kanske kan Birck hinna hit. Bakom Grim ser Sam på sitt finger. Sedan, med blicken på hans ryggtavla, börjar hon försiktigt röra sig mot det.

Grim vänder sig om och utan att se på henne går han fram till hennes finger, böjer sig ner och lyfter upp det. Härifrån, där jag sitter, ser det märkligt ut, som om hans hand för en kort stund hade ett extra finger, innan han kastar det över kanten. Sam drar efter andan.

”Ta det lugnt”, lyckas jag få ur mig, och ser på Sam. ”Allt är okej.”

Sam nickar långsamt.

”Allt är okej”, upprepar Grim och vänder sig till mig. Pistolen dinglar slappt i hans hand. ”Allt är okej.”

Han skrattar till, tomt, och ser förbi mig, ut över Salem. Jag sneglar på Sam, som verkar vara på väg att förlora medvetandet. Hennes ögonlock är tunga och där hon sitter gungar hon till ibland, som om hon var nära att somna.

”Kan du förstå”, börjar han långsamt och ser angelägen ut, ”kan du i alla fall *förstå* mig? Kan du förstå vad du gjorde mot mig? Mot oss?”

”Ja. Jag säger ju att jag förstår.”

”Kan du då förstå att jag måste göra det här?”

”Nej.”

Han sveper vapnet över mig och trycker av.

Jag skriker till, tror jag, och mitt hjärta slår så hårt att händerna skakar. Skottet är skärande vasst och verkar eka över Salem. Kulan studsar mot betongen intill mig, så nära att jag känner luften klyvas när den studsar vidare, förbi. Grims blick pendlar stirrigt mellan mig och pistolen. Jag tror att han ångrar sig, att han inser att han inte borde ha skjutit.

”Du lyssnar inte på mig”, säger han, lugnare.

”Jag lyssnar på dig. Men det du säger hänger inte ihop.”

Jag tar fram min mobiltelefon ur fickan, samtidigt som jag sveper över dess skärm och slår av tangentlåset.

”Lägg bort den.”

”Nej.”

”Lägg bort den nu.”

”Låt henne gå, så lägger jag bort telefonen.”

Grim skrattar till, oförstående.

”Det är inte du som bestämmer här.”

”Jag vet det”, säger jag, och ser ner på telefonen.

”Vad gör du? Lägg ner telefonen.”

Jag trycker på tangentlåset igen, lägger telefonen intill mig. Jag anstränger mig för att resa mig upp, först ett knä och sedan det andra och slutligen står jag på fötterna. Mitt huvud snurrar, känns tungt. Jag söker efter en chans då jag är tillräckligt nära honom för att komma åt, nära nog för att kunna avväpna honom. Han använder bara ena handen hela tiden, den andra är bunden till vapnet, men sekunderna då det skulle gå att göra ett försök är för korta, för osäkra. Jag är rädd att skada Sam.

Grim ser på telefonen, osäker, och viftar med pistolen.

”Kasta hit den.”

”Vill du ha den får du komma och ta den.”

Han vågar inte det. Han skulle behöva böja sig ner.

”Du har visst inte fattat, eller hur?”

Han går till Sam, tar ett hårt tag om hennes fläta och sliter upp henne. Sam säger ingenting. Istället andas hon bara ansträngt och väsande, som om hon kämpade mot paniken.

Vi befinner oss mitt på taket. Han trycker henne framför sig, mot takets kant, och Sam kämpar emot men greppet om hennes fläta är svårt att värja sig mot. Hon har sin skadade hand tryckt mot bröstet och den andra hårt knuten om den, kan inte använda dem till att göra motstånd. En blank hinna av svett täcker hennes ansikte och hon undviker att möta min blick. I takt med att de närmar sig kanten förskjuter hon sin tyngdpunkt, lutar sig bakåt, mot honom, som om hon var rädd för att bränna sig vid en osynlig hetta.

Han knuffar henne igen, nu så nära att spetsen av Sams skosula sticker ut över kanten. Jag sträcker instinktivt ut en arm, som för att hindra hennes fall. Grim bara stirrar på mig, tills jag sänker den. Jag kan känna hans parfym.

”Hon är oskyldig”, säger jag. ”Hon har inte gjort något.”

”Som om det skulle göra någon skillnad. Får jag tillbaka något av den skillnaden? Får jag tillbaka mitt liv, min familj? Mig själv? Va?” Han stirrar på mig. ”Svara!”

”Nej. Men du får inte tillbaka något av det här heller.”

”Det enda som har betydelse är konsekvensen. Och konsekvensen blir densamma. Vi kommer båda att ha förlorat något.”

”Det är inte rättvist”, viskar jag.

”Rättvist?” Grim ser förvirrad ut. ”Tror du att världen är rättvis?” Med greppet om Sams fläta trycker han henne i ryggen, tvingar henne att böja sig över kanten. ”Backa”, säger han och ser på mig.

Jag tar ett steg tillbaka.

Och så släpper han taget om hennes fläta.

Tiden saktar ner tills den krälar fram, som om den kippade efter luft utan att lyckas, och jag ser Sam falla framåt, utåt och hur Grim backar. Jag kastar mig mot henne och får tag i Sams jacka, drar henne med mig åt sidan så att vi faller på varandra, Sam under mig. Jag ligger på hennes skadade hand men adrenalinet verkar blockera smärtan för hon säger ingenting. Istället ser hon på mig, förvånad, och börjar hulka.

Bakom mig hör jag hur Grim tar upp tuben igen, hur den skallrar i hans händer.

XXIX

”Du är sjuk i huvudet”, säger Sam efter flera djupa andetag som kontrollerar hulkningarna.

”Det är förmodligen helt sant”, säger Grim och torkar svetten ur pannan med ena handryggen. ”Det skulle nog du också ha blivit.” Han ser på mig. ”Och det är ditt fel.”

”Snälla, Grim ...”, börjar jag.

”Snart är det över, Leo.”

Han kanske låter mig leva. Det kanske bara är tänkt att jag ska se Sam dö. Eller, han kanske tänker låta oss båda leva. Han kanske tänker ta sitt eget liv. Eller så har han valt den här platsen för att kunna ha en utväg: om någonting inte går som han har tänkt kan han alltid kasta sig över kanten. Det kanske är därför vi är just här. Jag vet inte, allt är möjligt, Grim känns så oförutsägbar.

”Du har rätt”, säger jag. ”Du har blivit galen.”

Grim ser på Sam, som fortfarande ligger på rygg och stirrar tillbaka på honom. När jag vrider blicken mot Salems centrum för att se det en sista gång – märkligt, tänker jag, att just detta känns som en viktig sak att se; det betydde kanske mer än jag trodde – flimrar det hastigt till av något blått. Sedan är det borta. Jag kan nästan se huset jag växte upp i.

”Vad heter du?” frågar jag.

Han ser upp.

”Va?”

”Daniel Berggren. Tobias Fredriksson. Jonathan Granlund. Så långt kom jag.”

”Jaha.” Grim rynkar lätt på ögonbrynen och i det ögonblicket kan jag se Julias ansikte, hennes uttryck i hans. ”Det går inte att komma tillräckligt långt för att få reda på det.”

”Det är därför jag frågar.”

Han verkar överväga det en stund, innan han skakar på huvudet.

”Var tanken att jag skulle sättas dit?” frågar jag istället. ”För mordet på Rebecca?”

”Vad menar du?”

”Jag fattar bara inte vad ...”, börjar jag men vet inte hur jag ska fortsätta för jag förstår inte. Det enda jag vet är att jag måste försöka dra ut på det här. ”Du har följt efter mig. Du har skickat textmeddelanden. Halsbandet i hennes hand, som placerade mig på brottsplatsen, var det ... du hade kunnat göra det på andra sätt.”

”Hur då?”

”Jag vet inte, men något mer ... vattentätt. Jag vet inte. Det du gjorde hade aldrig varit tillräckligt för att sätta dit mig. Och samtidigt verkar du ha planerat det här noga. Det går inte ihop för mig. Försökte du bara förstöra för mig, eller vad? Jag fattar inte.”

”Jag har inget svar”, säger Grim och ser på mig med flackande blick. ”Jag kan inte förklara det. För mig hänger det ihop.”

”Men inte för någon annan.”

”Det skiter jag i, det här handlar inte om någon annan.”

”Nej, det är det jag börjar tro.”

”Vad menar du?”

Jag tar ett djupt andetag. Det bultar i mitt huvud.

”Kommer du ihåg festen på idrottsplatsen?” säger jag.

”Va?”

”Helgen innan hon dog var det fest på idrottsplatsen.”

”Jaha. Ja.”

”Allt du sa om Julia, eller om er då ... det skrämde mig. Jag blev så jävla rädd, av någon anledning. Jag minns inte om jag hade varit rädd för dig före det, men jag tror inte det, jag tror att det här var första gången. Det var det som gjorde att jag gav mig på Tim på vägen hem. Och det var det som fick Tim att ... ja. Göra det han gjorde. Det hade aldrig hänt om du inte hade varit så jävla överbeskyddande, om inte du tagit på dig att försöka hålla ihop allting.” Jag anstränger mig för att inte vika undan med blicken. ”Det är ditt fel att hon dog. Inte mitt. Det är ditt eget fel att ditt liv blev så här. Inte mitt. Om du ska ta någons liv borde du ta ditt eget, precis som du skrev.”

Grim ser på mig med blank blick och jag undrar hur lång tid som går, undrar vad han tänker.

”Du har fel”, säger han.

”Jag förstår inte hur du har kunnat gå så här långt, bara för att ... vadå? Bara för att göra någonting? Jag köper inte det. Det här kommer inte ställa någonting tillrätta, du driver ju dig själv mot din egen undergång. Allt du har byggt upp, jag vet inte hur omfattande det är, men allt du har byggt upp kommer ju att gå åt helvete av det här. Du kommer inte att ha någonting kvar.”

”Bra”, skriker Grim. ”Hellre det. Fattar du inte det? Hellre ingenting! Inget av det där betyder någonting. Det enda som betytt någonting förlorade jag för längesedan. Hela mitt liv har varit ett resultat av det."

"Varför brydde du dig då om att döda Rebecca Salomonsson? Varför lät du henne inte bara gå till polisen?"

"Hon förtjänade det."

"Jag tror att du gör det här mot dig själv, inte mig. Du vet mycket väl vad det skulle innebära för dig att göra dig skyldig till anstiftan. Det skulle du aldrig komma undan. Det handlar inte om henne eller om oss. Det här handlar om dig, om att du inte ska ha någon annan väg ut. Du vet att det är ditt fel att det blev så här."

"Du har fel!" skriker han och böjer sig ner för att ta tag om Sams fläta.

I rörelsen, när han böjer sig över henne med ena handen utsträckt mot flätan och pistolen i den andra, tar jag ett steg åt sidan och kastar mig mot honom. Grim försöker få upp pistolens mynning mot hennes tinning, men min axel träffar honom i revbenen och får honom att vackla till. Vi faller på taket. Under mig är Grims kropp hård och benig. Lukten av hans parfym, igen. Jag tror att det är samma parfym han alltid har haft. Och svett. Det är först nu jag känner hur illa Grim luktar.

Halvt liggande under mig tar han ett grepp om mitt hår medan jag försöker bända pistolen ur hans hand. Han släpper taget och slår mig i sidan istället och slagen får mig att dra efter andan. Han vrider sig hetsigt och intensivt, är mycket starkare än jag och jag är på väg att falla av honom och när som helst, tänker jag, kommer skottet och jag kommer att dö.

Det kommer, oavsiktligt när Grim kommer åt avtryckaren,

och det passerar mig, upp mot himlen. I ögonvrån, bortom Grim där jag halvligger ovanpå honom, spänns det rangliga repet ut till en rak, spänd linje. Grim stannar upp ett ögonblick, innan han sträcker på halsen. Någon mer är på väg upp på taket.

Det går fort: en svart, tung sko får fäste mot taket, jag ser början av ett lika svartklätt ben. Någon försöker häva sig upp.

Jag kastas av Grim och faller på rygg. Min nacke knycks bakåt och det knäcker till i den, en strålande smärta som löper upp mot öronen och ner i axlarna.

Grim står ovanför mig, pistolens mynning som en oändlig, svart tunnel, bara mörker som följs av mörker. Jag anstränger mig för att inte blunda, inte blinka.

Skottet har formen av ett hjärtslag. Det är ett märkligt ljud, inte ett utan två, som sitter ihop och följer varandra. Av någon anledning missar Grim. Det smäller i betongen intill mitt öra och det blixtrar till av en stark smärta, och världen blir tyst. Jag är döv på ena örat. Grim stelnar till och tar sig för armen innan benet viker sig under honom av ännu ett kraftigt, smällande ljud som känns märkligt desorienterande eftersom jag bara hör hälften av det.

Någon skriker, jag vet inte vem, och i fallet tar Grim sats med sitt friska ben och griper tag om min axel, hans blick blank och uppspärrad. Jag känner lukten av honom, svetten och parfymen i en vass och sur blandning, och förstår inte vad han försöker göra förrän jag inser att han är på väg att falla och att jag slits utåt, mot ingenting, bara tom luft. Han släpper pistolen i rörelsen och den far förbi mig, ut över kanten.

Takets kant skär in i min bröstkorg. Jag ligger raklång och pressar mig mot det. Jag har sträckt ut armarna, en hand i hans armhåla och den andra om hans skadade axel. Han stirrar upp på mig där han hänger, ansiktet rödlila och förvridet. Grims grepp om mig är hårt och tyngdkraften får min jacka att dras åt kring min hals.

”Släpp”, väser han. ”Släpp taget.”

Men som om han inser att han har förlorat, att jag inte kommer att falla, släpper han själv taget och det enda som hindrar honom från att falla är jag. Han är för tung. Jag kommer att tappa honom.

”Släpp mig nu”, skriker han. ”Låt mig fall...”

Jag försöker lyfta honom, dra honom tillbaka upp, men det går inte. Jag börjar få kramp i händerna och svårt att andas. Med sin oskadade arm försöker han få mig att släppa. När det inte lyckas kastar han med huvudet och öppnar munnen, biter mig i handleden.

I ögonvrån kommer en skugga och sätter sig på huk. Två armar sträcks ut mellan mig och Grim och en röst uppmanar mig att inte släppa honom.

Grims bett har gjort hål i huden och jag kan inte se såren, men området kring hans mun fläckas snart i en glansig, röd färg som smetas ut kring läpparna. Jag känner ingenting, ingen smärta. De två armarna griper tag om Grim, börjar dra upp honom.

”Nej”, skriker han, och rösten spricker, blir skärande som om han var tonåring igen. Sedan: ”Nej. Nej”, tills ljudet som kommer ur hans hals blir ordlöst och intetsägande.

På en av de mörkklädda armarna läser jag POLIS i guldbroderade versaler.

XXX

Den första patrullen som nådde vattentornets fot utgjordes av en osannolik, och för ärendet olycklig duo: Dan Larsson och Per Leifby. Larsson kommer från Vetlanda och skickades efter utbildningen till Stockholm av sin far, som numera är pensionerad kommissarie. Han stod inte ut med att ha odågan till son kvar i Vetlanda, och i Stockholm har Larsson varit sedan dess. Till råga på allt är han höjdrädd. Hans patrullpartner Per Leifby, som till skillnad från Larsson kommer från Stockholm, håller på Hammarby och är inte rasist men har självuttalade problem med invandringen, något som är välkänt inom kåren. Dessutom är han skottskygg.

Den höjdrädde ville helst hålla sig kvar på marken vid vattentornet. Den skottskygge var å andra sidan på väg upp i spiraltrappan när det första skottet ljöd, det Grim avfyrade för att skrämma mig. Skottet gjorde honom stel och blek och han återvände ner. De bestämde sig för att invänta nästa patrull. Ingripandeläget var, hävdade de efteråt inför Birck, inte säkert. Dessutom låg skyddsvästarna kvar i bilen, som stod intill en felparkerad Volvo en bit bort.

Larsson och Leifby var radiopoliser i Huddinge och hade befunnit sig på villovägar i Rönninge efter att ha tagit fel avfart, då larmet inkommit. Den larmande var Citypolisens Gabriel Birck som hävdade att det uppstått en gisslansituation i vattentornet i Salem.

Bil efter bil kallades dit, alla under order från Birck att åka med blinkande blåljus men stumma sirener, av risk för att skrämma gärningsmannen. Insatsstyrkan gjorde sig redo, trots att den förmodligen inte skulle hinna fram i tid. Larsson och Leifby var på plats vid tornets fot inom två minuter, och där förblev de alltså också.

Den andra patrullen på plats utgjordes i skarp kontrast till den första av två robusta, kompetenta inspektörer från Södertälje, Sandqvist och Rodriguez, båda med förflutet inom Stockholmspolisen. De hade just avslutat sitt skift på en skola i Salem, där de medverkat i drog- och brottspreventiva verksamheter under en dag för eleverna. De var på plats vid tornets fot tre och en halv minut efter larmet. De informerades av Larsson och Leifby och tog sig uppför spiraltrappan med dragna vapen. Det var Rodriguez som var först upp och avfyrade verkanseld mot Grim. Han hade nog hunnit upp tidigare, om det inte varit för att han behövde försäkra sig om att repet skulle hålla för hans tyngd. Det var även han som drog upp Grim tillsammans med mig. Rodriguez träff fick Grims skott att slå i betongen istället för att träffa mig, eftersom det avlossades en blinkning tidigare. Tillsammans lät de som ett hjärtslag. Själv var Birck på plats nere på marken lagom för att höra skotten som avlossades uppifrån tornet, osäker på vem som höll i vapnet.

Allt det här kommer jag att få veta först senare, när Birck berättar det för mig. När jag vaknar minns jag bara att jag slappnade av och rullade över på rygg, hur smärtan i huvudet återvände och ett skynke föll över mina ögon.

Jag ligger i en stor säng iklädd en vit skjorta som inte är min, med en blekt orange filt över fötterna och låren. Ovanför mig är lamporna släckta, men det kommer ljus någonstans ifrån. Jag vrider på huvudet och det smärtar i nacken. En bordslampa står tänd. Jag befinner mig på ett sjukhus. Jag vrider på huvudet och ser ut genom rummets fönster. Södertälje. Tror jag. Jag har inte varit här sedan Julia dog. På en stol i hörnet av rummet sitter Birck, djupt försjunken i en mapp med papper.

”Jag ...” Min mun är torr.

Birck lyfter blicken och ser förvånat på mig.

”Va?”

Utanför fönstret befinner sig landet i den oklara gråzonen av ett blåtonat mörker. Det skulle kunna vara gryning, eller skymning.

”Vad är klockan?”

”Halv fem.”

”Morgonen?”

Birck nickar. Han lägger undan mappen, reser sig och går fram till ett bord intill sängen. Han häller upp vatten i en vit plastmugg och ger det till mig.

”Sobril”, säger jag, och Birck skakar på huvudet.

”Tyvärr inte. Du har fått morfin. Du får inte blanda.”

Jag dricker ur plastmuggen. Vattnet känns lent och svalt.

”Vilken dag?” frågar jag, osäker.

”Ta det lugnt. Du har sovit i lite mer än tolv timmar. Du kommer att bli återställd, oroa dig inte. Trots din enorma dumdristighet.”

Bircks röst saknar sin vanliga, burdusa baston. Istället är den oväntat mjuk och låg. Det kan vara min hörsel som lurar mig. Jag hör på båda öronen igen, men ett tjockt lock ligger över det ena. Jag lyfter handen och mot mina fingrar är bandaget strävt och torrt.

”För dina huvudskador”, säger Birck och tar muggen ifrån mig. ”Varför i helvete väntade du inte?”

”Hann inte”, får jag ur mig. ”Var är Sam?”

”I rummet intill. Hon kommer att bli återställd. Fysiskt, alltså. Förutom fingret. Vi hittade det, men ... det hade gått för lång tid. Alldeles för lång tid.”

”Hur länge?”

Birck sänker blicken.

”Minst en timme. Hon kommer att bli okej, Leo, men ... hon är i chock. Så psykiskt kan det nog ta tid. Hennes kille är här, någonstans, om du vill prata med honom.”

Trots att det gör ont, vrider jag på huvudet, bort från Birck. Jag vill inte höra mer. Birck står kvar intill mig, som om han visste.

”Och Grim?” säger jag, fortfarande vänd från honom.

”Han ligger inte här.”

”Var?”

”Huddinge. Under konstant bevakning. Jag valde själv ut patrullerna, så de är bra. Han opererades för skadorna, kommer att flyttas till Kronoberg så snart han kan skrivas ut.” Han harklar sig. ”Din familj har varit här. De satt hos dig en stund. Levin kom vid elvasnåret och gick alldeles nyss. Alla är underrättade.”

”Min ... min pappa också?”

”Han också”, säger Birck.

Jag ser på honom och undrar om han vet. Om han har förstått. Kanske.

”Din psykolog var här”, säger Birck, prövande. ”Han blev

tillkallad eftersom hans namn stod i din journal. Jag skickade iväg honom."

"Tack."

Det rycker i hans ena mungipa, men han säger ingenting.

"Trött", säger jag istället.

"Du behöver mer sömn."

"Nej, du. Du ser trött ut."

"Jag har haft en del reportrar att tala med. Och FUP:en att gå igenom."

"Min telefon."

Av någon anledning vill jag ha den. Jag vet inte riktigt vad jag tänker göra med den, men jag vill ha den. Jag tror att jag vill se bilden på Rebecca Salomonssons ansikte igen.

"Jag kan inte ge dig den än, eftersom Berggren, eller Grimberg, eller vad fan han nu heter, använde den för att kommunicera med dig, och dessutom hade den goda smaken att dokumentera skadorna han tillfogade Sam. Den ingår i bevisningen. Och", tillägger han, "ärligt talat, vill du inte ha en ny?"

"Spara bilderna", är allt jag säger.

"Fortsätt sov nu." Han flackar med blicken, som om han tvekade. "Levin sa att han ska försöka få tillbaka dig in i kåren. Hos mig."

"Hos dig?" Jag tror att jag grimaserar. "Fy fan."

"Misstänkte att du skulle känna ungefär så."

Birck ler svagt.

"Tack", får jag ur mig.

Birck går ut ur rummet.

När jag vaknar nästa gång är det lunchtid, tror jag. De plockar undan mitt dropp och jag äter en smörgås, dricker juice, går på toaletten. Mina steg är osäkra men förvånansvärt stabila. Senare den dagen besöks jag av Pettersén, förundersökningsledaren. Det är en kortväxt, päronformad man som oavbrutet tuggar tuggummi för att inte tänka på att vad han egentligen vill ha är en cigarett.

”Jag behöver ställa några frågor”, säger han lågt. ”Om det är okej.”

”Jag vill att Birck ska göra det.”

”Det går inte. Det här är min uppgift. Dessutom behöver Gabriel vila.”

Han ställer en diktafon mellan oss. De några frågorna blir fler och fler ju mer jag berättar och Pettersén ursäktar sig för att gå på toaletten, byter ut sitt tuggummi en gång, två gånger, tre och fyra gånger till.

Jag skrivs ut på kvällen. Jag får ta på mig mina egna kläder, som tvättats under det gångna dygnet. Trots det är åsynen av dem lätt obehaglig. Bandaget runt mitt huvud har ersatts av ett stort, vitt plåster i pannan och ett liknande skydd över mitt ena öra. Min näsa är tydligen inte bruten utan har bara en spricka, som läker av sig själv. Jag får morfin för de första dagarna. Sedan frågar jag om jag får besöka Sam.

”Hon sover”, säger sköterskan.

”Är någon där?”

”Hon är ensam. Hennes sambo gick för en stund sedan.”

Sambo? Bor de ihop?

Jag får tillåtelse att sitta hos henne en liten stund. Sam ligger i en säng identisk med min, med en likadan orangegul filt över benen, iklädd en likadan vit skjorta som jag hade på mig. Hennes hår är utsläppt nu, flätan borta. Hon andas djupt och rytmiskt. Besöksstolen står intill sängen och jag sjunker ner på den.

Ett tjockt bandage är lagt om den skadade handen. Hennes friska hand ligger öppen med handflatan mot taket, fingrarna svagt böjda. Synen av dem får allting att gunga till lite och jag undrar varför, tills jag inser det.

Jag gjorde det här. Hur orimligt det än är, hur långt tillbaka i tiden orsakskedjan än går och oavsett hur många tillfälligheter det var som ställde sig i en rät linje och drev fram det som hänt de senaste dagarna, så bottnar det ändå hos mig. Hur jag en gång förstörde Tim Nordin, drev honom bortom sin egen kontroll. Hur jag bedrog Grim. Kanske hade han rätt, kanske var det jag som fick Julia att falla för mig. Men det var inte bara hon som föll. Det var inte bara mitt fel. Om någon föll, så var det jag.

Jag sträcker ut min hand och lägger den försiktigt i Sams. Hon är varm. Beröringen verkar långsamt driva henne tillbaka mot ytan, för snart vrider hon på huvudet, mot mig.

”Ricky?” frågar hon osäkert och släpigt, kvar i sömnen med ögonen slutna.

”Nej”, säger jag lågt. ”Leo.”

”Leo”, upprepar hon, som om hon prövade det i sin mun.

Jag tror att hon ler. Hon kramar försiktigt min hand.

Rebecca Salomonssons föräldrar har på nytt blivit underrättade, nu om den verkliga orsaken till deras dotters död. Den som rånade henne i närheten av Kronobergsparken är ännu på fri fot, förmodligen någonstans i Stockholm, kanske till och med på Kungsholmen. Gärningsmän rör sig sällan långt.

Såvitt jag kan avgöra känner medierna ännu inte till bakgrunden till de märkliga händelserna som utspelades på vattentornets tak. Dramat täcker tidningarnas löpsedlar, men min inblandning har mörkats. Trots det vet jag att intresset kommer att vändas mot mig igen, såvida inget viktigare inträffar. Kanske kommer hela historien, med start i min vänskap med Grim och min relation till Julia, att rullas upp. Jag vet inte. Just nu bryr jag mig inte. Jag tänker på Anja, kvinnan som Grim en gång älskade. Hon dog, precis som så många andra gör.

Kanske kommer jag en dag att förstå han som brukade vara min vän, vad han egentligen försökte göra. Kanske inte. Så är det med mycket som visar sig vara avgörande; vi förstår det inte.

När jag skrivs ut från sjukhuset i Södertälje tar jag mig norrut med kollektivtrafiken. Det känns skönt, att bara vara en ensam människa bland tusentals andra, lika ensamma. För att dölja plåstren har jag en mössa på mig. Det är ingen som verkar reagera på det. Det enda som kanske är märkligt är min svullna, röda näsa men ingen ser åt mitt håll. På pendeltåget passerar jag miljonprogrammets höghus. Någonstans i närheten: någon på perrongen smäller smällare. Ljudet gör mig rädd, stel, och jag känner min puls stiga. Jag har blivit instruerad att inte ta Sobril. Istället har de skrivit ut Oxascand åt mig, för akuta tillfällen. Jag vet inte om det här är ett sådant, men jag antar det. Jag tar upp kartan ur innerfickan och lägger en tablett på tungan. Den smälter av sig själv, fort.

Istället för att ta bussen från Rönninge, väljer jag att promenera. Jag passerar en affisch med statsministerns ansikte. Med svart sprayfärg har någon målat ett hakkors över det.

Jag minns att jag, när jag växte upp och var på väg hem efter att ha varit inne i city, alltid använde vattentornet som riktmärke för hur långt jag hade kvar. Man ser det på avstånd. Den här gången undviker jag det. Istället håller jag blicken i marken, på mina skor, och undrar hur många gånger jag promenerat den här vägen. Jag undrar vilka av dem jag en gång kände som bor kvar här. Det är nog inte så många, men jag vet inte. Folk har en tendens att fastna på sådana här platser. Folk från förorter som Tumba, Salem och Alby. Antingen tar man sig härifrån och försvinner, eller så hålls man kvar av någonting.

Rebecca Salomonsson. Jag ser henne så som Peter Koll måste ha sett henne, snett uppifrån, hur hon kommer hög och stapplande genom mörkret med handen för munnen, ovetande om att hon endast har minuter kvar att leva. Koll trodde att hon var illamående, men kanske grät hon över att just ha blivit rånad på sin väska.

Jag kommer att behöva möta Grim, igen. Jag vet det men just nu anstränger jag mig för att trycka bort tanken på honom. Sexton år har Julia varit död. Jag försöker minnas vad jag gjorde just den här dagen, just den här stunden, för sexton år sedan men det går inte. Jag inser att jag inte längre kan förnimma hur hon såg ut när hon skrattade men för en sekund kan jag nästan känna den, Julias hud mot min. Huden minns.

I min innerficka ligger Grims dagboksblad kvar, och när jag känner kuvertet mot mina fingrar ligger där också något mer: ett papper, styvt och dubbelvikt. Jag vet bara en person som kommunicerar så. Levin måste på något vis ha placerat det där under tiden han var på sjukhuset.

Jag är glad att jag kan sitta vid din sida och höra dina andetag. Höra att du lever, precis som jag gjorde efter händelserna på

Gotland. Händelser som oavsett hur man ser på dem leder tillbaka till mig, inte dig.

Jag fick en promemoria. Den instruerade mig att placera dig på vår enhet: någon som kunde ställas till svars om det krävdes. De hade gjort en sökning och ansåg dig vara en lämplig kandidat. Allt var hypotetiskt, "om", "i värsta fall" och "för den händelse att någon av våra operationer skulle bli komprometterande".

Den kom uppifrån, från de paranoida, och jag hade inget val. De hotade med att läcka uppgifter ur mitt förflutna. Det gör de fortfarande. Jag kan inte berätta mer. Inte nu.

Förlåt mig, Leo.

Charles

Jag försöker avgöra vad jag känner, nu när jag vet. Insikten borde föra med sig någon sorts lättnad och det kanske den gör, men det betyder inget just nu. Jag känner ingenting. Alla förråder alla. Och allting faller. Jag vet förvånande lite om Levins bakgrund och undrar vad de har, vad som fick honom att lyda.

Jag står vid Triaden, på andra sidan vägen. Husen ser ut som de gjorde senast jag var här, och gången före det, och gången dessförinnan. I mitt huvud sveper tiden förbi tills jag är sexton år igen och står framför huset som är vårt, på väg hem från någonstans. Det ser ut precis så här. Vissa saker förändras bara på insidan.

Jag tar hissen upp till den sjunde våningen, kliver ut i trapphuset och går stegen upp till den åttonde och högsta våningen. Jag ser på dörren, på JUNKER, trycker ner handtaget och öppnar dörren, försiktigt.

"Hallå?" säger jag och hör min egen röst, osäker.

Hallmattan har skrynklats till. Skor har tagits av och står i oordning, men i övrigt ser hallen orörd ut. Lukten härinne är densamma, som om den vore evig. I öppningen till köket sticker min mor ut huvudet. Det kortklippta håret är gråsprängt.

”Herregud, Leo.”

Hon släpper någonting, förmodligen porslin, och bryr sig inte om att torka händerna. Istället lägger hon armarna om mig och ger mig en kram. Jag besvarar den försiktigt, oförmögen att minnas när jag fick en kram av någon av mina föräldrar senast.

”Jag ... vi var på sjukhuset, men de sa att du sov. Herregud, är det ... vi pratade med en polis där, vi blev så ...”

”Det är okej, mamma.”

Hon ser på mig. Jag har alltid tänkt att jag har min fars ögon men ju äldre jag blir, desto mer tror jag att de jag ser i spegeln snarare är min mors.

”Är du hungrig?”

”Nej. Hur är det med pappa?” frågar jag.

”Bra”, säger hon. ”Han sitter därinne.”

”Var han verkligen med?”

Hon nickar.

”Är det säkert att du inte är hungrig?”

”Ja.”

”Du ser tunn ut. Kom in.”

Jag suckar, frustrerad över att hon får mig att känna mig som tolv år igen, och kliver ur skorna, tar av mig jackan. Hon återvänder in i köket. Jag går in i det som en gång var mitt rum. Det är någon sorts arbetsrum nu, med skrivbord, dator, bokhyllor och garderober. Vid bordet sitter min far hukad över någonting på det sätt som endast människor med sjuklig koncentrationsförmåga kan vara. Han bär en rutig skjorta. Det grå håret är okammat och han drar en hand genom det.

”Förbannat”, mumlar han. ”Förb... Var är nu den, var har jag la...”

”Pappa”, säger jag och lägger handen försiktigt på hans axel.

”Leo?” Han tittar upp på mig. Blicken är full av känslor, medicinerad och glansig. ”Är det du?”

”Ja, det är jag.”

”Leo”, säger han, igen, osäker på vad det innebär.

”Din son”, säger jag.

Hans blick blir sorgsen. Han rynkar på ögonbrynen, vänder sig mot det som ligger framför honom på bordet.

”Jag behöver hjälp. Jag minns inte hur man gör.”

Det är en fjärrkontroll med knapparna mot bordsskivan. Batteriluckan är avtagen och tre batterier ligger utspridda kring den.

”Minns du verkligen inte, pappa?”

”Det är ... det finns någonstans långt bak.” Han blinkar, gång på gång, blicken stirrande på den öppna luckan, de små fjädrarna som sticker ut därinne. ”Jag minns nästan.” Han tittar upp. Sorgen är borta. Han ler. ”Hör du? Jag minns nästan.”

”Ska jag hjälpa dig?”

”Låt honom göra det själv”, säger min mor, som står i dörröppningen. ”Han minns, han behöver bara anstränga sig.”

Jag ser på mina föräldrar, från den ena till den andra.

”Mamma, jag tror inte att han kommer att lösa det.”

”Han kan.”

För några år sedan började han glömma saker: var han hade lagt nycklarna, vad han hade ätit till middag, när han senast pratat med mig eller min bror i telefon. Vi reagerade inte på det till en början. Istället irriterades vi över att han inte längre kunde komma ihåg om han hade bryggt kaffe eller inte. När han väl hade bryggt det, glömde han om han hade stängt av kaffebryggaren eller inte. Förloppet gick fort: snart ringde någon polisen. De ville anmäla en man som satt i sin bil utanför en skola och stirrade genom rutan, mot barnen. Anmälaren var rädd för barnens skull, och det var nog patrullen som kom till platsen också. De insåg dock snart att han talade sanning när han hävdade att han glömt vägen till sitt arbete.

”Förstår han vad som har hänt?”

”Han förstår att något har hänt”, säger hon. ”Han ska snart ta sina mediciner, då kommer han att bli bättre.”

Jag betraktar hans rygg. Ytterdörren öppnas. Det är min bror, som fortfarande bär arbetskläder. Han ger mig en lång kram och jag tror att jag besvarar den.

”Hur är det?” frågar han.

”Jag tror att jag hör lite dåligt.”

”Det är bra.” Han klappar mig på axeln. ”Då slipper man höra allt skitsnack.”

Av någon anledning får det här mig att skratta. Inne i arbetsrummet tappar min far batteriet i golvet. Det rullar iväg, in under en av bokhyllorna. Min bror går direkt för att hjälpa honom.

”Leo?” säger min far, osäker, och ser på honom.

”Leo är i hallen, pappa”, säger min bror, distraherad, sökande efter batteriet.

”Mm.” Han ser ut genom fönstret med blicken osäker och händerna knutna runt stolens armstöd, som om de var det enda som hindrade hans huvud från att flyta iväg. ”Leo är i hallen.” Han ler och vrider på huvudet, ser på mig. ”Bra.”

Sent den kvällen lämnar jag Salem. Jag går ut i den svala luften och i ögonvrån skymtar den port som brukade vara deras, ser hur den ligger där och vilar i mörkret. Jag vill inte gå än och stryker utanför deras dörr en stund, precis som jag gjorde förr. Det är sommar igen, i en sekund, en sommar för längesedan.

Och efter en stund: jag lämnar. Mot busshållplatsen går jag, för att ta mig in till Rönninge och åka söderut igen. Jag vill sitta hos Sam, på sjukhuset. En dimma är på väg. Jag rör mig genom platsen där jag växte upp och det är lång väg hem men ikväll är allting i Salem ovanligt tyst, Stockholms södra förorter nästan stilla.

EFTERORD

Som författare tar vi oss friheter. I den här boken har jag tagit mig flera: bland annat har jag gjort om ett antal detaljer rörande vattentornet i Salem och hur det är utformat. Jag har även skjutit in en bar här, ett härbärge där, döpt om en trio hus och så vidare. För att inte tala om alla textrader jag tagit mig friheten att lägga in!

Det är några personer jag måste tacka. Mela, mamma, pappa, lillebror, Karl, Martin, Tobias, Jack, Lotta, Jerzy, Tove, Fredrik och eldsjälarna på Piratförlaget: ni har alla, på ett eller annat sätt, bidragit till att Leo Junker och Den osynlige mannen från Salem kunde se dagens ljus.

Det är aldrig enkelt att skriva en berättelse, men att vara partner, vän, förälder eller kollega till författaren ifråga är nog ännu svårare. Ni är fantastiska.

Christoffer, Hagsätra i juni 2013

LÄS MER

Extramaterial om boken och författaren

Om *Den osynlige mannen från Salem*

Jag växte upp i gråzonen mellan Halmstad och det lilla samhället Simlångsdalen. De vänner jag hade bodde antingen uppe i Simlångsdalen, eller inne i Halmstad och dess närområden, så som barn tillbringade jag mycket tid ensam (om man studerar ett flygfoto över mitt barndomshem kanske det här låter konstigt, eftersom det ligger ett hus alldeles intill vårt – men i det bodde min farmor och farfar).

Mitt hem var inget läsande sådant. De kulturformer som dominerade under min barndom, åtminstone i mina minnen av den, var istället musik och film. När jag tänker på min barndom hör jag ljudet av The Beach Boys olycksbådande vackra stämmor och ser framför mig hur pappa introducerar mig och min lillebror för *Tillbaka till framtiden*, *Star Wars* och *Gudfadern*.

Men morfar. Han läste böcker, i mängder. I hans och mormors hus uppe i Mickedala nära Halmstads flygstation (idag är det en ”airport”) växte raderna med böcker sig långa och många och jag stod framför dem, storögd. Jag var ingen tidig läsare; i skolan var jag på sin höjd medelmåttig. Men när jag var i tio- eller elvaårsåldern började jag läsa böcker för att jag ville. Jag kan inte minnas varför eller hur, men jag misstänker att det berodde på morfar. Och på att jag inte hade så mycket annat att göra.

Snart läste jag allt: Enid Blytons böcker om Fem på äventyr, Arthur Conan Doyle, Ulf Nilsson, Bengt-Åke Cras, Maria Lang, Agatha Christie, Stieg Trenter … elva år gammal låg jag på sängen i mitt barndomshem, i mörkret på kvällen när jag skulle sova, och alla berättelser jag hade läst svepte förbi inför mina ögon.

Och jag började drömma. Om det var något som kunde få en elvaårig pojke på landsbygden utanför Halmstad att drömma, så var det berättelser.

Inte om att bli författare, men om kyrkogårdar, slott, ensliga fält och åkrar, höghus och torg – alla blev de platser där jag föreställde mig människor och mysterier.

Och sådär håller jag, egentligen, på än idag.

*

Tidigt började jag läsa kriminalromaner. Som jag minns slutet av 1990-talet, dominerades det av namn som Henning Mankell, Håkan Nesser, Åke Edwardson och Liza Marklund. Morfar hade många av deras böcker och jag läste dem alla, lånade hem dem en och en. När alla var färdiglästa uppstod ett problem: jag läste i en hiskelig takt och böcker var dyra. Åtminstone nya böcker. Och biblioteken fanns, men böckerna jag ville ha var alltför ofta utlånade – och jag var en otålig ung läsare.

Det var min mamma som kom på det: antikvariatet på Gamletullsgatan.

Idag finns det inte längre, men en gång i tiden var det Halmstads bästa antikvariat och en magisk plats. Det låg en våning ner från gatuplan, och när man gick ner var man genast omgiven av böcker i rader och högar. Luften kändes gammal och inrökt. Ett skrivbord stod och kvävdes av meterhöga bokstaplar, och bakom staplarna reste sig ägaren. Han var en lång man med burrigt silvergrått hår, små runda glasögon och en näsa som näbben på en hök. Jag frågade aldrig vad han hette, men jag minns hans röst: mörk och djup och med en dialekt som liknade den hallåorna hade på tv.

Därinne, hos honom, följde rum efter rum med böcker. I början gick jag vilse under varje besök.

Och varje bok jag drog ut ur hyllan och höll i handen kostade mellan 20 och 40 kronor. Det var ju nästan ingenting!

Det var också han som, en gång när jag kom dit och inte visste vad jag skulle läsa, frågade mig om jag kände till Sjöwall/Wahlöö.

”Nej”, svarade jag.

”Kom med här”, sa han.

Snart stod jag med *Roseanna* i handen. Det var ett slitet, fult pocketexemplar från början av nittiotalet och sådana ting kan göra en ung person mycket skeptisk.

På väg hem den dagen började jag läsa första kapitlet. Jag förstod inte mer än en bråkdel av samhälls- och systemkritiken som utgjorde ett så centralt element i författarparets verk, men en sak förstod jag: vad jag såg på sidorna var den bästa, hårdaste, coolaste och farligaste berättarröst jag hittills hade mött.

Det var *Den skrattande polisen* och *Den vedervärdige mannen från Säffle* som verkligen slog mig med häpnad. Bara den första meningen i *Den vedervärdige …* fick världen att börja snurra:

Strax efter midnatt upphörde han att tänka.

Den som har läst boken minns kanske att det är gärningsmannen vi följer här. Jag hade ingen tanke på det metaforiska i meningen, förmodligen för att jag var för liten för att begripa metaforer som fenomen. Vem vet för övrigt om Sjöwall/Wahlöö avsåg att den skulle läsas just metaforiskt? Det jag fastnade för var att det gick att inleda en berättelse så här, med en människa som upphör att tänka. Hur gör en människa det? Vi tänker ju hela tiden! Vad finns kvar när man slutar tänka? Bara handlandet, det förestående mordet på den vedervärdige gamle polisen? Ja, tänkte jag, kanske det. Strax efter midnatt upphörde han att tänka – en fantastisk inledning som sätter tonen i en av duons finaste, mest dramatiska och kraftfulla berättelser.

Jag var fast, för alltid.

*

I de berättelser jag skriver tar jag ofta tillfället i akt att säga tack. Jag gick aldrig någon formell utbildning i att skriva, utan lärde mig (och lär mig fortfarande) genom att konsumera populärkultur: läsa berättelser, se filmer och lyssna på musik. Det var min skrivarskola, och det är en fantastisk sådan. Jag lär mig mycket av att läsa bra berättelser, men nästan lika mycket av att läsa sådana som är mindre bra – de får en att inse hur man *inte* vill skriva. Så i den mån jag kan försöker jag att säga tack till de som kommit före mig och som jag lärt mig av: i *Fallet Vincent Franke* inspirerades jag av den klassiska, amerikanska noir-genren och i *Den enögda kaninen* var det (bland annat) Bret Easton Ellis, Donna Tartt och filmer som *Farväl, Falkenberg* och *American Graffiti*.

Det kan vara en replik, ett namn, en detalj eller skylt eller ibland bara en viss stämning eller känsla. Det är viktigt att påpeka, att det gör absolut ingenting om läsaren *inte* hittar de där små referenserna; ingenting är förlorat med dem. Om man däremot känner igen dem och ser dem, är det kanske små lustiga detaljer.

I *Den osynlige mannen från Salem* tog jag tillfället i akt att säga tack till de två som kanske har lärt mig mer än någon annan, de två giganterna och revolutionärerna, två av de bästa historieberättarna jag någonsin mött: Maj Sjöwall och Per Wahlöö. Boken är full av små detaljer och referenser till deras svit om Martin Beck. Jag ska inte avslöja alla (det vore ju tråkigt!) men jag delar med mig av några:

Titeln. I själva verket har jag ju endast bytt ut två ord: ”vedervärdige” blev ”osynlige” och ”Säffle” blev ”Salem”. Att boken skulle utspela sig i Salem hade jag däremot bestämt långt innan jag ens börjat tänka på titeln; att båda ortsnamnen börjar på S är faktiskt inget annat än en (lycklig!) slump.

Kapitlen. Varje Sjöwall/Wahlöö-bok hade 30 kapitel som (åtminstone i de pocketexemplar jag växte upp med) var skrivna med romerska siffror. Samma sak är det i *Den osynlige mannen från Salem.*

Kristiansson och Kvant. Sjöwall/Wahlöös två olyckor till konstaplar har i *Den osynlige mannen från Salem* sin motsvarighet i klantskallarna Leifby och Larsson.

Benny Skacke. I Becksviten är Benny Skacke en ung, både praktiskt och byråkratiskt duktig och effektiv polis. Jag hade alltid en känsla av att han skulle komma högt upp i polisens hierarki, baserat på hur Sjöwall/Wahlöö beskrev honom. När *Den osynlige mannen från Salem* utspelas borde Skacke dock vara så gammal att han är pensionär, så i min berättelse är han en pensionerad länspolismästare för Stockholms län.

Köpmangatan 8. Köpmangatan 8 i Gamla Stan är den adress Martin Beck flyttar till efter att han har skilt sig från sin fru. Det är samma adress som karaktären Charles Levin bor på i *Den osynlige mannen från Salem* (som av en händelse nämner Levin också att den som tidigare bodde där en gång i tiden var chef för Riksmordkommissionen).

Apropå Levin, förresten. Sjöwall/Wahlöö är inte de enda författare det finns spår av i *Den osynlige mannen från Salem*. Den som läst Leif GW Perssons kriminalromaner kanske känner igen efternamnet Levin, men då med en marginellt annorlunda stavning – Jan Lewin. Och det nämns inte i den här boken, men Charles Levins mellannamn är ”Jan”.

*

Inledningsvis var *Den osynlige mannen från Salem* varken en berättelse om en polis, eller början på en serie. Den var bara en berättelse om två barndomsvänner som skiljs åt efter en tragedi och så småningom lever helt olika liv – tills de av olika skäl sammanstrålar många år senare, och vad som händer då.

Men berättelsen växte och för att kunna göra den rättvisa skulle jag antingen behöva skriva en 900 sidor lång bok om Leo Junker, eller skriva flera kortare. Om man inte är typ Stephen King (och det är jag ju inte) så skulle ingen klok förläggare få för sig att ge ut en sådan bok, och min förläggare är extremt klok. Så en serie fick det bli. Och jag insåg att jag, för att verkligen kunna berätta den berättelse jag ville, måste göra Leo Junker till polis. Så polis fick han bli. Och nu är första delen om honom slut!

Den osynlige mannen från Salem är början på Leo Junkers långa vandring hem. Jag hoppas att det har varit en spännande och minnesvärd sådan. Det var vad bra berättelser var för mig, och det var därför jag som barn föll för dem som läsare (det gör jag fortfarande, förresten).

Men det här har också bara varit början. Både jag och Leo har ännu långt kvar att gå.

Jag hoppas innerligt att du följer oss hela vägen hem.

Semper Fi,
Christoffer Carlsson

I den andra boken i serien är Leo Junker tillbaka i tjänst och arbetar på våldsroteln i Stockholm. Boken är planerad för utgivning i augusti 2014 och här följer ett kort utdrag:

1

Det finns bara en sak som är säker och det, sötnos, är detta: staden är rädd. Den har visat sitt rätta ansikte nu. Jag vet det. Det hörs i dess puls om man flyttar sig nära intill och vågar lägga örat mot den, om man verkligen lyssnar till hur den tickar: spänd och nervös är den, hjärtat mitt, rädd och oförutsägbar. En glödlampa som börjat blinka, på väg att slockna för gott, men det är ingen som tänker på det. Ingen som ser det.

Istället är det bara en kyrkklocka som ringer. Det är midnatt och snön faller lätt och långsamt. De kalla gatlyktorna får flingorna att glänsa till i silver och bli genomskinliga. Ifrån en klubb i närheten pulserar en tung bas, någon som sjunger *oh, I wish it could be Christmas every day* till ljudet av bilbromsar som skriker till en bit bort. Föraren kastar sig på signalhornet.

Och på avstånd: sirener. Det är den sortens natt.

Gränden är liten och trång. Om man står i den och sträcker ut armarna kan man nästan röra vid de slitna tegelväggarna, så smal är den. Och mörk. Fasaderna växer sig höga i stadens centrum och det har gått lång tid sedan den slitna asfalten senast nåddes av solen.

Den lilla gränden leder in till en större bakgård. Längs med väggarna står mörkgröna plastcontainrar fulla med skräp och luktar surt. Ett tunt skikt av snö har lagt sig över dem. När man höjer blicken skymtar en liten bit av himlen däruppe, inramad av de höga husväggarna.

En kvinna i ljusblå overall reser omsorgsfullt ett stort, vitt tälttak över en del av bakgården. Under tälttaket ligger en man på rygg. Han bär en uppknäppt tjock överrock, en stickad halsduk, mörkgrå jeans och svarta kängor. Fyra starka, vita strålkastare lyser upp honom. I närheten ligger en sliten Fjällrävenryggsäck öppen. Tillhörigheter spiller ut ur dess mun: en bok, en korthållare, ett par tjocka sockor, en nyckelknippa, lite kontanter. Han har burit handskar, men tagit av sig dem. De sticker upp ur rockens fickor.

Mannen är mellan trettio och fyrtio år gammal, mörkhårig och välkammad med en kortklippt frisyr, några dagars skäggstubb och kantiga ansiktsdrag. Hans ögon är slutna så ögonfärgen går inte att avgöra och det kanske är lika bra det, för stunden.

Jag står en bit från tältet, med händerna i fickorna och stampar fötter. Det ser ut som om jag är otålig, men i själva verket är jag bara kall. Högt upp, i ett av fönstren mot gränden, skiner en röd julstjärna. Den är stor som däcket på en bil och bakom den skymtar ett ansikte: en pojke.

”Har han stått där länge?”

Kvinnan i blå overall, Victoria Mauritzon, vänder runt där hon sitter på huk och just är i färd med att öppna sin väska.

”Vem?”

Angelägen om att ha händerna varma, behåller jag dem i fickorna och nickar bara mot fönstret.

”Pojken.”

Mauritzon följer min blick.

”Jaha.” Hon kisar mot snön. ”Jag vet inte.”

Mauritzon återgår till att öppna väskan och fortsätter sitt arbete. Hon lyfter upp en kamera, vrider ett par steg på något av dess reglage och tar sedan sextioåtta bilder av den döde och världen omkring honom.

Stumma blåljus slår mot husväggarna medan uniformerade konstaplar försöker att inte förstöra mer än de måste. Kvarteret är avspärrat och långt bort fladdrar avspärrningsband i blått och vitt. Några förbipasserande har stannat till och betraktar alltihop, i hopp om att få se något. Fotoblixtar från mobiltelefonkameror gnistrar till då och då.

"Det är ganska färskt", mumlar Mauritzon, som lagt tillbaka kameran i väskan och försiktigt stuckit in en digital termometer i hans öra.

"Hur färskt?"

"En timme, kanske mindre. Jag är mindre säker än jag brukar vara. Den här metoden ger bara en grov uppskattning, men jag fick inte med mig den andra."

"Hur dog han?"

"Ingen aning." Hon tar ut termometern, betraktar den och skriver något i formuläret. "Men död är han."

Jag stiger försiktigt in under tälttaket och sätter mig på huk intill ryggsäcken. Mauritzon ger mig ett par latexhandskar och jag tar motvilligt upp händerna ur fickorna och sätter på mig dem. Handskarna gör att min hud ser blekare ut, får fingrarna att verka ännu benigare än de är.

Ett illamående vrider till i mig och längs ryggen stiger värmen, blir till kallsvett. Jag hoppas att Mauritzon inte märker det.

"Han ser prydlig ut", säger Mauritzon med blicken på den döde. "Inte direkt den sortens person man förväntar sig hitta på en bakgata."

"Han kanske skulle träffa någon."

Jag lyfter upp korthållaren. Den är svart och i skinn. Ur de små fickorna sticker kort upp: ett kreditkort, ett id-kort, någon sorts passerkort och ett som är vitt, med ett snirkligt blått mönster och STOCKHOLMS UNIVERSITET skrivet i lika blå text. Jag drar ut id-kortet och sväljer två gånger, som om det skulle lägga band på illamåendet.

"Thomas Markus Heber." Jag studerar bilden. "Det ser ut att vara han. Född sjuttioåtta."

Något får mig att hosta till. Ovanför fladdrar tälttaket lätt av en svag vind och omkring oss yr snön till. Jag noterar personnumret med en märklig känsla av att jag stjäl någonting från den döde, innan jag lägger tillbaka id-kortet i korthållaren och vänder mig till de andra föremålen som fallit ur ryggsäcken. Nyckelknippan avslöjar inget mer än att den döde förmodligen inte ägt någon bil. Tre nycklar: en till hans hem, en som inte går att identifiera på förhand men som förmodligen går till hans arbetsplats, och en cykelnyckel. De tjocka sockorna är torra men använda, deras lukt påminner om den man känner när man sticker ner näsan i en sko. Kontanterna består av en hundrakronorssedel, två femtiokronorssedlar, en tjuga, och några småmynt.

Boken, *The Chalk Circle Man*, är skriven av Fred Vargas. Omslaget är lätt slitet och halvvägs in i boken sitter ett hundöra. Jag öppnar sidan och blicken faller på meningen högst upp.

Can't think of anything to think.

Min panna känns fuktig och blank, men illamåendet viker sakta tillbaka. Jag överväger innebörden i meningen innan jag slår ihop boken, omsorgsfullt lägger tillbaka den och reser mig. Det är min tolfte dag åter i tjänst, den andra med nattjour.

Frågan är vad fan jag gör här.

Våldsroteln med ansvar för City och Norrmalm är den rotel som i polismun benämns Ormgropen. Påverkat folk som slår, sparkar, spottar, fräser, river, knivhugger och skjuter varandra, knarkare och langare som påträffas med hål i nacken i källarutrymmen, horor som våldtas i parker och i lägenheter, kvinnor som slår ihjäl män och män som slår ihjäl kvinnor, unga som rymmer hemifrån och påträffas döda på de mest märkliga av platser, partier av vapen och knark som byter ägare, upplopp, demonstrationer, vansinnesfärder och fordon som sätts i brand. Det är Ormgropen. Och nu detta: en välklädd och medelålders man som dör på en bakgata. Ingen går säker.

Formellt var jag ute i kylan till och med årsskiftet. Innan dess var aktiv tjänstgöring otänkbart, framförallt efter det som hände i slutet av sommaren. Det var, kanske, ett samtal med psykologen som avgjorde det.

Psykologen är av det slag som bedömer sina klienter i pengar, och jag hade sedan länge slutat vara en lukrativ investering. De timslånga sessionerna präglades av att jag ömsom brast i gråt, ömsom satt djupt försjunken i tystnad och rökte cigaretter trots att det inte var tillåtet. Psykologen såg mest uttråkad ut, betraktade sitt solbrända ansikte i spegeln bakom min rygg och drog handen genom sitt välkammade hår.

”Hur går det med Sobrilen?” frågade han för en månad sedan.

”Bra. Jag försöker att skära ner.”

Något tändes i psykologens ögon.

”Bra, Leo.” Han skrev något i sitt papper. ”Bra, det är bra. Ett jättestort framsteg.”

Kort därefter ansåg psykologen att jag inte längre var i behov av hans hjälp, så jag genomgick en gäckande rudimentär undersökning i Solna några dagar senare, och den som undersökte mig såg inget skäl till att jag inte skulle få återgå till att tjäna rättsväsendet. Det kan ha berott på att jag inte sa någonting om mardrömmarna och ingenting om de sporadiska hallucinationerna heller. Ingenting om de märkliga impulserna till att ibland vilja bli våldsam: slänga ett glas i väggen, slå sönder en stol, smälla till någon i ansiktet. Av någon anledning var det heller ingen som frågade, men det hade jag heller inte förväntat mig.

Internutredningsenheten var utesluten, med tanke på det som hänt, men jag borde åtminstone ha fått börja med en skrivbordstjänst någonstans, kanske på stöldroteln eller sedlighetsroteln. Någonstans djupt inne i byråkratins dammigaste hörn, där jag inte kunnat åstadkomma någon väsentlig skada.

Men nej.

Jag var tvungen att hamna i Ormgropen igen, där jag en gång lärdes upp av Levin, som styrde roteln den gången. Rikspolisstyrelsen har öst in resurser i distriktet och kanske är det därför jag är här. De ökade resurserna hjälper, såvitt vi vet, inte särskilt mycket. Storstadens larm kan göra människorna galna, sägs det, och allra galnast blir de som befinner sig vid larmets nollpunkt, i stadens hjärta. Det är ingen hemlighet. Alla som någon gång tjänat sina pengar i Ormgropen vet det.

Jag tar av mig latexhandskarna. Pojken står fortfarande kvar däruppe, halvt dold av den stora lysande stjärnan. Sex, kanske sju år, inte mer, med stora ögon och krulligt mörkt hår. Jag lyfter handen till en hälsning och blir förvånad när pojken uttryckslöst gör detsamma.

”Någon borde prata med honom.”

”Vem?” säger Mauritzon.

”Pojken.”

”De kommer nog till honom, tids nog.”

Mauritzon har rätt. Det är sent och släckt i de flesta fönster som vetter mot bakgatan, men i fler och fler tänds ljuset när folk blir väckta av mina kollegor, som har påbörjat dörrknackningen. Själv tar jag ut en tablett Sobril ur innerfickan på rocken, den första sedan skiftets början. De är små och runda som O:et på ett tangentbord.

Bara att se den, hålla i den, får det att vattnas i munnen och jag känner svettningarna bedarra. Jag kan redan föreställa mig den, känslan av att långsamt lindas in i bomull och hur världen får sina rätta proportioner igen. Jag håller den lilla tabletten i handen en stund, innan jag diskret lägger tillbaka den i innerfickan igen och genast ångrar att jag inte tog den i munnen.

”Var är hans mobiltelefon?” frågar jag och märker att min röst är onaturligt tjock.

”Den dödes?”

”Ja.”

”Ingen aning”, säger Mauritzon. ”Han kanske ligger på den. Jag skulle behöva vända på honom. Jag vill se hur hans rygg ser ut.”

Hon vinkar till sig två uniformerade assistenter. De är tio år yngre än jag och huttrar, kanske av kyla. Hon ger dem latexhandskar och sedan hjälps de åt att försiktigt vända på den döde så att Mauritzon kan studera hans ryggtavla och benens baksida.

Under Thomas Hebers kropp är marken brunröd. Blodet har fått snön att smälta och bli till ett lilarött, brunaktigt slask. De två assistenterna ser sammanbitet på det.

"Märkligt att det är så lite blod", säger jag och ser på Mauritzon. "Eller?"

"Det är kylan", mumlar hon och studerar den blöta rockryggen. "Det gör att kroppens funktioner stannar av fortare." Hon rynkar ögonbrynen. "Där. Ser du?"

En tydlig reva i ryggen, någonstans i höjd med hjärtat.

"En kniv."

"Ser så ut." Hon nickar åt de två assistenterna. "Lägg tillbaka honom, försiktigt."

"Och få hit Gabriel Birck", säger jag.

"Är inte han ledig?" frågar en av assistenterna.

"Jo, formellt är han det."

"Kan det inte vänta till imorgon, då?" säger assistenten.

Jag ser från Thomas Hebers kropp, till assistenten. Mitt illamående återvänder och pulsen stiger. Någonstans ifrån kommer skräcken krypande, varelser som tar sig upp ur underjorden och sträcker sig efter mig. Jag försöker undvika att flacka med blicken.

"Vad tror du själv?" får jag ur mig.

Assistenten svarar inte, ser bara på sin kollega.

"Gör det, du."

"Han bad dig göra det", säger den andre.

"Gör det, bara", säger jag och studerar väggarna omkring oss, som är på väg att falla, falla och krossa mig.

En osynlig hand kramar mitt hjärta. Assistenterna går iväg, suckande. Mauritzon återgår till sin undersökning. Ifrån klubben i närheten sjunger någon *oh, what a laugh it would have been if daddy had seen mommy kissing Santa Claus that night* och Mauritzon nynnar ordlöst med i melodin.

Kanske är det klubben och tanken på alkohol som gör att illamåendet återvänder kraftigare än förut, att svettningarna blossar upp igen och sköljer som en våg genom min kropp, tränger ut ur porerna och gör att det nästan blir svårt att andas. Jag rör mig med hastiga steg bort från brottsplatsen och jag vet inte hur det ser ut men det känns som om jag stapplar, vacklar och snart börjar jag kippa efter luft.

Det svartnar för ögonen och någonstans mellan den döde och avspärrningens gräns en bit bort tar jag stöd mot väggen. Teglet är kallt och hårt men stödet är det enda som hindrar mig från att falla och så vrider magen sig ut och in och jag viker mig dubbel. Ur halsen och munnen forsar resterna av mat: en halvt nedbruten varmkorv, bröd och kaffe, allt i en hopblandad illaluktande röra som slår mot den frusna snön med ett blaskande ljud.

Musklerna sviker mg och jag faller på knä, känner kylan stiga genom jeansen och upp i låren men det är en avdomnad, dov känsla som dränks av allt annat: svetten, skakningarna, det hesa raspandet ur halsen som är tänkt att likna andetag, och övertygelsen om att det är så här livet kommer att sluta, att jag med all säkerhet kommer att dö.

”Mord kan tydligen ta hårt på luttrat folk också”, hör jag avlägset en av assistenternas röst.

På avstånd gnistrar fotografernas blixtar till. Jag vet inte om jag blundar, men det känns så. Allt är ett dunkelt, suddigt töcken. Jag blundar inte, men ögonen är tårfyllda av uppkastningarna. Så är det. Allt är grumligt. Det bränner i halsen, krampar i magen.

Med ena handen mot tegelväggen och andra handen rotande i rockens innerficka försöker jag resa mig upp. Det är inte första gången det händer. När tog jag senast en? Det måste ha varit en eller två dagar sedan. Kan det verkligen inte ha gått längre tid än så? Allting är så oklart, plötsligt. Jag minns en berättelse jag hörde en gång, av en gammal missbrukare. Han hade varit fast på amfetamin en längre tid men sedan lyckats lägga av, men beskrev varje ren stund som en kamp, vilket gjorde att tiden kändes onaturligt lång, utdragen. Allting gick mycket långsammare och det fanns alldeles för mycket tid till att tänka.

Det är inte staden som är rädd, inte Stockholm som är en glödlampa på väg att slockna. Det är jag.

Jag får tag i den lilla tabletten. När jag lägger den på tungan är den redan hal och våt av fingertopparnas svetthinna. Den glider enkelt ner och jag anstränger sig för att ställa mig upp, lutar mig mot husväggen och känner hur den kyler ner mig, hur flämtningarna långsamt upphör, hur jag än en gång har förlorat mot mig själv.

Pressröster om *Den osynlige mannen från Salem*

”Svenska Deckarakademien har gjort ett bra val när de nominerade Christoffer Carlsson. Det är inte varje dag som det dyker upp någon med en alldeles egen ton. Som kriminolog har han förstås goda kunskaper om brott och rättsväsende och han kan använda dem. *Den osynlige mannen från Salem* är en sådan där roman jag skulle önska att jag hade framför mig att läsa – för tänk så bra den visade sig vara!”
Anders Wennberg, Gefle Dagblad

”Christoffer Carlsson är helt i en klass för sig bland de svenska deckarförfattarna. Dels för att han har en sådan säregen röst när han skriver, dels för att han skriver så rasande bra. ... Kanske är *Den osynlige mannen från Salem* rent av Christoffer Carlssons bästa hittills.”
Maria Neij, Östgöta Correspondenten

”Krypande obehaglig och begåvad deckare ...”
Lotta Olsson, Dagens Nyheter

”Skickligt uppbyggt ... med gåtor som får sin lagom överraskande förklaring och med en närhet i personskildringen, som gör mig nyfiken på hur kommande delar av sviten ska föra det hela vidare.”
Bo Lundin, Sydsvenskan

”Med sin tredje roman etablerar sig författaren och kriminologen Christoffer Carlsson på allvar som en framtidsröst i spänningsgenren. Han visar sig ha uthålligheten som krävs för att bygga ett helt

författarskap. … Hos Christoffer Carlsson är kunskapen om den undre världen blott taket på ett gediget bygge, uppfört med största hantverksskicklighet.”
Kristian Ekenberg, Arbetarbladet

”Carlsson kan genren, han tillåter sig att härma och leka och det kan han göra just för att han ändå är sin egen. Det här är en lovande start på en ny deckarserie och en klar kandidat till årets bästa svenska deckare.”
Gunilla Wedding, Norra Skåne

”Carlsson, som målar med dova färger och känslor, säger sig vilja skriva en serie om Leo Junker. Jag tror att den vill bli läst.”
Åsa Carlsson, Kristianstadsbladet

”Christoffer Carlsson kan konsten att mycket långsamt skapa en olustkänsla.”
Lasse Hallberg, Sundsvalls Tidning

”… ruskig, dramatisk, välformulerad och eftertänksam. … det är synnerligen välskrivet och det känns extremt aktuellt och berörande. Christoffer Carlsson tänker skriva mer om Leo Junker har han sagt, och det tycker jag att han ska göra.”
Annika Andersson, P4 Skaraborg

”Romanens starkaste drag är de många antydningar och ledtrådar som konsekvent följs upp av författaren och förklaras efter historiens gång. Dessa detaljer gör att romanen får ett driv framåt och det är svårt att lägga boken ifrån sig. … en roman som skiljer sig från mängden av deckare och polisromaner, historien är skickligt uppbyggd så att allting får ett nästan övernaturligt (austeriöst) samband.”
Sara Starkström, Dagens bok